YOGA

für alle Lebensstufen – in Bildern

YOGA

für alle Lebensstufen – in Bildern

Vorwort: Swami Vishnu Devananda

Herausgegeben vom Sivananda Yoga Zentrum

GU

Gräfe und Unzer

Wichtiger Hinweis
Yoga ist eine Lehre, die nicht unserem Kulturkreis entstammt. Sie sind aufgerufen zu entscheiden, inwieweit Yoga einen Beitrag zu Ihrem Leben zu leisten vermag, zu Ihrem physischen und psychischen Wohlbefinden. Versuchen Sie niemals, eine Übung zu erzwingen, die Ihre Möglichkeiten übersteigt.
Yoga ist keine Lehre, die schnell Erfolg verspricht: Lassen Sie sich auf das andere Zeitgefühl ein.
Es ist unerläßlich, daß Sie den Anweisungen Schritt für Schritt folgen, und daß Sie dabei Ihren eigenen Rhythmus finden. Gehen Sie systematisch vor in der angegebenen Reihenfolge der Asanas mit ihren Entspannungsperioden, überschreiten Sie dabei die empfohlene Übungsdauer bitte nicht. Beachten Sie stets die Vorsichtsregeln, vermeiden Sie Überanstrengungen. Sie sollten sich auf keinen Fall selber antreiben oder zu etwas zwingen. Jeder Körper reagiert auf seine Weise – mit der Zeit werden auch Sie Ihr eigenes Maß finden.

Für Swami Vishnu Devananda

12. Auflage 1999

Texte von Lucy Lidell mit Narayani und Giris Rabinovitch

Fotos von Fausto Dorelli

Nach einer Idee von Lucy Lidell

Zeichnungen: Lindsay Blow, Felicity Edholm, Elaine Keenan, Tony Kerins, Tony Lodge, Gary Marsh, Sheilagh Noble, Rodney Shackle, David Whelan

Übersetzung: Adelheid Ohlig
Lektorat: Elisabeth Blay
Herstellung: Manfred Lüer
Satz: Fertigsatz GmbH
Einbandgestaltung: Heinz Kraxenberger
Reproduktion: F. E. Burman Ltd. London
Druck und Bindung: Artes Graficas Toledo, S.A.–Spanien
ISBN 3-7742-6200-4

So sollten Sie dieses Buch benutzen

Dieses Buch vermittelt Ihnen alle notwendigen Informationen, die Sie brauchen, um Yoga zu Hause zu erlernen. Mittelpunkt Ihrer täglichen Praxis sollten die Grundstellungen sein, die auf den Seiten 66 und 67 in einer Übersichtstabelle zusammengestellt sind. Im Kapitel *Zyklus des Lebens* auf Seite 157 sind spezielle Übungen zu finden, die den körperlichen Besonderheiten von Schwangeren, von Kindern und älteren Menschen angepaßt sind.

Beginnen Sie Ihr tägliches Yoga-Training mit den Grundstellungen, die Sie auf Seite 29 finden; erweitern Sie Ihr Programm allmählich um die Entspannungs- und Atemübungen. Aus Gründen der Übersichtlichkeit sind diese Übungen jeweils in eigenen Kapiteln besprochen – die Entspannungsübungen auf Seite 23, die Atemübungen auf Seite 69.

Wenn Sie mit den Grundstellungen vertraut sind, die Entspannungs- und Atemübungen beherrschen und auch schon mit einfachen Meditationstechniken begonnen haben, können Sie nach und nach Stellungen aus dem Kapitel *Asanas und Variationen* hinzunehmen, später dann die weiterführenden Atem- und Meditationstechniken. Bei dieser Art des Vorgehens entwickeln Sie ein Yoga-Programm, das Ihren Bedürfnissen gerecht wird. Gehen Sie aber auch zu Yogastunden – dies wird Sie anregen in Ihrer eigenen Praxis. Fragen Sie Ihren Yogalehrer um Rat, wenn Sie sich bei Ihrem Training zu Hause nicht wirklich wohlfühlen.

Vorwort

Streß und Anspannung, die die Kräfte des einzelnen weit überfordern, sind für den heutigen Menschen der westlichen Welt größer als zu irgendeiner anderen Zeit in der Geschichte der Menschheit. Tausende und Abertausende greifen zu Beruhigungsmitteln, Schlaftabletten, Alkohol und ähnlichen Drogen, um mit ihren täglichen Belastungen fertig zu werden. Vergebens! Als ich 1957 von meinem Meister Swami Sivananda nach Amerika gesandt wurde, sagte er: »Geh', die Menschen warten. Viele Seelen aus dem Osten werden nun im Westen wiedergeboren. Geh' und erwecke die in ihrer Erinnerung schlummernde Bewußtheit wieder zum Leben und führe sie zurück auf den Pfad des Yoga.«
Yoga, die älteste Wissenschaft vom Leben, lehrt, wie Sie Streß kontrollieren können – nicht nur körperlich, sondern auch auf geistig-seelischer Ebene. Man kann den menschlichen Körper mit einem Auto vergleichen. Fünf Dinge sind es, die jeder Wagen braucht, um reibungslos zu laufen – sei es nun ein Rolls Royce oder ein altes, rostiges Vehikel: Schmierung, Kühlung, Elektrizität, Treibstoff und einen einfühlsamen Fahrzeuglenker. Im Yoga sind es die Asanas oder Stellungen, die den Körper »schmieren« – sie halten Muskeln und Gelenke geschmeidig, kräftigen die inneren Organe und stärken den Kreislauf, ohne Müdigkeit zu verursachen. Gekühlt wird der Körper durch die vollständige Entspannung, während Pranayama – die Yoga-Atmung – das Prana, den energetischen Strom verstärkt. »Treibstoff« bezieht der Körper aus Nahrung, Wasser und Luft; und die Meditation ist es, die den Geist beruhigt, den Lenker des Körpers. Durch Meditation lernen Sie, den Körper, Ihr physisches Instrument, zu kontrollieren und schließlich zu transzendieren.
Jeder kann Yoga ausüben – gleichgültig wie alt er ist, welche Kondition, welche Religion er hat. Jung oder alt, krank oder gesund – allen Menschen hilft diese Disziplin. Schließlich muß jeder von uns atmen, wie immer er sein Leben gestaltet. Und wenn wir das Falsche essen, bekommen wir alle Arthritis. Sie können auf eine Blume, den Davidstern oder das Kreuz ebenso meditieren wie auf Krishna oder Rama. Der Gegenstand der Konzentration kann unterschiedlich sein, die Technik aber bleibt dieselbe.
Die ersten Yogis suchten zwei fundamentale Fragen zu beantworten: Wie kann ich Schmerz loswerden? Und: Wie kann ich den Tod besiegen? Sie entdeckten, daß durch Asanas physischer Schmerz überwunden werden kann, Pranayama seelische Schmerzen bezwingt und Meditation zu einem wahren Verständnis des eigentlichen Selbst führt. Frei von falscher Identifikation mit Name und Gestalt können Sie den Körper transzendieren und das unsterbliche Selbst finden. Sie sehen: Auch wenn Yoga mit dem Körper beginnt, so transzendiert es ihn letztlich.
Zusammenfassend möchte ich sagen, daß Yoga keine Theorie ist, sondern ein praktischer Lebensweg. Wenn Sie niemals Honig gekostet haben, kann ich Ihnen noch so oft von seinem guten Geschmack erzählen – Sie werden so lange nicht wirklich wissen, wie er schmeckt, bis Sie ihn selbst probiert haben. Praktizieren Sie Yoga und Sie entdecken seine Vorteile. Dieses Buch hilft Ihnen, den ersten Schritt zu tun und dient Ihnen als guter Begleiter auf Ihrem Weg und als Anregung.

Swami Vishnudevananda

Inhalt

Asanas und Variationen

Der Zyklus des Lebens

Yoga und Gesundheit

Anhang

Einführung ins Yoga

Jeder kann Yoga praktizieren. Sie benötigen weder eine besondere Ausrüstung noch spezielle Kleidung – nur ein bißchen Platz und den starken Wunsch nach einem gesunden, erfüllten Leben. Yoga-Stellungen oder Asanas trainieren jeden Körperteil, strecken und kräftigen Muskeln und Gelenke, die Wirbelsäule und das gesamte Knochengerüst. Sie wirken jedoch nicht nur auf die äußere Gestalt des Körpers, sondern ebenso auf die inneren Organe, Drüsen und Nerven, indem sie das ganze System gesund erhalten. Körperliche und geistige Spannungen lösend, wecken sie erstaunliche Energiereserven.

Die Yoga-Atmung – auch als Pranayama bekannt – belebt den Körper und hilft, den Geist und Verstand zu kontrollieren: Sie fühlen sich ruhig und erfrischt. Die Praxis positiven Denkens und Meditierens schenkt wachsende Klarheit, Geisteskraft und Konzentration.

Yoga ist eine vollständige Wissenschaft vom Leben, die vor Tausenden von Jahren ihren Ursprung in Indien hatte. Es ist der Welt ältestes System zur persönlichen Entwicklung, das Körper, Geist und Seele vereint. Die alten Yogis besaßen ein tiefes Verständnis der menschlichen Natur und wußten genau, was der Mensch braucht, um mit sich und seiner Umwelt in Einklang zu leben. Sie betrachteten den physischen Körper als Gefährt, den Geist als dessen Lenker und die Seele als des Menschen wahre Identität. Handlung, Gefühl und Intelligenz sind demnach die drei Kräfte, die das Körpergefährt ziehen.

Um eine einheitliche Entwicklung dieser drei Kräfte zu erreichen, müssen sie im Gleichgewicht gehalten werden. Unter Berücksichtigung der Beziehung zwischen Körper und Geist schufen die Yogis eine einzigartige Methode, die all die Bewegungen, die man braucht, um die physische Gesundheit zu erhalten, mit Atem- und Meditationstechniken vereint, die für Frieden im Geiste sorgen.

Yoga in Ihrem Leben

Viele Menschen fühlen sich vom Yoga angezogen, weil sie ihren Körper beweglich und in Form halten wollen: schön soll er aussehen und schön soll es sein, in ihm zu leben. Andere kommen, weil sie Erleichterung einer bestimmten Beschwerde wie Spannung oder Rückenschmerz suchen. Wieder andere werden von dem Gefühl getrieben, daß sie nicht soviel aus ihrem Leben herausholen, wie sie eigentlich könnten. Was auch immer Ihr Beweggrund sein mag, Yoga kann zum Handwerkszeug, zum Instrument für Sie werden – Ihnen das geben, weswegen Sie kamen und weit mehr. Um Yoga zu verstehen, müssen Sie es nur selbst ausprobieren. Auf den ersten Blick scheint es lediglich aus einer Reihe befremdlicher Körperstellungen zu bestehen. Mit der Zeit aber wird jeder, der Yoga regelmäßig ausübt, einen subtilen Wechsel in seiner Lebenseinstellung bemerken, denn: indem der Körper beständig gestärkt und entspannt wird, der Geist zur Ruhe kommt, erhalten Sie ein Gefühl für jenen Zustand inneren Friedens, der Ihre wahre Natur ausmacht. Zugleich ist dies das Wesen des Yoga: die Selbstverwirklichung, die wir alle suchen – bewußt oder unbewußt – und zu der wir alle hinstreben.

Sobald es Ihnen gelingt, Ihren Geist und Ihre Gedanken zu kontrollieren, gibt es praktisch keine Begrenzung Ihres Könnens mehr – denn nur unsere Illusionen sind es, die uns an der wahren Selbstverwirklichung hindern.

Die Physiologie des Yoga

Ebenso wie wir es hinnehmen, daß unsere Autos mit zunehmendem Alter an Wert verlieren, so fügen wir uns auch in die Tatsache, daß unser Körper weniger effektiv arbeitet im Laufe der Jahre – ohne uns je zu fragen, ob das denn wirklich und notwendigerweise so sein muß oder warum die Tiere anscheinend ihr ganzes Leben lang arbeiten können und wir nicht. Tatsächlich ist Altern zum größten Teil ein künstlicher Prozeß, der vor allem durch Selbstvergiftung entsteht. Diesen Stoffwechselprozeß der Zellabnutzung können wir beträchtlich mindern, indem wir unseren Körper natürlich, gesund und geschmeidig erhalten.

In den vergangenen Jahren wandte die medizinische Forschung ihre Aufmerksamkeit den Erfolgen des Yoga zu. Untersuchungen bestätigten, daß die Entspannung in der Totenstellung einen zu hohen Blutdruck senken und regelmäßiges Üben von Asanas und Pranayama bei so unterschiedlichen Beschwerden wie Arthritis, Arteriosklerose, chronischer Erschöpfung, Asthma, Krampfadern und Herzleiden helfen kann. Laboruntersuchungen bestätigten auch die Fähigkeit der Yogis, bewußt autonome, unwillkürliche Funktionen wie Körpertemperatur, Herzschlag und Blutdruck zu kontrollieren. Eine über sechs Monate durchgeführte Studie über die Wirkungsweise von Hatha Yoga brachte folgende Ergebnisse: wesentlich erhöhte Lungen- und Atemkapazität, Minderung von Körpergewicht

Energieabdrücke
Der energetisierende Effekt der Yoga-Stellungen oder Asanas wird deutlich durch die Kirlian-Fotografie bewiesen. Das linke Foto wurde vor einer 15minütigen Asana-Sitzung aufgenommen. Als die Hand derselben Person nach der Sitzung wiederum fotografiert wurde, zeigte sich eine vollere, vollständigere Aura. Übrigens: ein 15minütiges Gymnastikprogramm derselben Person veränderte die Aura nicht.

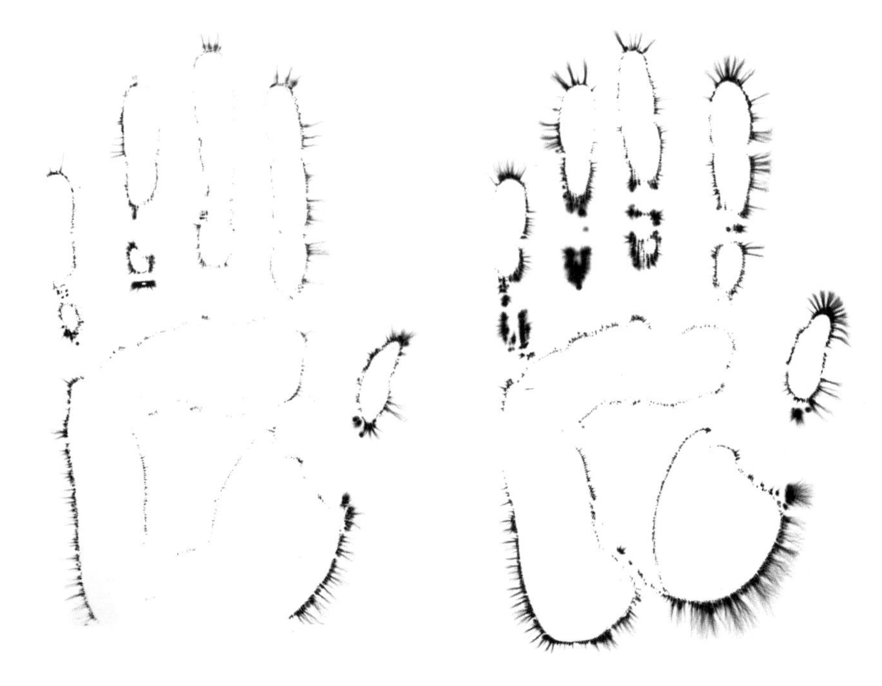

und -umfang, verbesserte Streßabwehr, Senkung des Blutzucker- und Cholesterinspiegels – insgesamt gesehen also eine Erneuerung und Stabilisierung aller Systeme des Körpers. Heute gibt es keinen Zweifel mehr an den heilenden und vorbeugenden Wirkungen von Yoga.

Krishna

Die Geschichte des Yoga

Die Ursprünge des Yoga verlieren sich im Dunkel der Zeit – Yoga wird angesehen als göttliche Wissenschaft vom Leben, die erleuchteten Weisen in der Meditation enthüllt wurde. Den ältesten archäologischen Beweis seiner Existenz liefern einige Steinsiegel mit Figuren in Yoga-Positionen, die im Industal ausgegraben und auf etwa 3000 Jahre vor Christus datiert wurden. Yoga wird erstmals in der großen Schriftsammlung der Vedas erwähnt, die teilweise auf mindestens 2500 Jahre vor Christus zurückgehen. Die Hauptgrundlage der Yogalehren und der als Vedanta bekannten Philosophie kommt jedoch aus den Upanishaden, den abschließenden Teil der Veden. Mittelpunkt des Vedanta ist die Idee einer absoluten Realität oder eines absoluten Seins oder Bewußtseins, Brahman genannt, das dem ganzen Universum zugrunde liegt.

Etwa um das sechste Jahrhundert vor Christus erschienen zwei große Epen: das Ramayana, verfaßt von Valmiki, und das Mahabharata von Vyasa, das die Bhagavad Gita enthält – die wohl bekannteste aller Yogaschriften. Gott oder Brahman, in der Verkörperung von Krishna, unterweist den Krieger Arjuna im Yoga – besonders darin, wie man durch die Erfüllung seiner Pflichten im Leben Befreiung erlangt. Rückgrat des Raja Yoga bilden die Yoga Sutras des Patanjali (→ Seite 19), wahrscheinlich im dritten Jahrhundert vor Christus

Meditierender Yogi
Beweise der alten Yoga-Tradition liefern zahlreiche Gemälde und Schnitzereien mit Darstellungen aus der Yoga-Praxis. Diese kleine mittelalterliche Statue zeigt einen Yogi im Lotussitz.

geschrieben. Der klassische Hatha-Yoga-Text ist die Hatha Yoga Pradipika, in der die verschiedenen Asanas und Atemtechniken als Grundlage der modernen Yoga-Praxis beschrieben sind.

»Der Bogen ist das heilige OM und der Pfeil unsere eigene Seele. Brahman ist das Ziel des Pfeils, das Ziel der Seele. So wie ein Pfeil eins wird mit seinem Ziel, so läßt die wache Seele eins mit Ihm werden.«
Mundaka Upanishad

Die Bedeutung des Yoga

Das allen unterschiedlichen Aspekten der Yoga-Praxis zugrundeliegende Ziel ist die Wiedervereinigung des individuellen Selbst (Jiva) mit dem Absoluten oder reinen Bewußtsein (Brahman) – das Wort Yoga bedeutet »vereinigen«. Die Vereinigung mit dieser unveränderlichen Wirklichkeit hebt die Trennung zwischen Geist und Körper auf, löst die Illusion von Raum, Zeit und Ursache. Nur unsere Unwissenheit und die Unfähigkeit, zwischen Wirklichem und Unwirklichem zu unterscheiden, hindern uns daran, unsere wahre Natur zu erkennen.

Doch selbst in dieser Unwissenheit nimmt der menschliche Geist bisweilen wahr, daß etwas im Leben fehlt – etwas, das nicht im Erreichen eines Ziels oder in der Befriedigung eines Wunsches Erfüllung findet. In jedem individuellen Leben zeugt die ruhelose Suche nach Liebe, Erfolg, Abwechslung, Glück von diesem Bewußtsein um eine Wirklichkeit, die wir zwar ahnen, aber nicht erreichen.

In der Überlieferung gilt der Gott Siva als der ursprüngliche Begründer des Yoga.

Indiens Herrscher haben stets nach der spirituellen Weisheit der Yogis gesucht.

Nach den Yogalehren ist die Wirklichkeit unveränderlich und unbewegt – die Welt, das manifestierte Universum, befindet sich in einem ständigen Fluß und ist daher Illusion oder Maya. Das wird symbolisch ausgedrückt im Bild von Siva, dem Herrn des Tanzes, der mit einem erhobenen Fuß dargestellt wird; läßt er ihn sinken, wird das Universum, wie wir es kennen, aufhören zu existieren. Das manifestierte Universum ist nur eine Überlagerung des Wirklichen, es projiziert sich gleichsam auf die Leinwand der Wirklichkeit, wie ein Film auf die Leinwand im Kino projiziert wird. Genauso wie wir beim Spaziergang in der Dunkelheit ein Stück Seil für eine Schlange halten können, halten wir ohne Erleuchtung das Unwirkliche für das Wirkliche. Wir projizieren unsere eigenen Illusionen auf die wirkliche Welt.

Die illusorische Natur der vergänglichen Wirklichkeit spiegelt sich in der Suche der modernen Wissenschaft nach dem endgültig unteilbaren Teil der Materie. Dies führte zur Erkenntnis von der Austauschbarkeit zwischen Materie und Energie – der Anschein von Festigkeit, den wir an der Materie wahrnehmen, wird durch Bewegung oder Schwingung erzeugt – wir sehen zum Beispiel einen sich drehenden Ventilator als Kreis. Das meiste von dem, was wir als fest wahrnehmen, ist in Wirklichkeit leerer Raum. Auf unseren Körper bezogen, bedeutet das: Würden wir den Atomen in unserem Körper allen Raum entziehen und nur den »Leerraum« zurückbehalten, so wären wir nichts.

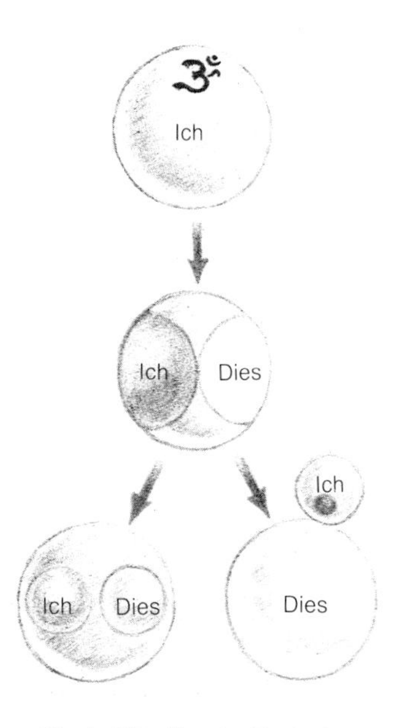

Die drei Stadien der Evolution
In dem obenstehenden Diagramm symbolisiert »Ich« die Einheit und »Dies« die Materie. Vor der Evolution ist alles eins, Prana ist als Energieanlage vorhanden. Im mittleren Stadium wird Prana aktiv und erschafft Materie – noch immer als Teil der Einheit. Im letzten Stadium, dem manifestierten Universum, gibt es zwei Schritte: zunächst wird Materie getrennt von der Einheit wahrgenommen (links), später werden Geist und Materie getrennt von der Einheit wahrgenommen (rechts).

Die Erschaffung von Maya

In der Yoga-Philosophie gab es ursprünglich nur ein Selbst – undifferenzierte Energie – unendlich, unveränderlich und ungeformt. Der Prozeß der Differenzierung, der dann zum manifestierten Universum als der physischen Welt, die wir kennen, führte, wurde unterschiedlich beschrieben. Zunächst gab es den Geist oder Purusha, dann kam ein großes Licht (die Theorie vom »Urknall«), das die Evolution des objektiven Universums als Prakriti, der manifestierten Welt, wie wir sie wahrnehmen, verursachte. Sobald Prakriti austrat, unterschieden sich die drei Gunas genannten Qualitäten, die in Purusha noch im Gleichgewicht waren (→ Seite 80). Der gleiche Prozeß wird manchmal als die Differenzierung in »Ich« und »Dies« beschrieben, die Trennung von Objekt und Subjekt – mythologisch das Hervorkommen Shaktis aus Siva. Im Aufsteigen der Kundalini (→ Seite 70) wird der überbewußte Zustand erreicht, vereinen sich die beiden Prinzipien und die Illusion verschwindet.

Karma und Wiedergeburt

Für einen Yogi sind Geist und Körper Teil der illusorischen Welt der Materie mit einer begrenzten Lebenszeit. Die Seele jedoch ist ewig, sie geht, wenn ein Körper sich auflöst, in einen anderen über. Die Bhagavad Gita sagt: »So wie jemand abgetragene Kleidung ablegt und neue anzieht, so legt das verkörperte Selbst abgetragene Körper ab und tritt in einen neuen ein.« Der Zyklus der Wiedergeburt bringt uns der Wiedervereinigung mit dem inneren Selbst näher, da der Schleier der Unwissenheit sich hebt. Mittelpunkt des Yoga-Denkens ist das Gesetz des Karma, von Ursache und Wirkung, Aktion und

Der Yogi und der Pfau
Dieser Druck aus dem 18. Jahrhundert zeigt einen Yogi, der zum Zeichen der Hingabe einen Pfau füttert. In der Hindu-Mythologie repräsentiert der Pfau Krishna.

Reaktion. Jede Handlung und jeder Gedanke tragen Frucht, sei es in diesem oder einem künftigen Leben. Wir ernten, was wir säen, formen unsere Zukunft durch das, was wir in der Gegenwart denken und tun.

Die Pfade des Yoga

Es gibt vier Hauptpfade im Yoga: Karma Yoga, Bhakti Yoga, Jnana Yoga und Raja Yoga. Alle Pfade führen letztlich zum selben Ziel, der Vereinigung mit Brahman oder Gott. Wenn Weisheit erlangt werden soll, müssen die Lehren aller Pfade integriert werden. Karma Yoga, das Yoga der Tat, ist der Yogapfad, der hauptsächlich von tatbestimmten Menschen gewählt wird. Durch selbstloses Handeln, ohne an Lohn oder Lob zu denken, wird das Herz gereinigt. Frei von der Bindung an den Erfolg der Taten, die Gott geweiht werden, lernt man, das Ego zu läutern. Um dieses Ziel zu erreichen ist es hilfreich, den

Das Rad von Leben und Tod
Das Rad symbolisiert den Zyklus des Lebens – den ewigen Zyklus von Geburt, Tod und Wiedergeburt, aus dem der Mensch durch Selbstverwirklichung befreit wird.

Geist bei jedem Tun auf ein Mantra zu konzentrieren (→ Seite 99). Bhakti Yoga ist der Pfad der Hingabe, der mehr emotionalen Naturen entspricht. Der Bhakti Yogi wird hauptsächlich durch die Kraft der Liebe motiviert und sieht Gott als die Verkörperung aller Liebe. Durch Gebet, Verehrung und Ritual unterwirft er sich Gott, lenkt und wandelt seine Gefühle in bedingungslose Liebe oder Hingabe. Der Lobgesang oder das Lobpreisen Gottes gehört wesentlich zum Bhakti Yoga. Jnana Yoga, das Yoga der Weisheit oder des Wissens, ist der schwierigste Pfad, der große Willenskraft und geistige Anstrengung erfordert. Mit Hilfe der Vedantaphilosophie setzt sich der Jnana Yogi geistig mit der Erforschung seiner eigenen Natur auseinander. Wir nehmen den Raum außer- und innerhalb eines Glases unterschiedlich wahr, so wie wir uns selbst als von Gott getrennt empfinden. Durch das Brechen des Glases führt Jnana Yoga den Schüler zur direkten Einheitserfahrung mit Gott. So fallen die Schleier der Unwissenheit. Bevor man Jnana Yoga beginnt, sollte man die Lektionen der anderen Yoga-Pfade integriert haben – denn ohne Selbstlosigkeit und Liebe zu Gott, Körper- und Geisteskraft wird die Suche nach Selbstverwirklichung zur reinen Spekulation. Raja Yoga, der Pfad mit dem wir uns in diesem Buch hauptsächlich befassen, ist die Wissenschaft körperlicher und geistiger Kontrolle. Oft als »königlicher Pfad« bezeichnet, bietet er eine umfassende Methode, Gedankenwellen zu kontrollieren, indem wir unsere geistige und körperliche Energie in spirituelle Energie umwandeln.

Brahma

Vishnu

Die acht Glieder des Raja Yoga

Zusammengefaßt in den Yoga Sutras des Weisen Patanjali stellen die acht Glieder eine fortlaufende Reihe von Schritten oder Disziplinen dar, die Körper und Geist reinigen und schließlich den Yogi zur Erleuchtung führen: Yama; Niyama; Asana; Pranayama; Pratyahara; Dharana; Dhyana und Samadhi. Die Yamas oder Einschränkungen sind in fünf moralische Gebote gegliedert, die die niedere Natur zerstören sollen: Gewaltlosigkeit; Wahrhaftigkeit in Gedanken, Worten und Taten; Nicht-Stehlen; Mäßigung in allen Dingen und Besitzlosigkeit. Die Nyamas oder Gebote sind ebenfalls in fünf Weisungen unterteilt. Sie betonen positive Eigenschaften und lauten: Reinheit; Zufriedenheit; Genügsamkeit; Studium der Heiligen Schriften und ständig im Bewußtsein göttlicher Gegenwart leben. Asanas oder Stellungen und Pranayama – die Regelung des Atems – sind eine Unterabteilung des Raja Yoga und als Hatha Yoga bekannt. Pratyahara bedeutet ein Zurückziehen der Sinne nach innen, um den Geist zu beruhigen und ihn für Dharana oder Konzentration vorzubereiten. Dharana führt zu Dhyana oder Meditation und gipfelt in Samadhi oder dem Überbewußtsein.

Siva

Yoga in der heutigen Zeit

Yoga ist eine lebendige Wissenschaft, eine Wissenschaft, die sich über Jahrtausende entwickelt hat und sich, den Bedürfnissen der Menschen entsprechend, weiter entwickelt. Eine der bemerkenswertesten Persönlichkeiten in der jüngsten Entwicklung war Swami Sivananda. Dieser große indische Meister arbeitete als Arzt, bevor er der Welt um des spirituellen Pfades willen entsagte. Ein Mann von

S. H. Sri Swami Sivananda
Swami Sivananda, 1887 geboren, war ein großer Yogi und Weiser, der sein Leben dem Dienst an der Menschheit und dem Studium der Vedanta widmete. Sein Rezept für ein spirituelles Leben ist in sechs einfachen Geboten zusammengefaßt: »Diene – Liebe – Gib – Reinige – Meditiere – Erkenne.«

erstaunlicher Energie und Kraft, hat er über 300 Bücher, Broschüren und Periodika veröffentlicht, in denen er die Yogalehren aus medizinischer Sicht erhellt, während er gleichzeitig die kompliziertesten philosophischen Themen in einfacher, klarer Sprache darlegte. Neben der Errichtung eines Ashrams und einer Yoga-Akademie gründete Sivananda 1935 die »Divine Life Society« (Gesellschaft göttlichen Lebens), die den Idealen der Wahrheit, Reinheit, Gewaltlosigkeit und Selbstverwirklichung gewidmet ist. In seinem Ashram in Rishikesh hat er viele außergewöhnliche Schüler in Yoga und Vedanta unterwiesen – darunter Swami Vishnu Devananda, den er aussandte, Yoga in der westlichen Welt zu verbreiten. Swami Vishnu kam 1957 nach San Francisco und reiste mehrere Jahre durch die Vereinigten Staaten. Er lehrte und demonstrierte Asanas, bevor er das internationale Netzwerk der Sivananda Yoga Zentren und Ashrams errichtete. Als einer der exponiertesten Vertreter des Raja und Hatha Yoga in der Welt widmet sich Swami Vishnu auch der Sache des Friedens und weltweiter Gemeinschaft. Auf einer seiner Friedensmissionen steuerte er 1971 ein kleines Flugzeug zu den Brenn-

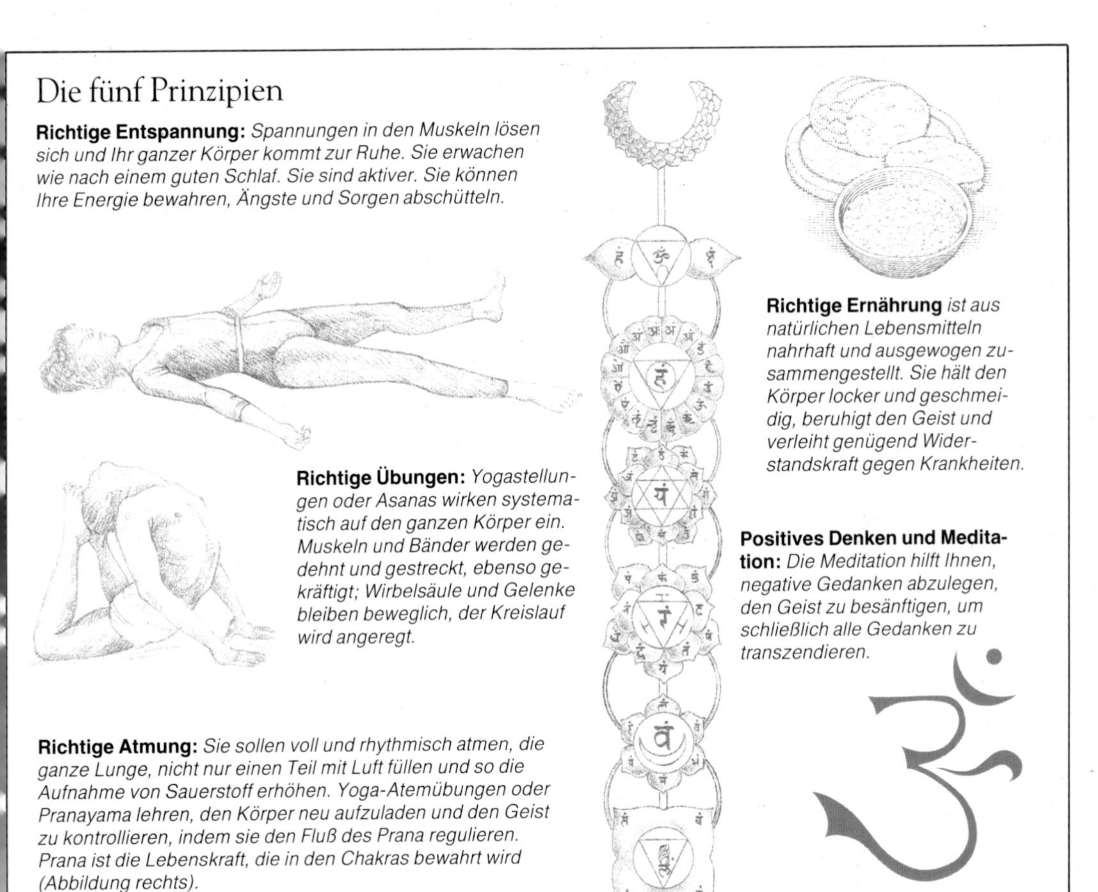

Die fünf Prinzipien

Richtige Entspannung: *Spannungen in den Muskeln lösen sich und Ihr ganzer Körper kommt zur Ruhe. Sie erwachen wie nach einem guten Schlaf. Sie sind aktiver. Sie können Ihre Energie bewahren, Ängste und Sorgen abschütteln.*

Richtige Übungen: *Yogastellungen oder Asanas wirken systematisch auf den ganzen Körper ein. Muskeln und Bänder werden gedehnt und gestreckt, ebenso gekräftigt; Wirbelsäule und Gelenke bleiben beweglich, der Kreislauf wird angeregt.*

Richtige Atmung: *Sie sollen voll und rhythmisch atmen, die ganze Lunge, nicht nur einen Teil mit Luft füllen und so die Aufnahme von Sauerstoff erhöhen. Yoga-Atemübungen oder Pranayama lehren, den Körper neu aufzuladen und den Geist zu kontrollieren, indem sie den Fluß des Prana regulieren. Prana ist die Lebenskraft, die in den Chakras bewahrt wird (Abbildung rechts).*

Richtige Ernährung *ist aus natürlichen Lebensmitteln nahrhaft und ausgewogen zusammengestellt. Sie hält den Körper locker und geschmeidig, beruhigt den Geist und verleiht genügend Widerstandskraft gegen Krankheiten.*

Positives Denken und Meditation: *Die Meditation hilft Ihnen, negative Gedanken abzulegen, den Geist zu besänftigen, um schließlich alle Gedanken zu transzendieren.*

punkten der Welt: Belfast, Suez und Lahore. Er »bombardierte« diese Städte mit Broschüren, die zur Beendigung der Gewalt aufriefen. Als Lehrer mit großer persönlicher Ausstrahlung hat Swami Vishnu Tausende von Schülern in seinen Ashrams inspiriert und das Leben vieler durch seine Schriften verändert. Durch genaues Beobachten der Lebensumstände und Bedürfnisse der Menschen im Westen konnte er die alte Weisheit des Yoga in fünf Grundprinzipien zusammenfassen, die sich leicht in unser Lebensmuster einbauen lassen und so den Grundstein legen für ein langes und gesundes Leben. An diesen oben aufgeführten fünf Prinzipien orientiert sich dieses Buch.

Entspannung

»Die Seele, in der Welt der Sinne sich bewegend
und diese zugleich harmonisierend . . .
findet Ruhe in der Stille.«
Bhagavad Gita

Unser Naturzustand, unser Geburtsrecht ist es, in körperlicher und geistiger Entspannung zu leben – nur unser Lebenstempo ließ uns diese Tatsache vergessen. Wer diese Kunst der Entspannung beherrscht, besitzt den Schlüssel zu Gesundheit, Spannkraft und Seelenfrieden, denn Entspannung baut das ganze Wesen auf und weckt unglaubliche Energiereserven.

Der Zustand unseres Geistes ist mit dem unseres Körpers eng verknüpft. Sind unsere Muskeln entspannt, ist es auch unser Geist. Ist der Geist ängstlich, leidet auch der Körper. Jede Handlung hat ihren Ursprung im Geist. Empfängt der Geist einen Reiz, der ihn zum Handeln auffordert, schickt er über die Nerven den Muskeln die Botschaft, sich zusammenzuziehen. Im Getriebe und Gedränge der modernen Welt wird der Geist ständig mit Reizen überflutet, die uns im Spannungszustand von »Kämpfen oder Fliehen« erstarren lassen. Daher verbringen viele Menschen einen Großteil ihres Lebens – selbst im Schlaf – in körperlicher oder geistiger Anspannung. Jeder hat seine speziellen Problemzonen – sei es nun der zusammengepreßte Kiefer, die hochgezogene Braue oder der steife Hals. Diese unnötige Spannung verursacht nicht nur eine Menge Unbehagen, sie zehrt ebenso an unseren Energiereserven und ist gleichzeitig die Ursache von Abgeschlagenheit und Krankheit. Denn es kostet Energie, die Muskeln zusammenzuziehen und sie in diesem Zustand zu halten – auch wenn wir uns dessen nur halb bewußt sind.

Dieser Abschnitt des Buches behandelt die Technik der Entspannung, die einen wesentlichen Teil Ihrer Yogapraxis ausmacht. Richtige Entspannung besteht aus drei Teilen: körperlicher, geistiger und seelischer Entspannung. Um den Körper zu entspannen legen Sie sich in die Totenstellung (→ Seite 24) und spannen und entspannen abwechselnd nacheinander jeden Körperteil von den Zehen bis zum Scheitel. Dieser Wechsel von Anspannen und Entspannen ist notwendig, denn nur wenn Sie wissen, wie Sie Anspannung empfinden, können Sie auch Entspannung erreichen. Und so wie im normalen Leben ihr Geist den Muskeln befiehlt, sich zusammenzuziehen und anzuspannen, so benutzen Sie jetzt die Autosuggestion, um den Muskeln Anweisungen zur Entspannung zu geben. Mit zunehmender Übung werden Sie langsam lernen, Ihr Unterbewußtsein einzusetzen, um auch die unwillkürliche Muskulatur des Herzens, des Verdauungstraktes und anderer Organe zu kontrollieren.

Atmen Sie gleichmäßig und rhythmisch um zu entspannen und den Geist zu sammeln. Geistige und körperliche Entspannung ohne spirituellen Frieden sind unvollständig. Solange Sie sich mit Ihrem Körper und Geist identifizieren, wird es Nöte und Sorgen, Ärger und Leid geben. Spirituell entspannen bedeutet sich loslösen, Zeuge werden von Körper und Geist, um sich mit dem Selbst oder wahren Bewußtsein zu identifizieren – der Quelle von Wahrheit und Frieden, die in uns allen sprudelt.

Während der Entspannung können Sie Gefühle des Dahinfließens, der Erweiterung, der Ausdehnung, der Leichtigkeit und Wärme spüren. Wenn alle Muskelanspannungen gelöst sind, durchströmt eine sanfte Euphorie den Körper. Entspannung ist nicht so sehr ein Zustand, vielmehr ein Prozeß, eine Folge von Ebenen unterschiedlicher Tiefe. Entspannen hat mit Loslassen zu tun, nicht mit Festhalten; mit Nichtstun statt mit Anstrengung. Durch die Entspannung des ganzen Körpers und das ruhige und tiefe Atmen treten physiologische Veränderungen auf: Es wird weniger Sauerstoff aufgenommen und weniger Kohlendioxid ausgeschieden; die Muskelspannung läßt nach; das sympathische Nervensystem verringert seine Aktivitäten, während der Parasympathikus aktiviert wird. Schon wenige Minuten tiefer Entspannung genügen, um Mutlosigkeit und Müdigkeit wirkungsvoller zu bekämpfen als durch viele Stunden ruhelosen Schlafs.

Die Totenstellung

Die Totenstellung oder Savasana ist die klassische Entspannungslage, die vor jeder Sitzung, zwischen den Asanas und in der Schlußphase praktiziert wird (→ Seite 26). Sie sieht zwar einfach aus, ist aber eine der schwierigsten Asanas, wenn man sie richtig machen will, und sie ändert und entwickelt sich durch Übung. Am Schluß einer Asana-Sitzung wird Ihre Totenstellung vollkommener sein als zu Beginn, denn die anderen Asanas haben die Muskeln gestreckt und entspannt. Achten Sie schon beim ersten Hinlegen auf die Körpersymmetrie, denn dies ermöglicht eine gleichmäßige Entspannung aller Körperteile. Beginnen Sie nun, sich in die Haltung einzuüben. Drehen Sie die Beine nach innen und nach außen, dann lassen Sie sie sanft nach außen fallen. Das gleiche geschieht mit den Armen. Drehen Sie die Wirbelsäule, indem Sie Ihren Kopf von einer Seite zur anderen rollen, um in der Mitte zur Ruhe zu kommen. Dann strecken Sie sich aus, als ob jemand Ihren Kopf von Ihren Füßen, Ihre Schultern vom Hals weg und Ihre Beine aus der Hüfte ziehen würde. Lassen Sie die Schwerkraft wirken. Fühlen Sie, wie Ihr Gewicht Sie tiefer in die Entspannung zieht, wie Ihr Körper in den Boden hineinschmilzt. Atmen Sie tief und langsam aus dem Bauch (→ rechts), gleiten Sie mit dem Atem nach oben und wieder herunter, um bei jedem Ausatmen tiefer zu versinken. Fühlen Sie, wie Ihr Bauch anschwillt und wieder zusammenfällt. Viele wichtige physiologische Veränderungen gehen vor sich: der Energieverlust des Körpers vermindert sich; Streß wird abgebaut; Atem und Puls werden langsamer; das ganze System kommt zur Ruhe. Ihr Geist wird klarer und gelöster, je tiefer Sie in die Entspannung versinken.

Die Totenstellung *(rechts)*
Legen Sie sich auf den Rücken, die Beine etwa einen halben Meter gespreizt, die Hände in etwa einem viertel Meter Abstand vom Körper, mit den Handflächen nach oben auf den Boden. Oberschenkel, Knie und Zehen sind nach außen gerichtet. Machen Sie es sich in dieser Stellung bequem, achten Sie auf die Symmetrie des Körpers. Schließen Sie die Augen und atmen Sie tief.

Bauchatmung
Damit Sie wirklich richtig atmen, legen Sie beim Ausatmen Ihre Hände mit leicht ineinander verschränkten Fingern auf den Bauch. Wenn Sie dann einatmen, sollte Ihr Bauch sich heben, dadurch werden die Finger voneinander gelöst.

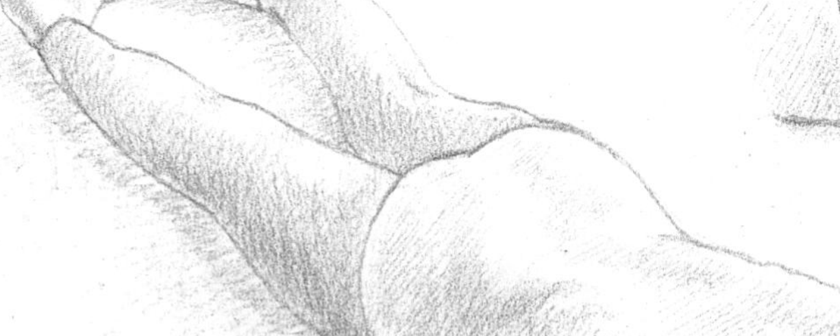

Die Bauchentspannungslage
Legen Sie sich auf den Bauch, die Beine leicht gespreizt, die Zehen berühren einander, die Fersen kippen auseinander. Benützen Sie Ihre Hände als Kissen und legen Sie den Kopf seitlich darauf. Strecken Sie den Körper, spannen und entspannen Sie die Muskeln. Spüren Sie, wie Ihr Körper mit dem Ausatmen tief in den Boden sinkt. Entspannen Sie in dieser Stellung nach jeder rückwärtsbeugenden Asana (wie die Kobra oder der Bogen), und legen Sie den Kopf dabei abwechselnd auf die eine, dann auf die andere Seite.

Endentspannung

Ihre Yoga-Übungen werden Ihnen helfen, Ihrem Körper näherzukommen, Spannung und Anspannung zu erkennen und beides zu kontrollieren. Am Ende einer Reihe von Asanas sollten Sie mindestens zehn Minuten für die Schlußentspannung verwenden. Während dieser Zeit entspannen Sie nacheinander jeden Körperteil. Um jedoch Entspannung erfahren zu können, müssen Sie erst einmal Anspannung erleben. Mit den Füßen beginnend (wie unten gezeigt) spannen und heben Sie jeden Körperteil, dann lassen Sie ihn fallen (nicht hinlegen). Nun lassen Sie Ihren Geist durch den Körper wandern und befehlen jedem Teil zu entspannen. Lassen Sie sich gehen. Tauchen Sie tief in den ruhigen See des Geistes. Um Ihr Bewußtsein wieder in Ihren Körper zurückzubringen, bewegen Sie sanft Finger und Zehen, atmen Sie tief und setzen sich beim Ausatmen auf.

Hände und Arme
Heben Sie die rechte Hand etwa drei Zentimeter vom Boden weg. Machen Sie eine Faust, spannen Sie den Arm an, lassen Sie ihn anschließend fallen. Mit der linken Hand wiederholen. Entspannen.

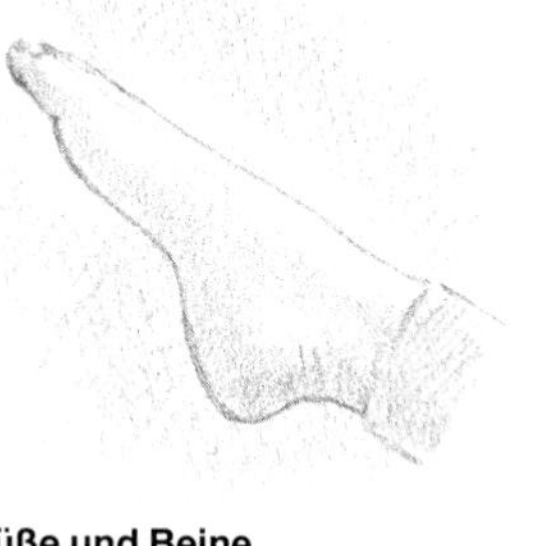

Füße und Beine
Heben Sie Ihren rechten Fuß etwa drei Zentimeter vom Boden hoch. Spannen Sie das Bein an, fallen lassen, links wiederholen.

Gesäß
Ziehen Sie die Gesäßmuskeln zusammen, heben Sie das Gesäß vom Boden weg, anhalten, fallen lassen, entspannen.

Brust
Brustmuskeln anspannen, Brustkc hochheben, die Hüften bleiben auf Boden, ebenso der Kopf. Dann de Brustkorb fallen lassen, entspanne

Gesicht
Ziehen Sie alle Gesichtsmuskeln an der Nasenpartie zusammen, dann öffnen Sie das Gesicht, indem Sie die Augen weit aufreißen und die Zunge herausstrecken. Entspannen.

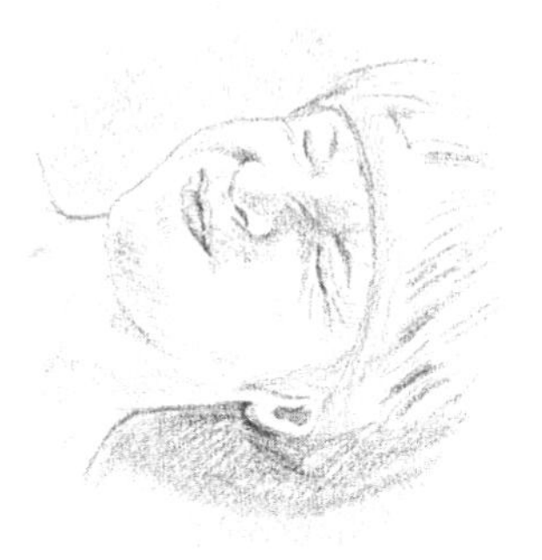

Kopf
Drücken Sie das Kinn ein wenig auf das Brustbein und drehen Sie den Kopf sacht von Seite zu Seite. Finden Sie eine bequeme Lage in der Mitte. Entspannen.

Schultern
Heben Sie die Schultern und ziehen Sie sie zum Hals hoch, Schultern wieder fallen lassen, entspannen. Dann ziehen Sie abwechselnd jeden Arm am Körper entlang. Entspannen.

Autosuggestion

Nachdem Sie die hier gezeigte Übungsfolge abgeschlossen haben, stellen Sie sich in Gedanken Ihren Körper vor und wiederholen im Geist diese Formel: »Ich entspanne die Zehen, ich entspanne die Zehen; die Zehen sind entspannt. Ich entspanne die Waden, ich entspanne die Waden; die Waden sind entspannt.« Fahren Sie weiter fort mit diesen Anweisungen, indem Sie die Formel für jeden Körperteil einzeln – von den Füßen an aufwärts – anwenden: Magen, Lunge, Herz, Kiefer, Kopf, Gehirn und so fort. Fühlen Sie, wie eine Welle der Entspannung in Ihrem Körper aufsteigt, während Sie Ihr Bewußtsein zu jedem Teil Ihres Körpers lenken. Bei jedem Einatmen fühlen Sie, wie eine Welle von Sauerstoff bis hinunter zu Ihren Füßen strömt, bei jedem Ausatmen fühlen Sie Spannung aus Ihrem Körper weichen. Ihr Geist wird wie ein tiefer stiller See ohne Wellen. Nun tauchen Sie tief ins Zentrum des Sees, tief in sich hinein und erfahren Ihre wahre Natur.

Die Grundstellungen

»Asanas machen stark, befreien von Krankheiten
und machen die Glieder geschmeidig.«
Hatha Yoga Pradipika

Dieses Kapitel vermittelt Ihnen den Grundbestand an Yoga Asanas oder Stellungen für Ihre tägliche Praxis. Um das Wesen der Asanas zu verstehen, müssen Sie die Wirkungen selber erfahren. Asanas sind eher Stellungen als Übungen und werden langsam und meditativ mit tiefer Bauchatmung ausgeführt. Die sanften Bewegungen erwecken nicht nur Ihr Bewußtsein und Ihre Körperkontrolle, sondern haben auch eine tiefe spirituelle Wirkung: sie befreien von Ängsten und helfen, Vertrauen sowie heitere Gelassenheit aufzubauen. Am Ende einer Yoga-Sitzung werden Sie sich entspannt und voller Energie fühlen – ganz anders als nach anderen körperlichen Ertüchtigungen, die durch Überanstrengung Müdigkeit verursachen.

Eine Asana besteht aus drei Teilen: in die Stellung kommen, sie halten und herauskommen. Um Ihnen dies deutlich zu machen, zeigen wir in verschiedenen Bildern, wie Sie richtig in die Stellung hineinkommen. Keine dieser Vorstufen soll gehalten werden, wenn es nicht ausdrücklich verlangt wird – sie sollten vielmehr als fließende Bewegung zur endgültigen Stellung führen. Die wirkliche Arbeit an der Asana geschieht dann, wenn Sie die Stellung halten. Yoga-Meister verharren oft stundenlang bewegungslos in einer Stellung. Versuchen Sie still zu sein, während Sie die Stellung halten. Atmen Sie dabei tief und langsam. Ihr Geist ist konzentriert. Sobald Sie sich in einer Stellung entspannen können, versuchen Sie, eine größere Dehnung zu erzielen. Entlassen Sie Ihren Körper aus der Asana genauso anmutig, wie Sie sie begonnen haben.

Asanas wirken auf die verschiedenen Körpersysteme, sie machen Rückgrat und Gelenke beweglich, stärken Muskulatur, Drüsen und die inneren Organe. Zunächst wird die körperliche Erfahrung der Stellung Sie am meisten beeindrucken. Mit fortschreitendem Üben verspüren Sie mehr und mehr den Fluß des Prana, der Lebensenergie und Sie entdecken die Bedeutung der richtigen Atmung – Pranayama. Asanas und Pranayama dienen der Reinigung der Nadis oder Nervenbahnen, so daß Prana frei hindurchfließen kann. Der Körper wird für die Erweckung der Kundalini vorbereitet, der höchsten kosmischen Kraft, die den Yogi zum Gottesbewußtsein führt.

Die Grundstellungen eignen sich für jedes Lebensalter sowie die verschiedenen Stadien der Yogaschüler – von Anfängern bis zu jenen, die bereits mehrjährige Erfahrungen haben. Gehören Sie zu den Anfängern, folgen Sie einige Wochen dem Grundkurs auf den Seiten 66 bis 67. Lassen Sie sich nicht entmutigen, auch wenn es den Anschein hat, daß Sie zunächst nur langsam vorankommen oder Ihre Asanas den abgebildeten Stellungen nur wenig gleichen. Regelmäßiges Üben wird Sie dem Idealbild näherbringen. Stellen Sie sich einfach vor, daß Sie eine Asana perfekt meistern, selbst wenn Sie es noch nicht vollkommen beherrschen.

Wenn Sie jede Asana positiv angehen und Ihre Vorstellungskraft nutzen, können Sie Ihren Fortschritt erheblich beschleunigen. Riskieren Sie vor allem keine Verletzungen, indem Sie Ihren Körper in eine Stellung zwingen oder sich zu sehr anstrengen, um über das, wozu Sie im Augenblick tatsächlich fähig sind, hinauszukommen. Nur wenn Ihre Muskeln entspannt sind, werden sie sich strecken und Ihnen erlauben, in der Stellung vorwärts zu kommen.

Und schließlich gilt: Auch wenn wir die Asanas in diesem Buch so klar wie möglich zu zeigen versuchen, so kann Ihnen doch kein Buch die lebendige Auseinandersetzung mit dem Lehrer ersetzen. Versuchen Sie, so oft es geht, eine Klasse zu besuchen, damit Ihre Stellungen überprüft werden und Sie lernen, Ihren Atem mit den Asanas in Einklang zu bringen. Auch die Beobachtung und das Gespräch mit anderen Studenten, die bereits fortgeschrittener sind, werden Sie in Ihrer Praxis anregen.

Die Reihenfolge der Asanas

Wenn Sie Hatha Yoga üben, ist es sehr wichtig, planmäßig vorzugehen. Die hier aufgeführte Reihenfolge, von Swami Vishnu entwickelt, stellt eine umfassende Serie wissenschaftlich begründeter Aufwärmübungen und Asanas dar. Sie sollen die natürliche Krümmung der Wirbelsäule festigen und alle Körpersysteme gesund erhalten (→ Seite 176 bis 187). In dieser Übungsfolge wird der ganze Körper gestreckt, gebeugt und gekräftigt. Jede Asana verstärkt die vorangegangene Übung oder gleicht sie mit einer entgegengesetzten Dehnung wieder aus. So gehen den drei rückwärtsbeugenden Übungen – Kobra, Heuschrecke und Bogen – die vorwärtsbeugenden voraus. In gleicher Weise wird jedes hauptsächlich auf eine Seite wirkende Asana nach der anderen Seite wiederholt. Ob Sie gerade erst mit Yoga anfangen oder schon fortgeschrittener sind, betrachten Sie die Reihenfolge als Vorschlag, auf dem Sie aufbauen können; wenn Sie über das Anfangsstadium hinaus sind, können Sie neue Asanas aus dem Kapitel »Asanas und Variationen« in Ihr Übungsprogramm einbauen (→ Seite 100 bis 155). Machen Sie sich keine Gedanken, falls Ihre Zeit nicht ausreicht, alle Asanas durchzuführen, die Schautafel auf Seite 66 enthält auch eine Halbstundensitzung. Schauen wir uns also die einzelnen Elemente der Serie an.

Die Sitzung beginnt mit zwei oder drei Minuten Entspannung in der **Totenstellung** (→ Seite 24). Sie sollten diese Zeit nutzen, um zu entspannen, tief zu atmen und Ihren Geist auf Ihren Atem zu konzentrieren. Entspannen Sie unbedingt nach jeder Asana in dieser Lage, bis Atmung und Herzschlag sich wieder normalisiert haben. (Entspannen Sie auf dem Bauch nach der Kobra, der Heuschrecke und dem Bogen.)

Als nächstes setzen Sie sich in die **Leichte Stellung** (oder eine andere der meditativen Haltungen) auf, um Pranayama oder den Atem zu üben, der Sie mit Energie erfüllt (→ Seite 69 bis 77). In dieser Stellung vertreiben Sie auch die Steifheit im Oberkörper durch die **Nacken- und Schulterübungen.** Danach kommen die **Augenübungen,** die unsere kaum ausreichend geforderten Augenmuskeln stärken. Nun gehen Sie in die knieende Position für den **Löwen**, um Spannungen in Hals und Rachen zu lösen.

Um das **Sonnengebet** auszuführen stehen Sie aufrecht, die Füße geschlossen. Die Beuge- und Streckbewegungen dieser Folge von zwölf Asanas erwärmen und kräftigen den ganzen Körper, machen die Wirbelsäule beweglich und erleichtern das Üben der anderen Asanas.

Legen Sie sich nun hin für eine Reihe von **Beinübungen**, die Bauch- und untere Rückenmuskulatur stärken und somit den Körper für den Kopfstand vorbereiten.

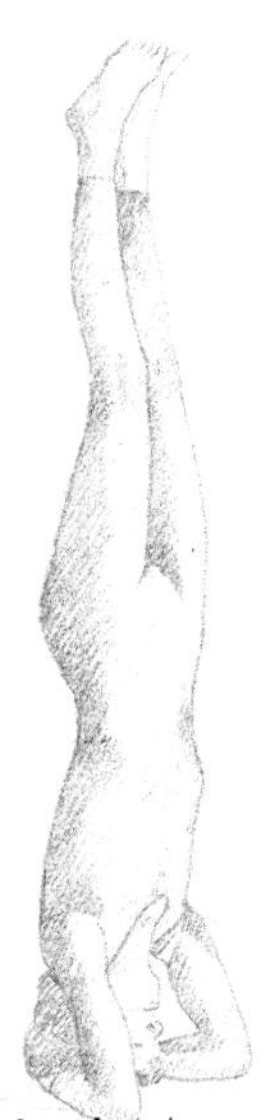

Im **Kopfstand** – einem der wichtigsten Asanas – berühren nur Kopf und Unterarme den Boden. Der Kör per ist vollkommen umgekehrt. Das Halten der Stellung bringt erstaunlichen Nutzen.

Jetzt folgen drei Stellungen – Schul terstand, Pflug und Brücke –, die all aus derselben Nacken- und Schulterposition ausgeführt werden. Im **Schulterstand** ist der Körper wiede umgekehrt, Rumpf und Beine sind wie im Kopfstand gestreckt, doch wird das gesamte Körpergewicht jetzt von Schultern, Oberarmen, Kopf und Nacken getragen. Die obe re Wirbelsäule und der Nacken werden gedehnt. Der **Pflug** verstärkt das Strecken des Nackens und der

oberen Wirbelsäule, beugt die Wirbelsäule nach vorn, indem die Füße hinter den Kopf gelegt werden. In der **Brücke** schwingt der Rumpf vornüber, um die Füße vor den Körper zu bringen und die Wirbelsäule in der anderen Richtung zu biegen. Als Anfänger werden Sie jeweils zwischen diesen drei Asanas in der Totenstellung entspannen müssen. Aber mit zunehmender Praxis entwickeln Sie genügend Kontrolle und Beweglichkeit, um aus dem Schulterstand in den Pflug, dann wieder zurück in den Schulterstand und von diesem in die Brücke zu gehen, bevor Sie wieder entspannen.

Der **Fisch** ist eine Gegenstellung zu den drei vorausgegangenen Asanas. Nacken und obere Wirbelsäule werden zusammengedrückt statt gestreckt, so löst sich die Steifheit in diesen Bereichen.

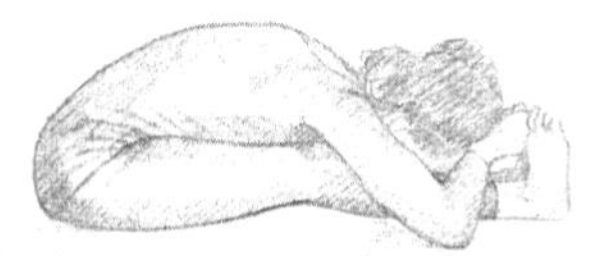

Als nächstes folgt die **Kopf-Knie-Stellung**. Sie verstärkt den Pflug, wobei jedoch hier mehr die untere als die obere Wirbelsäule gestreckt wird.
Danach schließen sich drei Asanas in der Bauchlage an – Kobra, Heu-

schrecke und Bogen –, die den ganzen Rücken bewegen. In der **Kobra** werden Kopf und Oberkörper gehoben und nach hinten gebogen. In der **Heuschrecke** bleiben Kopf und Brust auf dem Boden, während Beine und Hüften hochgehoben werden. Der **Bogen** vereint die Bewegungen der beiden anderen rückwärtsbeugenden Stellungen, indem beide Körperhälften gebogen werden und nur der Bauch auf dem Boden bleibt.

Nachdem der Körper vor- und rückwärts gebogen wurde, setzen Sie sich jetzt auf für den **Halben Drehsitz**, bei dem der Körper aus der Wirbelsäule heraus nach jeder Seite gedreht wird. Dann kommen Sie zu einer der berühmtesten Meditationshaltungen, dem **Lotussitz**. In dieser Asana bleiben Kopf, Hals und Wirbelsäule in einer geraden Linie, die

Beine sind ineinander verschränkt und bilden somit eine stabile, ideale Grundhaltung für die Meditation.

Anschließend gehen Sie in die **Krähe** – eine gute Gleichgewichtsübung und Konzentrationsstellung –, bei der nur die Hände auf dem Boden das ganze Körpergewicht tragen. Zwei stehende Positionen bilden den Abschluß der Asanas: die **Hand-Fuß-Stellung**, die den Körper vorwärts beugt und den Rumpf dreht; schließlich das **Dreieck**, bei dem die Wirbelsäule abwechselnd nach jeder Seite gestreckt wird. Jede Sitzung endet mit der Schlußentspannung. In der **Totenstellung** entspannen Sie nacheinander jeden Körperteil wie auf Seite 24 beschrieben. Es ist unerläßlich, daß Sie diese Entspannung von Anfang an in Ihre Asanasitzung einbauen. Sonst finden Sie immer wieder Entschuldigungen, diese Stellung auszulassen und erleben nicht die volle Wirkung der Asanas.

Praktische Hinweise

Alles, was Sie tatsächlich zum Ausüben der Asanas brauchen, sind Ihr Körper und der Fußboden – und außerdem ein wenig Selbstdisziplin. Gewöhnen Sie sich an, die Asanas jeweils täglich zur selben Stunde zu machen. Es ist effektiver, täglich kurz zu üben, als alle paar Tage länger. Legen Sie eine bestimmte Zeit fest, in der Sie sich ganz sich selbst widmen und nicht von der äußeren Welt abgelenkt werden. Ideale Zeiten sind: abends vor dem Essen oder frühmorgens, obgleich dann der Körper etwas steif sein kann. Welche Zeit auch immer Sie für Ihre Übungen wählen, Ihr Magen sollte leer sein. Versuchen Sie, wenigstens eine Stunde vor den Asanas nicht zu essen. Üben Sie die Asanas auf einer Decke, in bequemer, lockerer Kleidung – engsitzende Kleidung beengt Atem und Kreislauf. Lassen Sie die Füße nackt, nehmen Sie Ihre Uhr und Ihren Schmuck ab. Vor allem aber halten Sie sich warm, denn bei Kälte versteifen sich Ihre Muskeln. Üben Sie in einem gut durchlüfteten Raum oder bei geeignetem Wetter draußen.

Achtung: *Frauen mit Intrauterinpessar sollten regelmäßig vom Arzt den korrekten Sitz überprüfen lassen. Einige Asanas bewirken innere Bewegungen.*

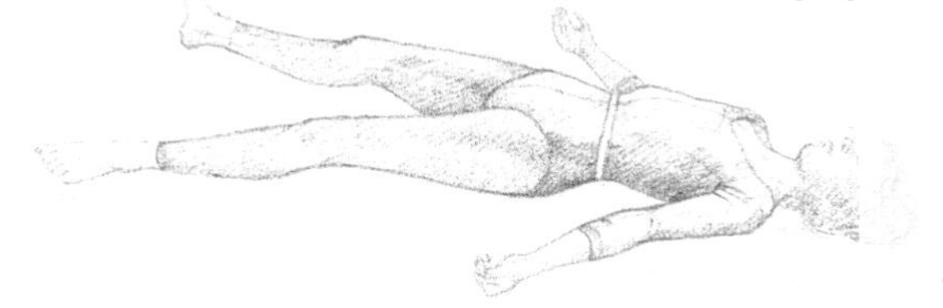

Das Üben beginnt

Die Leichte Stellung

Nach der einige Minuten dauernden Entspannung in der Totenstellung setzen Sie sich auf in die Leichte Stellung, Sukhasana, um Pranayama zu üben (→ Seite 68 bis 77). Diese Position wird auch für Nacken-, Schulter- und Augenübungen eingenommen. Diese Asana ist eine der klassischen Meditationsstellungen, die die Wirbelsäule begradigt, den Stoffwechsel verlangsamt und den Geist beruhigt. Wenn Sie das Halten der Stellung als unbequem empfinden, legen Sie eine gefaltete Decke unter Ihr Gesäß. Um die Beinmuskeln gleichmäßig zu strecken, legen Sie abwechselnd eines der Beine obenauf. Wenn Ihnen das gelingt, ersetzen Sie diese Stellung durch den halben oder ganzen Lotus.

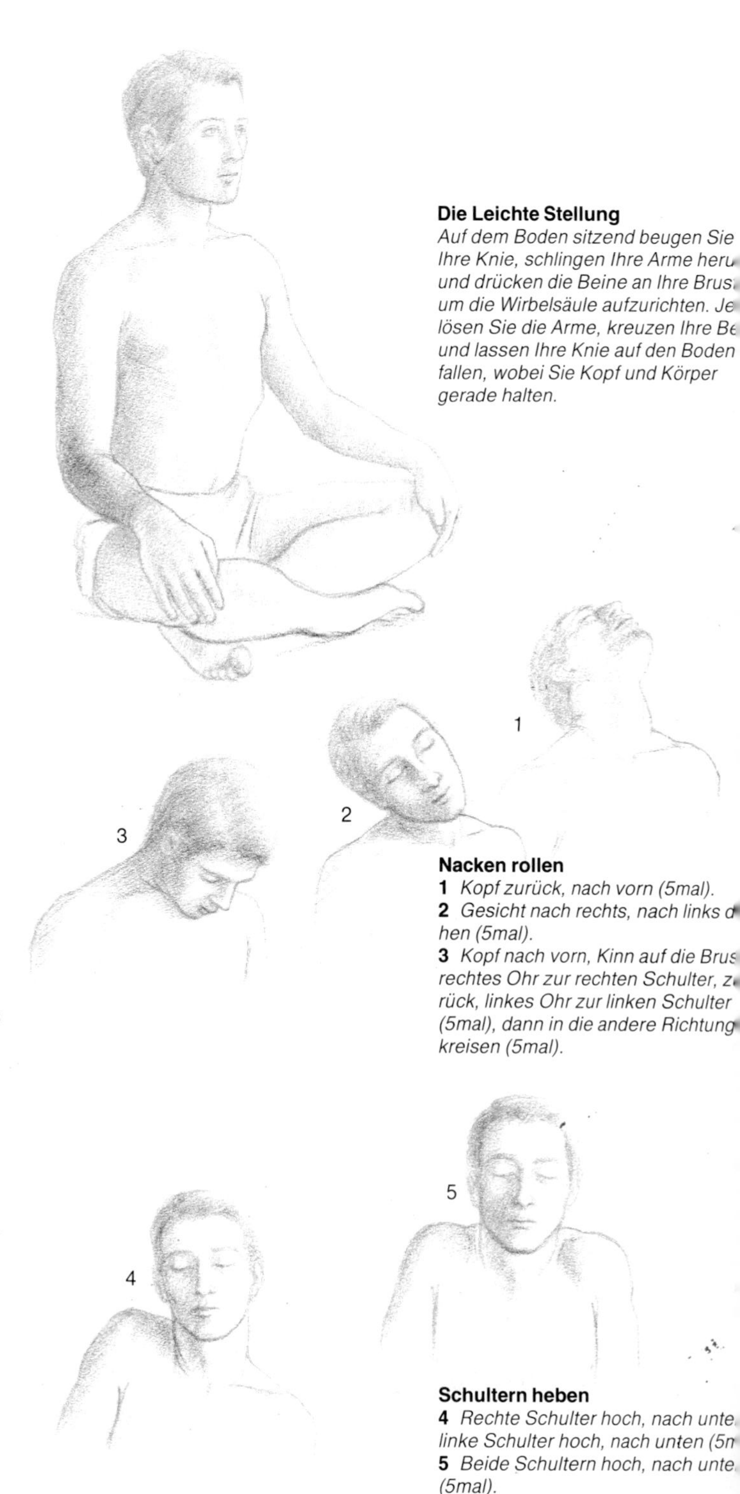

Die Leichte Stellung
Auf dem Boden sitzend beugen Sie Ihre Knie, schlingen Ihre Arme heru und drücken die Beine an Ihre Brus um die Wirbelsäule aufzurichten. Je lösen Sie die Arme, kreuzen Ihre Be und lassen Ihre Knie auf den Boden fallen, wobei Sie Kopf und Körper gerade halten.

Nacken und Schultern

Viele Menschen leiden unter Verspannungen im Nacken und in den Schultern, die zu Steifheit, schlechter Haltung und Spannungskopfschmerz führen können. Das Wiederholen dieser fünf Übungen löst Spannungen, erhöht die Beweglichkeit und kräftigt die Muskeln. Üben Sie langsam, halten Sie Wirbelsäule und Schultern gerade und Ihren Hals entspannt. Lassen Sie zuerst Ihren Kopf nach hinten fallen, dann nach vorne, danach richten Sie ihn wieder auf. Nun drehen Sie den Kopf nach rechts, in die Mitte und nach links. Dann lassen Sie Ihren Kopf nach vorn fallen und beschreiben mit ihm einen möglichst großen Kreis. Wiederholen Sie die Übung nach der anderen Seite. Jetzt heben Sie Ihre rechte Schulter, dann lassen Sie sie fallen. Links wiederholen. Zum Schluß heben Sie beide Schultern gleichzeitig und lassen sie anschließend wieder fallen.

Nacken rollen
1 *Kopf zurück, nach vorn (5mal).*
2 *Gesicht nach rechts, nach links d hen (5mal).*
3 *Kopf nach vorn, Kinn auf die Brus rechtes Ohr zur rechten Schulter, z rück, linkes Ohr zur linken Schulter (5mal), dann in die andere Richtung kreisen (5mal).*

Schultern heben
4 *Rechte Schulter hoch, nach unte linke Schulter hoch, nach unten (5m*
5 *Beide Schultern hoch, nach unte (5mal).*

Augenübungen

Ebenso wie andere Muskeln müssen auch die Augenmuskeln, um sie gesund und stark zu erhalten, trainiert werden. Die meiste Zeit lenken wir unseren Blick höchstens von links nach rechts – wie beim Lesen – oder drehen unseren Kopf, wenn wir zur Seite schauen wollen. Da bei diesen fünf Übungen die Augen – ohne daß der Kopf mitgedreht wird – in jede Richtung bewegt werden, stärken sich die Muskeln und helfen, Überanstrengungen der Augen zu vermeiden und die Sehkraft zu schärfen. Atmen Sie normal während dieser Übung. Schauen Sie erst nach oben, dann nach unten. Jetzt schauen Sie weit nach rechts, dann weit nach links, als nächstes nach rechts oben, dann nach links unten, nach links oben und nach rechts unten. Jetzt stellen Sie sich eine riesige Uhr vor – schauen Sie auf zwölf Uhr, dann kreisen Sie im Uhrzeigersinn, zwei langsame, dann drei schnellere Runden. Wiederholen Sie die Übung in entgegengesetzter Richtung. Schließlich halten Sie Ihren Daumen etwa einen halben Meter vor Ihr Gesicht und schauen abwechselnd vom Daumen zur dahinterliegenden Wand und zurück. Bedecken Sie zum Schluß immer Ihre Augen mit den Händen, wie rechts abgebildet.

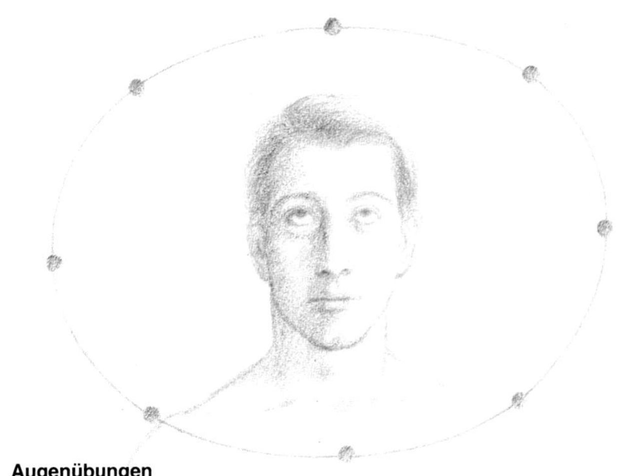

Augenübungen
1 *Nach oben schauen, nach unten (5mal).*
2 *Weit nach rechts schauen; nach links (5mal).*
3 *Nach oben rechts, nach unten links schauen; nach oben links, nach unten rechts (5mal).*
4 *Nach oben schauen, dann im Uhrzeigersinn die Augen kreisen lassen; danach entgegengesetzt (je 5mal).*
5 *Auf den in Armlänge entfernten Daumen schauen, dann auf die dahinterliegende Wand und zurück – die Augen abwechselnd von nah auf fern einstellen (5mal).*

Augen abdecken
Reiben Sie Ihre Handflächen kräftig aneinander, bis sie sich warm anfühlen. Legen Sie nun Ihre Hände über die geschlossenen Augen – ohne zu drükken. Wärme und Dunkelheit beruhigen und entspannen die Augen.

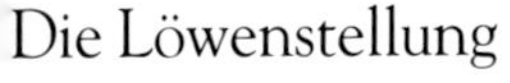

Die Löwenstellung

In Simhasana wird die Zunge soweit wie möglich herausgestreckt, die Augen werden nach oben gedreht, der ganze Körper ist angespannt – wie bei einem zum Sprung ansetzenden Löwen. Die Blutzirkulation für Zunge und Hals steigert sich, die Stimme wird gekräftigt, Gesichts- und Halsmuskeln gestärkt. Diese Asana wirkt ebenso anregend auf die Augen und ist eine Vorbereitung auf die drei Bandhas (→ Seite 75). 4- bis 6mal wiederholen.

Die Löwenstellung
Setzen Sie sich auf Ihre Fersen. Legen Sie die Hände mit den Handflächen nach unten auf Ihre Knie, spreizen Sie die Finger leicht und atmen Sie durch die Nase ein. Lehnen Sie sich nun leicht nach vorne und atmen Sie kräftig durch den Mund aus, indem Sie einen AAAH-Laut ausstoßen. Gleichzeitig strecken Sie Ihre Zunge möglichst weit heraus, spannen Ihre Finger und rollen die Augäpfel nach oben. Halten Sie die Stellung, so lange Sie können, schließen Sie dann den Mund und atmen Sie durch die Nase ein.

Das Sonnengebet

Das Sonnengebet oder Surya Namaskar lockert den ganzen Körper als Vorbereitung für die Asanas. Es ist eine anmutige Folge von zwölf Positionen, die als ineinander übergehende Bewegung geübt werden. Jede Bewegung gleicht die vorhergehende aus, streckt den Körper in entgegengesetzter Richtung und dehnt und preßt abwechselnd den Brustkorb, um die Atmung zu regulieren. Bei täglicher Übung werden Wirbelsäule und Gelenke beweglicher, die Taille schlanker. Eine Runde des Sonnengebets besteht aus zwei Folgen, die erste führt mit dem rechten Fuß in den Positionen 4 und 9; die zweite mit dem linken (wie abgebildet). Lassen Sie Ihre Hände in den Positionen 3 bis 10 an derselben Stelle und versuchen Sie, Ihre Bewegungen mit Ihrer Atmung in Einklang zu bringen. Beginnen Sie mit vier Runden und steigern Sie allmählich auf zwölf Runden.

1 *Stehen Sie aufrecht, mit geschlossenen Füßen, die Hände in Gebetshaltung vor der Brust gefaltet. Achten Sie auf gleichmäßige Verteilung Ihres Gewichts. Ausatmen.*

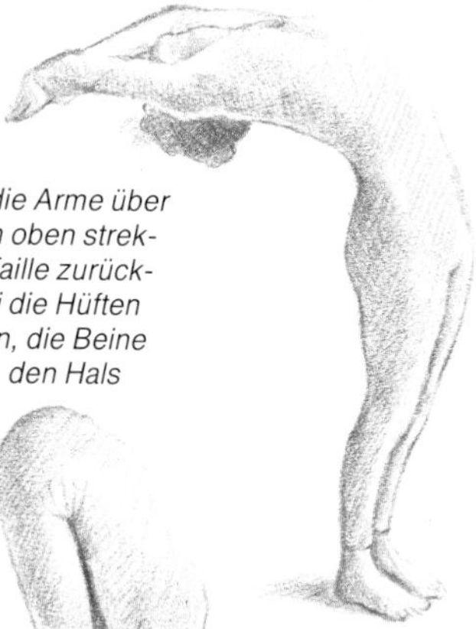

2 *Einatmen, die Arme über den Kopf nach oben strekken, aus der Taille zurückbeugen, dabei die Hüften herausdrücken, die Beine gerade halten, den Hals entspannen.*

3 *Ausatmen, nach vorn beugen und die Handflächen auf den Boden legen; die Fingerspitzen sind in einer Linie mit den Zehen – notfalls die Knie beugen.*

In der Hindu-Mythologie wird der Sonnengott als Symbol der Gesundheit und eines langen Lebens verehrt. Im Rigveda heißt es: »Surya ist die Seele aller bewegten und unbewegten Dinge.« Das Sonnengebet entwikkelte sich aus einer Reihe von Gebetshaltungen an die Sonne. Traditionell wird es in der Morgendämmerung zur aufgehenden Sonne hin vollzogen. Mit der Zeit bekam jede der zwölf Positionen ihr eigenes Mantra, das die verschiedenen Aspekte der Göttlichkeit der Sonne zelebriert.

4 *Einatmen, das rechte (oder linke) Bein nach hinten strecken und mit dem Knie den Boden berühren. Zurückbeugen und nach oben schauen, Kinn hoch.*

5 *Atem anhalten und auch das andere Bein zurückstrecken. Das Gewicht auf Hände und Zehen stützen. Kopf und Körper in einer Linie halten, zwischen den Händen zum Boden schauen.*

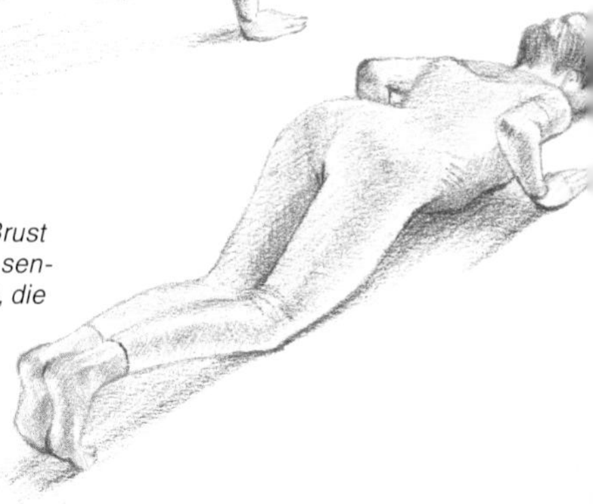

6 *Ausatmen; Knie, Brust und Stirn nach unten senken, Hüften anheben, die Zehen nach innen.*

12 *Ausatmen, sacht in eine aufrechte Haltung zurückkommen und die Arme neben den Körper bringen.*

11 *Einatmen, die Arme nach vorn, dann hoch und über den Kopf nach hinten strecken und langsam aus der Taille heraus nach hinten beugen wie in Position 2.*

10 *Ausatmen, das andere Bein nach vorn bringen, aus der Taille heraus nach unten beugen, die Handflächen wie in Position 3.*

9 *Einatmen, den linken (oder rechten) Fuß nach vorn zwischen die Hände stellen, das andere Knie berührt den Boden. Nach oben schauen wie in Position 4.*

8 *Ausatmen, Zehen nach vorn, Hüften heben und den Körper in ein umgekehrtes »V« drehen. Versuchen Sie, die Fersen und den Kopf auf den Boden zu bringen und die Schultern zurückzunehmen.*

7 *Einatmen, die Hüften senken, die Zehen nach hinten ausstrecken und den Oberkörper zurückbeugen. Die Beine geschlossen, die Schultern nach unten halten. Nach oben und zurück schauen.*

Beinübungen

Diese einfachen Übungen bereiten den Körper für die Asanas vor, stärken im besonderen die Bauch- und unteren Rückenmuskeln, die man für den Kopfstand braucht und formen Taille und Oberschenkel. Wenn Ihre Muskeln schwach sind, kann es sein, daß Sie Ihren unteren Rükken biegen oder Ihre Schultern zu Hilfe nehmen müssen, damit Sie die Beine hochbekommen. Um den größten Nutzen aus den Übungen zu ziehen, achten Sie darauf, daß Ihr Rücken vollständig am Boden bleibt und entspannen Sie Schultern und Nakken. Diese Übungen beginnen alle mit geschlossenen Beinen, die Hände mit den Handflächen nach unten neben dem Körper.

Einfache Beinübung

In dieser Serie wird ein Bein hochgehoben, während das andere gestreckt auf dem Boden bleibt. Anfangs können Sie mit Ihren Händen auf den Boden drücken, um Ihr Bein hochzuheben. Wenn die Muskeln dann stärker geworden sind, lassen Sie die Hände mit den Handflächen nach oben neben Ihrem Körper. Halten Sie beide Knie gestreckt und drücken Sie Ihre untere Rückenpartie auf den Boden, um die Wirbelsäule zu begradigen.

Einfache Beinübung
1 *Einatmen, das rechte Bein so hoch es geht heben, beim Ausatmen herunterlegen. Links wiederholen; 3mal.*

2 *Einatmen, das rechte Bein hochheben, es mit beiden Händen umfassen und zum Oberkörper heranziehen, der Kopf bleibt unten. Atmen.*

3 *Nun das Kinn zum Schienbein bringen und einen tiefen Atemzug lang halten; dann ausatmen, Kopf und Bein zurücklegen. 3mal für jede Seite.*

Gaslösende Stellung (1)

Wie schon der Name sagt, massiert diese Übung – Vatayanasana – ganz sanft das Verdauungssystem und verschafft Erleichterung bei Blähungen im Magen- und Darmtrakt. Außerdem kräftigt und streckt sie den unteren Rücken. Wenn Sie diese Übung machen, widerstehen Sie der Versuchung, den unteren Rücken oder das Gesäß vom Boden zu heben. Versuchen Sie, das auf dem Boden liegende Bein gestreckt zu halten.

Gaslösende Stellung (1)
1 *Einatmen, das rechte Knie beugen, mit den Händen das Knie umfassen und an die Brust ziehen. Beim Ausatmen loslassen; mit dem linken Bein wiederholen.*

2 *Genau wie oben beginnen, doch dann das Kinn zum Knie bringen, atmen, loslassen, links wiederholen.*

Doppelte Beinübung

Dies ist die anstrengendste der hier gezeigten Beinübungen, besonders wenn Ihre Bauchmuskeln unterentwickelt sind. Zu Beginn können Sie vielleicht Ihre Beine noch gar nicht gestreckt hochheben, oder Sie müssen möglicherweise Ihre Knie etwas beugen, wenn Sie die Beine hochheben und können sie erst strecken, wenn sie senkrecht sind. Indem Sie Ihre Handflächen auf den Boden pressen, werden Sie die Beine leichter hochbekommen. Bei besonders schwacher Rücken- und Bauchmuskulatur verschränken Sie Ihre Finger auf dem Bauch, um so ein „Extrapaket Muskeln" zu schaffen. Pressen Sie die Finger bei jedem Anspannen der Bauchmuskulatur nach unten. Welche Methode Sie auch anwenden, achten Sie darauf, daß unterer Rücken und Gesäß auf dem Boden bleiben. Sobald Sie die doppelte Beinübung ohne Anstrengung schaffen, lassen Sie Ihre Beine so langsam wie möglich nach unten, und halten Sie Ihre Füße zwischen den Schwüngen etwa drei cm über dem Boden, damit Ihre Muskeln mit aller Kraft arbeiten müssen.

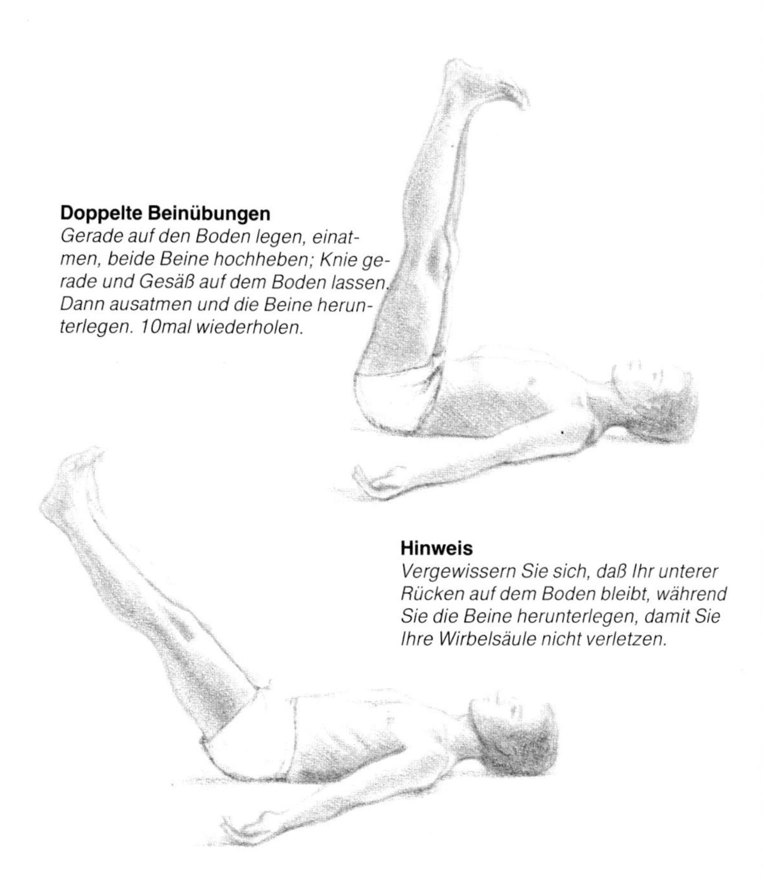

Doppelte Beinübungen
Gerade auf den Boden legen, einatmen, beide Beine hochheben; Knie gerade und Gesäß auf dem Boden lassen. Dann ausatmen und die Beine herunterlegen. 10mal wiederholen.

Hinweis
Vergewissern Sie sich, daß Ihr unterer Rücken auf dem Boden bleibt, während Sie die Beine herunterlegen, damit Sie Ihre Wirbelsäule nicht verletzen.

Gaslösende Stellung (2)

Wie bei der Version mit einem Bein (auf der gegenüberliegenden Seite) massiert auch diese Übung die Bauchorgane und hilft, Blähungen zu lösen. In Position 1 bleiben Kopf und Schultern unten, der untere Rücken wird gegen den Boden gedrückt. Halten Sie beim Schaukeln einen gleichmäßigen, kontrollierten Rhythmus ein. Durch sanfte Massage der Wirbel, Rückenmuskeln und Bänder macht das Schaukeln die Wirbelsäule beweglich.

Gaslösende Stellung (2)
1 *Einatmen, Knie anwinkeln, die Hände herumlegen und beide Beine zur Brust drücken. Beim Ausatmen die Beine loslassen.*

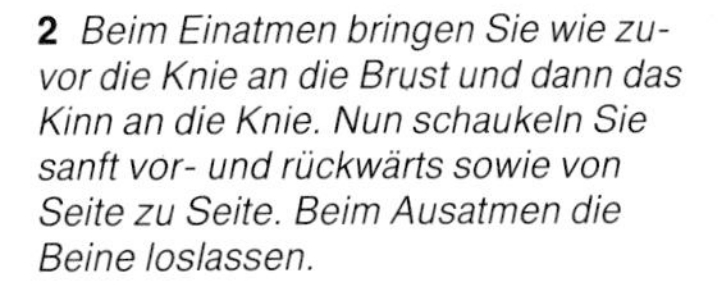

2 *Beim Einatmen bringen Sie wie zuvor die Knie an die Brust und dann das Kinn an die Knie. Nun schaukeln Sie sanft vor- und rückwärts sowie von Seite zu Seite. Beim Ausatmen die Beine loslassen.*

Der Kopfstand

König der Asanas ist der Kopfstand oder Sirshasana, eine der wirkungsvollsten und wohltuendsten Stellungen für Körper und Geist. Infolge der umgekehrten Schwerkrafteinwirkung entlastet er das Herz, unterstützt den Kreislauf und löst Spannungen im unteren Rükken. Regelmäßiges Üben beugt Rückenproblemen vor, steigert die Gedächtnisleistung und erhöht die Konzentration sowie Sinneswahrnehmungen. Durch die Drehung des Körpers können Sie tiefer atmen, das Gehirn wird mit frischem, sauerstoffreichem Blut versorgt. Eventuell zu Beginn auftretende kleinere Atembeschwerden werden schnell verschwinden. Um den Kopfstand zu bewältigen, braucht man nicht viel Kraft, man muß vielmehr die eigene Furcht überwinden und an das eigene Können glauben. Der Schlüssel zum Gleichgewicht ist das Dreieck, dessen Eckpunkte durch die beiden Ellbogen und die Hände markiert werden; achten Sie also darauf, daß die Ellbogen ihre Position nicht verändern.

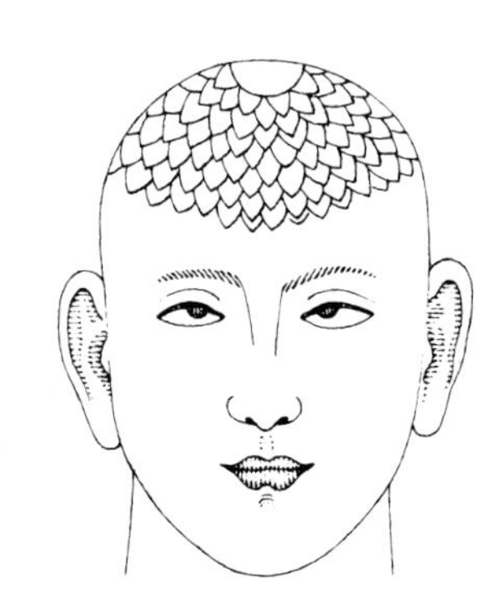

»Wer den Kopfstand drei Stunden täglich übt, bezwingt die Zeit.«
Yoga Tattva Upanishad

1 *Hinknien, das Gewicht auf die Unterarme verlagern. Die Hände umfassen die Ellbogen.*

2 *Sie öffnen die Hände und legen sie mit verschränkten Fingern vor sich. Die Ellbogen bleiben in ihrer Stellung.*

3 *Legen Sie den Hinterkopf in Ihre gefalteten Hände, den Scheitel auf den Boden. Hände und Ellbogen bilden einen Dreifuß, eine stabile Grundlage für den umgekehrten Körper.*

4 *Strecken Sie nun die Knie und heben Sie die Hüften hoch.*

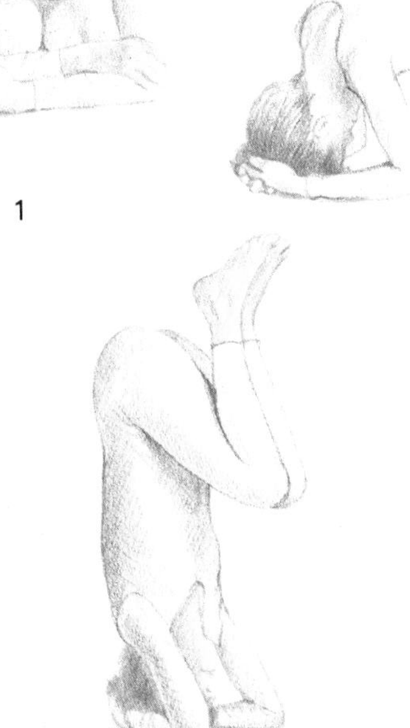

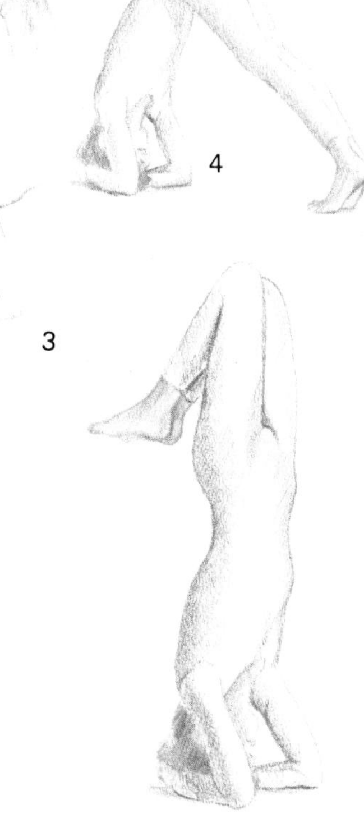

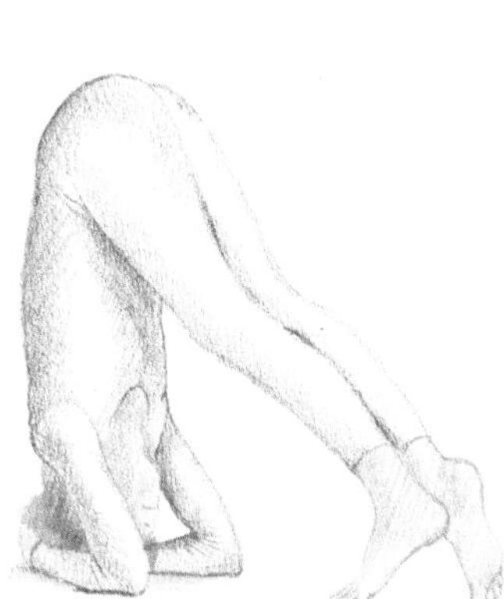

5 *Ohne die Knie zu beugen, gehen Sie mit Ihren Füßen möglichst nah zum Kopf. Schieben Sie die Hüften zurück, so daß Ihr Hals sich weder nach vorn noch nach hinten beugt und in eine gerade Linie mit der Wirbelsäule kommt.*

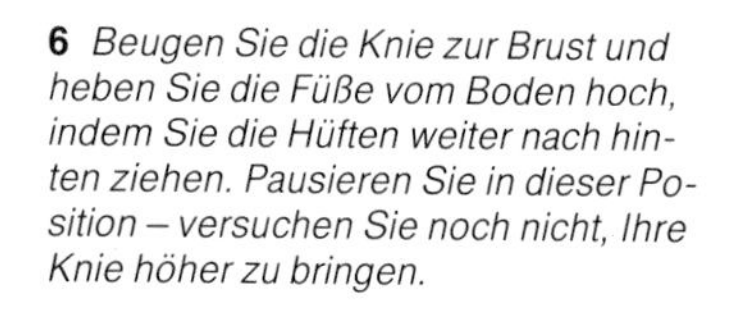

6 *Beugen Sie die Knie zur Brust und heben Sie die Füße vom Boden hoch, indem Sie die Hüften weiter nach hinten ziehen. Pausieren Sie in dieser Position – versuchen Sie noch nicht, Ihre Knie höher zu bringen.*

7 *Dann heben Sie die Beine – die Knie bleiben weiterhin gebeugt – mit Hilfe der Bauchmuskulatur hoch.*

Vorsicht!
Menschen mit hohem Blutdruck, Glaukom oder Netzhautablösung sollten sich auf Asanas konzentrieren, die diese Leiden lindern, ehe sie mit dem Kopfstand beginnen.

Die Stellung des Kindes

Diese Entspannungshaltung dient der Normalisierung des Kreislaufs nach dem Kopfstand und als Gegendehnung für die Wirbelsäule nach den rückwärts beugenden Übungen. Knien Sie sich hin, setzen Sie sich auf Ihre Füße, die Fersen zeigen nach außen. Legen Sie die Stirn auf den Boden, Ihre Arme neben den Körper, die Handflächen nach oben gerichtet.

8 *Nun richten Sie Ihre Beine langsam auf. Sie spüren das Körpergewicht hauptsächlich auf den Unterarmen. Um die Haltung zu lösen, kehren Sie die Schritte 5, 6 und 7 um. Entspannen Sie in der Stellung des Kindes, mindestens sechs tiefe Atemzüge lang.*

Der Schulterstand

Nach Swami Sivananda halten allein drei Asanas den Körper vollkommen gesund: Kopfstand, Schulterstand und Kopf-Knie-Stellung. Der Schulterstand verjüngt und belebt den ganzen Körper – der Sanskritname Sarvangasana bedeutet wörtlich »Stellung aller Teile«. Als ideales Stärkungsmittel hat er viele der Vorzüge des Kopfstandes mit dem Unterschied, daß bei der Drehung des Körpers im rechten Winkel zum Kopf der Nacken und die obere Wirbelsäule gedehnt werden. Wichtigster Effekt jedoch ist die Anregung der Schild- und Nebenschilddrüse durch den Druck des Kinns auf die Brust. Die Stellung regt die tiefe Bauchatmung an, weil die Atmung über die oberen Lungenflügel eingeschränkt wird. Anfangs fühlen Sie sich dadurch vielleicht ein wenig beengt, aber mit zunehmender Entspannung in der Stellung werden Sie sich daran gewöhnen. Um aus dem Schulterstand herauszukommen, rollen Sie immer Wirbel für Wirbel ab, wie unten beschrieben.

»Diesem Yoga folge vertrauensvoll mit starkem und mutigem Herzen.«
Bhagavad Gita

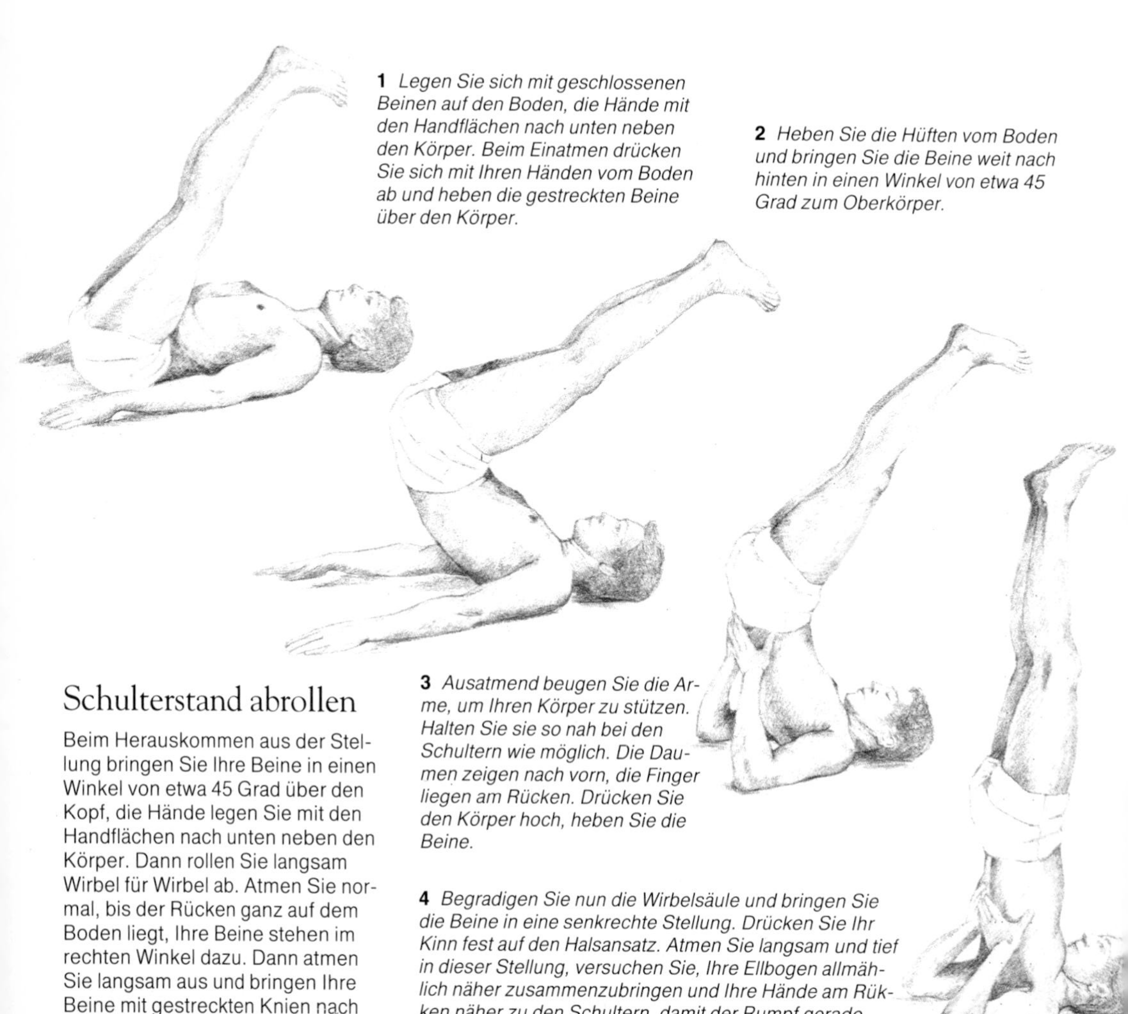

1 *Legen Sie sich mit geschlossenen Beinen auf den Boden, die Hände mit den Handflächen nach unten neben den Körper. Beim Einatmen drücken Sie sich mit Ihren Händen vom Boden ab und heben die gestreckten Beine über den Körper.*

2 *Heben Sie die Hüften vom Boden und bringen Sie die Beine weit nach hinten in einen Winkel von etwa 45 Grad zum Oberkörper.*

3 *Ausatmend beugen Sie die Arme, um Ihren Körper zu stützen. Halten Sie sie so nah bei den Schultern wie möglich. Die Daumen zeigen nach vorn, die Finger liegen am Rücken. Drücken Sie den Körper hoch, heben Sie die Beine.*

4 *Begradigen Sie nun die Wirbelsäule und bringen Sie die Beine in eine senkrechte Stellung. Drücken Sie Ihr Kinn fest auf den Halsansatz. Atmen Sie langsam und tief in dieser Stellung, versuchen Sie, Ihre Ellbogen allmählich näher zusammenzubringen und Ihre Hände am Rükken näher zu den Schultern, damit der Rumpf gerade wird. Die Füße bleiben entspannt.*

Schulterstand abrollen

Beim Herauskommen aus der Stellung bringen Sie Ihre Beine in einen Winkel von etwa 45 Grad über den Kopf, die Hände legen Sie mit den Handflächen nach unten neben den Körper. Dann rollen Sie langsam Wirbel für Wirbel ab. Atmen Sie normal, bis der Rücken ganz auf dem Boden liegt, Ihre Beine stehen im rechten Winkel dazu. Dann atmen Sie langsam aus und bringen Ihre Beine mit gestreckten Knien nach unten.

Der Pflug

Der Pflug oder Halasana ergänzt die Bewegung des Schulterstands dadurch, daß Füße und Hände auf den Boden gebracht werden, damit der Körper in etwa die Form eines primitiven Pflugs annimmt. Die Stellung wirkt ähnlich wie der Schulterstand: Nacken und Wirbelsäule werden beweglich, die Wirbelsäulennerven belebt, Rücken-, Schulter- und Armmuskeln gestärkt, Spannungen gelöst. Durch das Zusammendrücken des Bauches werden auch die inneren Organe massiert. Achten Sie beim Pflug auf eine gerade Wirbelsäule und gestreckte Knie. Am Anfang erreichen die Füße vielleicht noch nicht den Boden, aber je elastischer die Wirbelsäule wird, um so eher werden die Füße von ihrem eigenen Gewicht hinuntergezogen. Fortgeschrittene können gleich aus dem Schulterstand diese Stellung üben, Anfänger sollten jedoch dazwischen erst entspannen. Um aus dem Pflug zu kommen, benutzen Sie wieder das Abrollen vom Schulterstand.

»Säe Liebe, ernte Frieden . . .
Säe Meditation, ernte Weisheit.«
Swami Sivananda

1 *Legen Sie sich mit geschlossenen Beinen auf den Rücken, die Hände mit den Handflächen nach unten neben den Körper. Einatmen und die Beine hochheben. Ausatmen. Beim nächsten Einatmen bringen Sie die Hüften vom Boden hoch.*

2 *Unterstützen Sie den Rücken mit Ihren Händen, lassen Sie die Ellbogen möglichst nah beisammen. Dann bringen Sie beim Ausatmen, ohne die Knie zu beugen, die Beine hinter den Kopf. Wenn Sie mit Ihren Füßen noch nicht den Boden erreichen, bleiben Sie tief atmend in der Stellung.*

3 *Wenn Ihre Füße ganz bequem den Boden erreichen, schieben Sie sie so weit Sie können von Ihrem Kopf weg und ziehen Sie die Zehen ein; bringen Sie Ihren Rumpf hoch, drücken Sie die Fersen nach hinten. Nun falten Sie die Hände und strecken die Arme weit hinter Ihrem Rücken aus. Langsam und tief atmen.*

Die Brücke

Als Ergänzung zum Pflug werden in der Brücke die Beine aus dem Schulterstand in die entgegengesetzte Richtung abgesetzt. Dadurch wird die Wirbelsäule anders herum gedreht und Druck vom Nacken weggenommen. Sethu Bandhasana, der Sanskritname, bedeutet »brückenbauende Stellung« und bezieht sich auf die Art, wie der Körper einen vollkommenen Bogen vom Kopf bis zu den Zehen beschreibt. Das Hineinkommen in diese Stellung und das Herauskommen stärkt Bauch- und untere Rückenmuskulatur. Wirbelsäule und Gelenke werden geschmeidiger. Um aus dem Schulterstand in die Brücke zu kommen, brauchen Sie einen einigermaßen beweglichen Rücken; vielleicht müssen Sie sich am Anfang noch – wie unten rechts abgebildet – aus der Rückenlage vom Boden aus in die Stellung hinaufdrücken. Fortgeschrittene üben Schulterstand, Pflug und Brücke als fortlaufende Serie.

»Es gibt eine Brücke zwischen Zeit und Ewigkeit – diese Brücke ist Atman, die Seele des Menschen.«
Chandogya Upanishad

Alternative zu Schritt 1:
Legen Sie sich mit geschlossenen Beinen und ange- winkelten Knien auf den Rücken; geben Sie Ihre Hän de an die untere Rückenpartie – wie beim Schulterstand – und heben Sie dann Ihre Hüften so hoch Sie können. Fahren Sie mit Schritt 3 fort. Um langsam au der Stellung zu kommen, kehren Sie die einzelnen Schritte um.

Vorsicht! *Es ist wichtig, in der Brücke die gleiche Handstellung – Daumen nach oben – wie im Schulterstand zu benutzen. Hinter dem Rücken angele te Daumen könnten Sie sich verstauchen.*

1 *Kommen Sie in den Schulterstand, stützen Sie Ihre Taille mit den Händen. Ein Bein beugen und auf den Boden setzen.*
2 *Wiederholen Sie dies mit dem anderen Bein. Lassen Sie die Ellbogen dabei nah beisammen.*
3 *Gehen Sie mit Ihren Beinen so weit, bis die Knie gestreckt und die Füße flach auf dem Boden sind. Die Stellung drei oder vier tiefe Atemzüge halten. Dann mit den Füßen zum Körper zurückgehen. Einatmen, in den Schulterstand kommen, abrollen. Wenn Sie Ihren Rücken mit den Händen näher an den Schultern stützen können, versuchen Sie mit beiden Beinen gleichzeitig in die Brücke zu gehen.*

Der Fisch

Matsya, der Fisch, war eine der Verkörperungen des Hindugottes Vishnu, der diese Gestalt annahm, um die Welt von der großen Flut zu befreien. Die Fischstellung, Matsyasana, ist die Gegenstellung zum Schulterstand und sollte immer danach geübt werden. Im Schulterstand, im Pflug und in der Brücke wurden Nacken und oberer Rücken gestreckt, nun werden sie in der Rückwärtsbeuge zusammengedrückt. Dies löst Verspannungen in der Nacken- und Schultermuskulatur und korrigiert die Neigung zu runden Schultern. Das Halten der Stellung trainiert die Brust, belebt Hals- und Rückennerven und beeinflußt Schilddrüse und Nebenschilddrüse auf positive Weise. Durch die volle Ausdehnung des Brustkorbs wird die tiefe Atmung gefördert und die Lungenkapazität erhöht. Sie sollten mindestens die Hälfte der Zeit, die Sie im Schulterstand verbrachten, in der Fischposition verweilen, um die Dehnung auszugleichen.

»Wer über den Ozean der Zeit schwimmt, erlebt die Gnade Gottes.«
Swami Vishnu Devananda

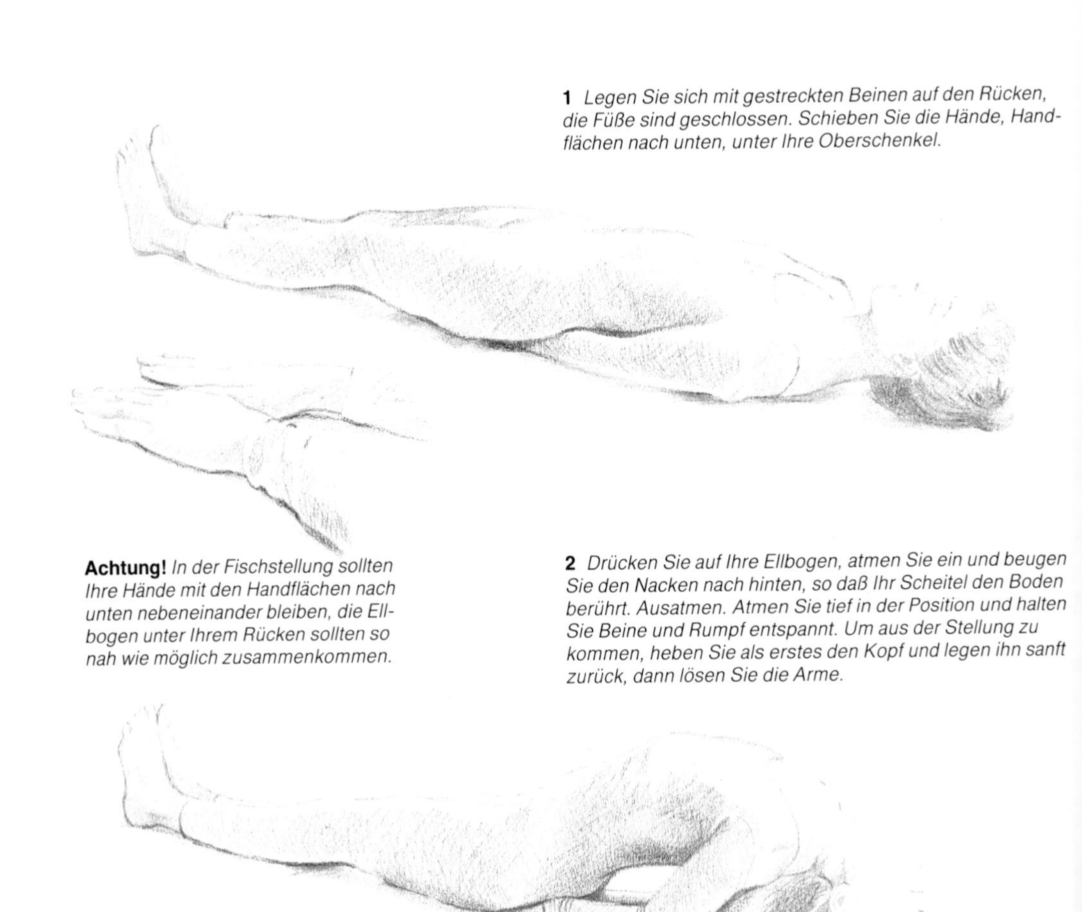

1 *Legen Sie sich mit gestreckten Beinen auf den Rücken, die Füße sind geschlossen. Schieben Sie die Hände, Handflächen nach unten, unter Ihre Oberschenkel.*

Achtung! *In der Fischstellung sollten Ihre Hände mit den Handflächen nach unten nebeneinander bleiben, die Ellbogen unter Ihrem Rücken sollten so nah wie möglich zusammenkommen.*

2 *Drücken Sie auf Ihre Ellbogen, atmen Sie ein und beugen Sie den Nacken nach hinten, so daß Ihr Scheitel den Boden berührt. Ausatmen. Atmen Sie tief in der Position und halten Sie Beine und Rumpf entspannt. Um aus der Stellung zu kommen, heben Sie als erstes den Kopf und legen ihn sanft zurück, dann lösen Sie die Arme.*

Die Kopf-Knie-Stellung

Die Kopf-Knie-Stellung oder Paschimothanasana sieht zwar einfach aus, ist aber eine äußerst anspruchsvolle und wichtige Position. Das Sanskritwort »Paschima« bedeutet »Westen« und bezieht sich hier auf den Rücken, der von den Fersen bis zum oberen Ende der Wirbelsäule vollkommen gestreckt wird. Diese Asana belebt die inneren Organe, baut Fett ab und belebt das Nervensystem. Bevor Sie die Stellung halten, lockern Sie den Körper, indem Sie einatmen und wieder aus der Stellung gehen, dann ausatmen und wieder hineingehen. Dreimal wiederholen. Zwingen Sie nicht den Kopf auf die Knie, denn dadurch wird die Wirbelsäule gekrümmt. Versuchen Sie vielmehr, den Rumpf so weit wie möglich nach vorn zu beugen, während Sie Knie und Wirbelsäule gerade halten.

»Diese vortrefflichste aller Asanas . . . läßt den Atem durch Shushumna fließen, regt das Verdauungsfeuer an, formt die Lenden und vertreibt alle Krankheiten der Menschen.«
Hatha Yoga Pradipika

1 *Aus einer liegenden Position, die Arme nach hinten ausgestreckt, kommen Sie einatmend zum Sitzen. Ihre Zehen zeigen zur Decke. Drücken Sie das Fleisch von Ihrem Gesäß weg, so daß Sie direkt auf Ihren Sitzhöckern sitzen. Strecken Sie die Arme nach oben und ziehen Sie die Wirbelsäule lang.*

2 *Ziehen Sie den Bauch ein, beim Ausatmen senken Sie den Oberkörper aus dem Becken heraus nach vorn. Der Rücken bleibt dabei gestreckt. Bringen Sie Ihr Kinn zum Schienbein und die Brust auf die Oberschenkel. Beugen Sie sich nicht aus der Mitte der Wirbelsäule heraus.*

3 *Beugen Sie sich weiter nach unte und halten Sie den Teil Ihrer Beine oder Füße fest, den Sie bequem err chen können, ohne die Knie zu beugen. Durch Übung können Sie dann Ihre Zeigefinger um die großen Zeh legen und die Ellbogen auf den Bod oder Ihre Arme über die Füße hinau strecken, wie rechts abgebildet.*

In der Stellung *atmen Sie tief und lassen sich bei jedem Ausatmen weiter nach vorn fallen. Am Anfang halten Sie die Stellung für mindestens drei bis vier tiefe Atemzüge und erhöhen ihre Zahl, sobald Sie in dieser Position entspannter werden. Wenn Sie die Stellung auflösen, greifen Sie beim Aufrichten nach vorn.*

Die Kobra

In Bhujangasana sind Kopf und Oberkörper anmutig aufgerichtet, so wie eine Kobra ihr Haupt erhebt. Der Rücken wird kraftvoll durchgebogen, die umgebende Muskulatur gestärkt und die Bauchorgane belebt und massiert. Die Übung wirkt besonders gut bei Menstruationsbeschwerden und -schmerzen, zudem befreit sie von Verstopfung. Üben Sie dieses Asana schrittweise – wie unten gezeigt – und stellen Sie sich, während Sie langsam Wirbel für Wirbel nach hinten beugen, die geschmeidige und gewandte Bewegung einer Schlange vor. Halten Sie Ihre Schultern zurück, die Ellbogen nah am Körper und Ihr Gesicht entspannt. Die volle Kobra-Position mag am Anfang schwierig erscheinen, aber mit der Zeit und mit zunehmender Geschmeidigkeit der Wirbelsäule werden Sie die Füße zum Kopf bringen.

»Durch Üben dieser Stellung erwacht die Schlangengöttin – die Kundalinikraft.«
Gheranda Samhita

1 *Legen Sie sich mit geschlossenen Beinen auf den Bauch, die Hände – mit den Handflächen nach unten – unter die Schultern. Legen Sie die Stirn auf den Boden.*

2 *Beim Einatmen heben Sie den Kopf, wobei zuerst Nase, dann Kinn den Boden berühren; nun nehmen Sie die Hände hoch – nur die Rückenmuskeln ziehen die Brust hoch. Halten Sie die Stellung für ein paar tiefe Atemzüge und kehren Sie ausatmend zu Position 1 zurück; das Kinn bleibt bis zuletzt oben.*

3 *Einatmend gehen Sie hoch, wie vorher, doch benutzen Sie diesmal Ihre Hände, um den Oberkörper hochzuheben. Machen Sie weiter, bis Sie sich aus der Mitte der Wirbelsäule beugen. Zwei bis drei tiefe Atemzüge lang die Stellung halten, beim Ausatmen lösen.*

4 *Einatmend ziehen Sie den Körper wieder hoch wie zuvor, doch gehen Sie jetzt weiter, indem Sie Ihren ganzen Rücken vom Hals bis zum Steiß nach hinten beugen. Normal atmen.*

5 *Zur Vervollkommnung der Kobra bringen Sie Ihre Hände bis zu Ihrem Körper, strecken die Arme und heben die Hüften. Nehmen Sie die Beine auseinander, beugen Sie die Knie und lassen Sie den Kopf nach hinten fallen, bis er die Füße berührt. Normal atmen, dann langsam herunterkommen.*

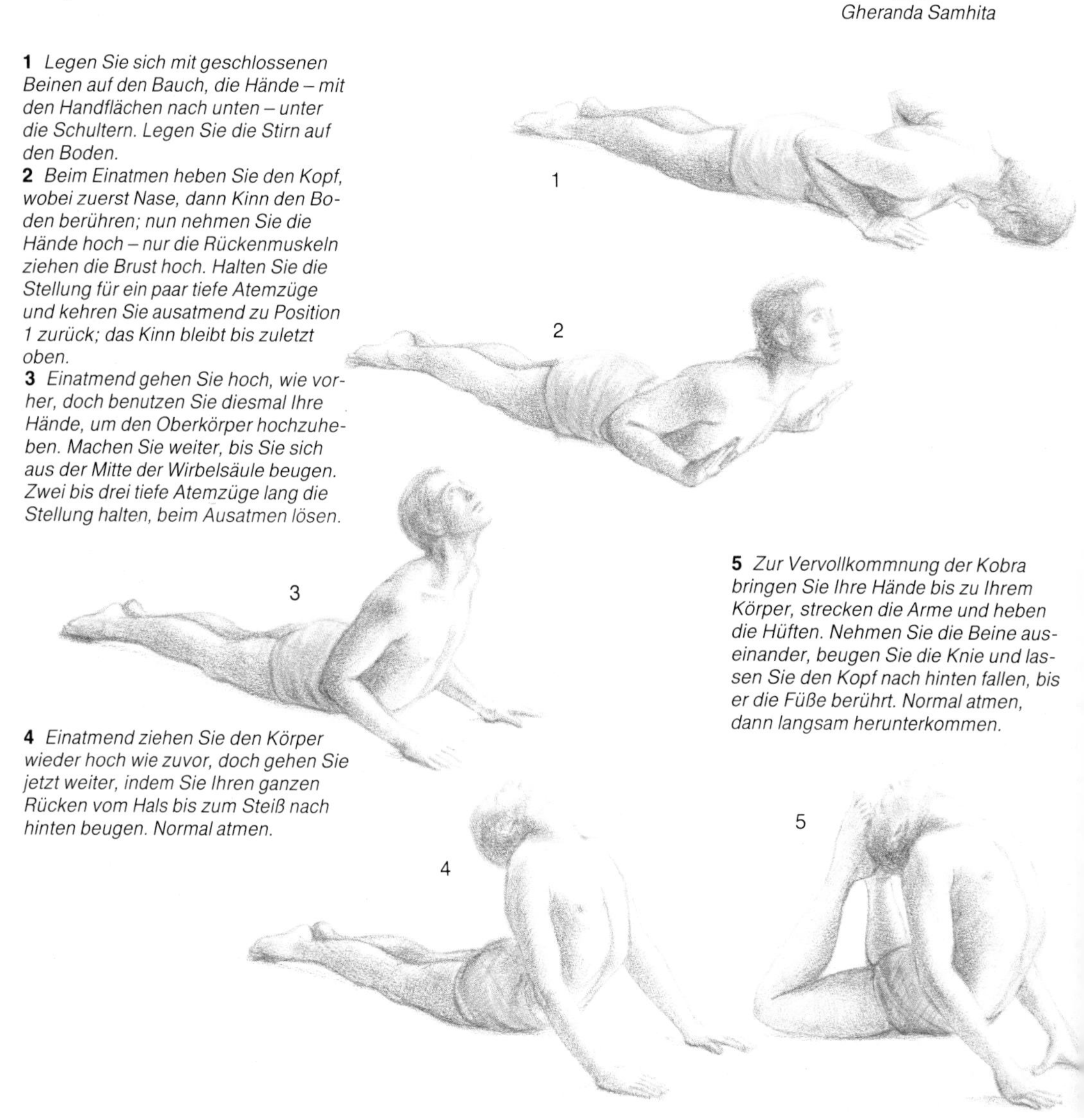

Die Heuschrecke

Im Gegensatz zu den meisten anderen Asanas wird die Heuschrecke oder Salabhasana mit einem plötzlichen Schwung erreicht. Ihre Wirkungsweise ergänzt die der Kobra; doch während diese den oberen Teil des Körpers beansprucht, wirkt die Heuschrecke mehr auf den unteren Teil, strafft Bauch, unteren Rücken und Beine. Wie die anderen rückwärtsbeugenden Übungen massiert sie die inneren Organe, sorgt für ein leistungsfähiges Funktionieren des Verdauungstraktes und beugt der Verstopfung vor. Zu Beginn können Sie Ihre Beine vielleicht nur einige Zentimeter heben, wobei die Übung in dieser Haltung am ehesten an eine Heuschrecke mit ihrem Schwanz in der Luft erinnert. Durch regelmäßiges Üben finden Sie heraus, wie Sie Ihre unteren Rückenmuskeln so zusammenziehen können, daß Ihre Beine ganz hochkommen und entwickeln auch die nötige Kraft dazu. Mit der Zeit können Sie dann Ihre Beine – so wie auf dem Foto – über Ihren Kopf ausstrecken.

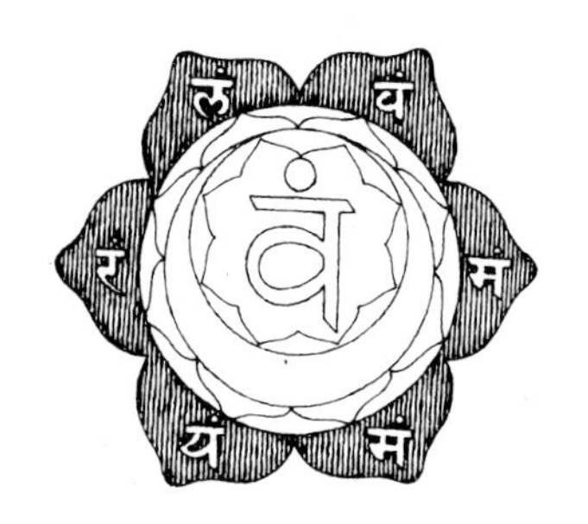

»Wahrlich ein biegsamer Rücken bedeutet ein langes Leben.«
Chinesisches Sprichwort

1 *Legen Sie sich auf den Bauch, atmen Sie ein und drehen Sie sich zur Seite. Ballen Sie die Hände zu Fäusten und drücken Sie die Daumen zwischen Ihre Oberschenkel. Halten Sie die Ellbogen möglichst nah zusammen.*

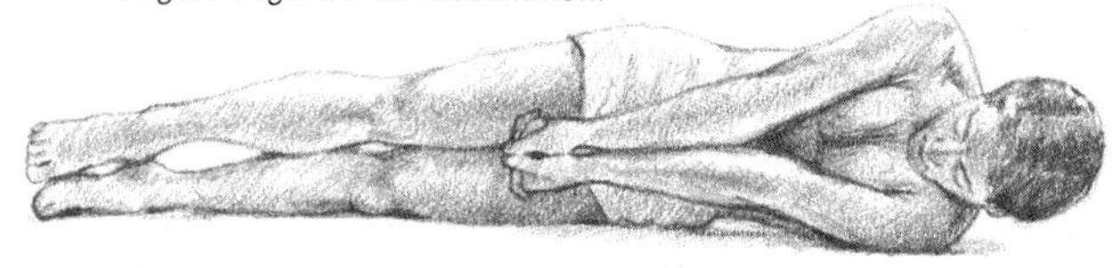

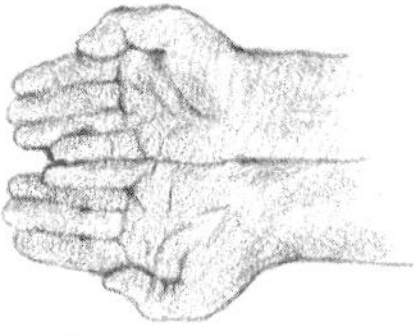

Anmerkung:
Mehr Hebelkraft erreichen Sie möglicherweise durch eine andere Handst lung: die Hände leicht gewölbt mit de Handflächen zu den Oberschenkeln (wie oben) oder mit gefalteten Hände

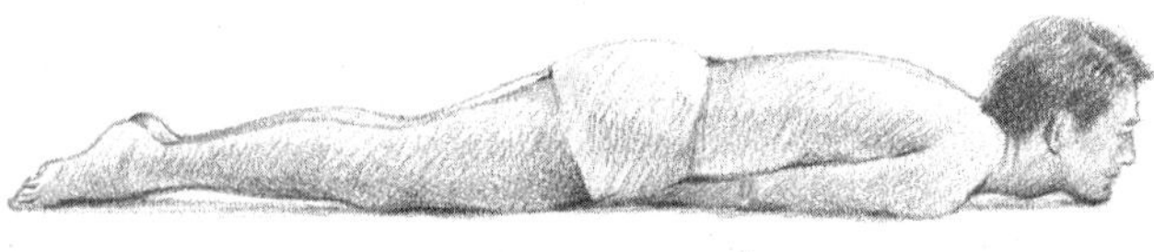

2 *Beim Ausatmen rollen Sie sich wieder nach vorn, so daß Sie auf Ihren Armen liegen, Ihr Kopf ruht auf dem Kinn. Atmen Sie in dieser Position einige Male ein und aus.*

3 *Einatmen, das rechte Bein hochheben, dabei die Hände als Hebel benutzen. Zweimal tief atmen, beim Ausatmen das Bein wieder senken. Mit dem linken Bein wiederholen. Beide Beine bleiben dabei gestreckt; die Hüften werden nicht gedreht.*

4 *Nun dreimal tief atmen; beim dritte Einatmen den Atem anhalten und be Beine zugleich hochschwingen. Halt Sie die Stellung, atmen Sie normal u bringen Sie die Beine beim Ausatme kontrolliert zu Boden. Wiederholen S die Übung, wenn sich der Atem beru higt hat. Sobald Sie die Beine einmal hochbekommen, beugen Sie diese. Durch Übung bringen Sie sicher Ihre Füße bald auf den Kopf.*

Halbe Heuschrecke

Heuschrecke

Der Bogen

Der Bogen oder Dhanurasana zieht beide Körperhälften gleichzeitig hoch, verbindet so die Bewegung von Kobra und Heuschrecke und gleicht Pflug und Kopf-Knie-Stellung aus. Wie ein Bogenschütze seinen Bogen spannt, so benutzen Sie Ihre Hände und Arme, um Oberkörper und Beine in Bogenform zu spannen. Diese Übung belebt die Rückenmuskeln und hält die Wirbelsäule beweglich, verbessert die Haltung und fördert die Vitalität. Durch das Balancieren des Körpers auf dem Bauch wird Fett abgebaut, die Verdauung angeregt und die Geschlechtsorgane gesunden. Vor allem der Schaukelbogen massiert die inneren Organe sehr kraftvoll. Am Anfang wird es Ihnen leichter fallen, die Beine mit geöffneten Knien hochzuheben; Fortgeschrittene sollten den Bogen mit geschlossenen Beinen ausführen.

»OM ist der Bogen, die Seele der Pfeil, Brahman ist des Pfeiles Ziel.«
Swami Vishnu Devananda

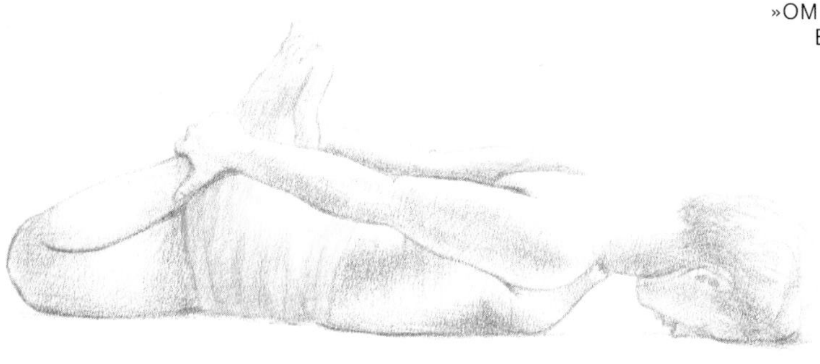

1 *Legen Sie sich auf den Bauch, mit dem Kopf auf dem Boden, atmen Sie ein und winkeln Sie die Knie ab; dann gehen Sie mit Ihren Händen nach hinten und umfassen Ihre Knöchel. Ausatmen.*

2 *Beim Einatmen heben Sie Kopf un Brust, gleichzeitig ziehen Sie Ihre Kn chel hoch, bringen dadurch Knie und Oberschenkel vom Boden weg. Nach hinten beugen und hochschauen. In dieser Stellung dreimal tief atmen, dann ausatmen und loslassen.*

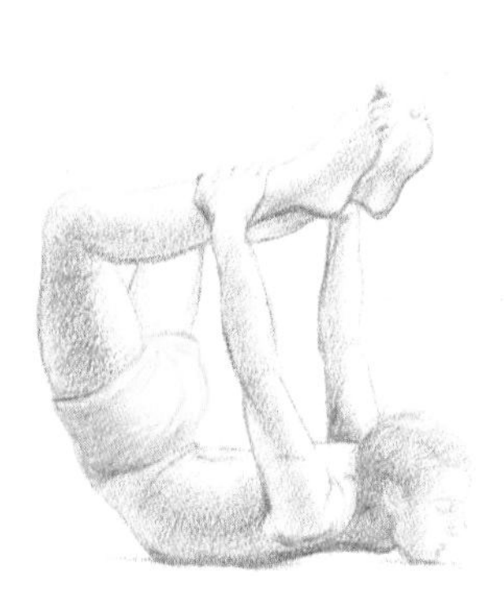

Der Schaukelbogen

Führen Sie den Bogen aus, dann schaukeln Sie beim Ausatmen vor, beim Einatmen zurück. Integrieren Sie nicht Ihren Kopf in die Schaukelbewegung. 10mal wiederholen, anschließend in der Stellung des Kindes (→ Seite 39) mindestens sechs tiefe Atemzüge lang entspannen.

Der halbe Drehsitz

Der Drehsitz, Matsyendrasana genannt nach dem großen Yogaweisen Matsyendra, ist eine der wenigen Stellungen im Grundübungsprogramm, bei der die Wirbelsäule von einer Seit-Dreh-Bewegung erfaßt wird. In den meisten Übungen wird die Wirbelsäule entweder nach vorn oder nach rückwärts gebeugt, um aber wirklich beweglich zu werden, muß sie auch zur Seite gedreht werden. Diese Übung belebt auch Rückennerven und -bänder, zudem fördert sie die Verdauung. Der halbe Drehsitz, Ardha Matsyendrasana, den wir hier zeigen, hat ähnliche Wirkungen und bereitet den Körper auf die volle Stellung vor (→ Seite 134). Halten Sie in dieser Position die Wirbelsäule aufrecht, die Schultern gerade. Atmen Sie gleichmäßig und drehen Sie sich jedesmal, wenn Sie ausatmen, ein klein wenig mehr: Drehen Sie sich zuerst nach links, wie unten, dann nach rechts.

»Wer die Musik der Seele hört, beherrscht die Melodie des Lebens.«
Swami Sivananda

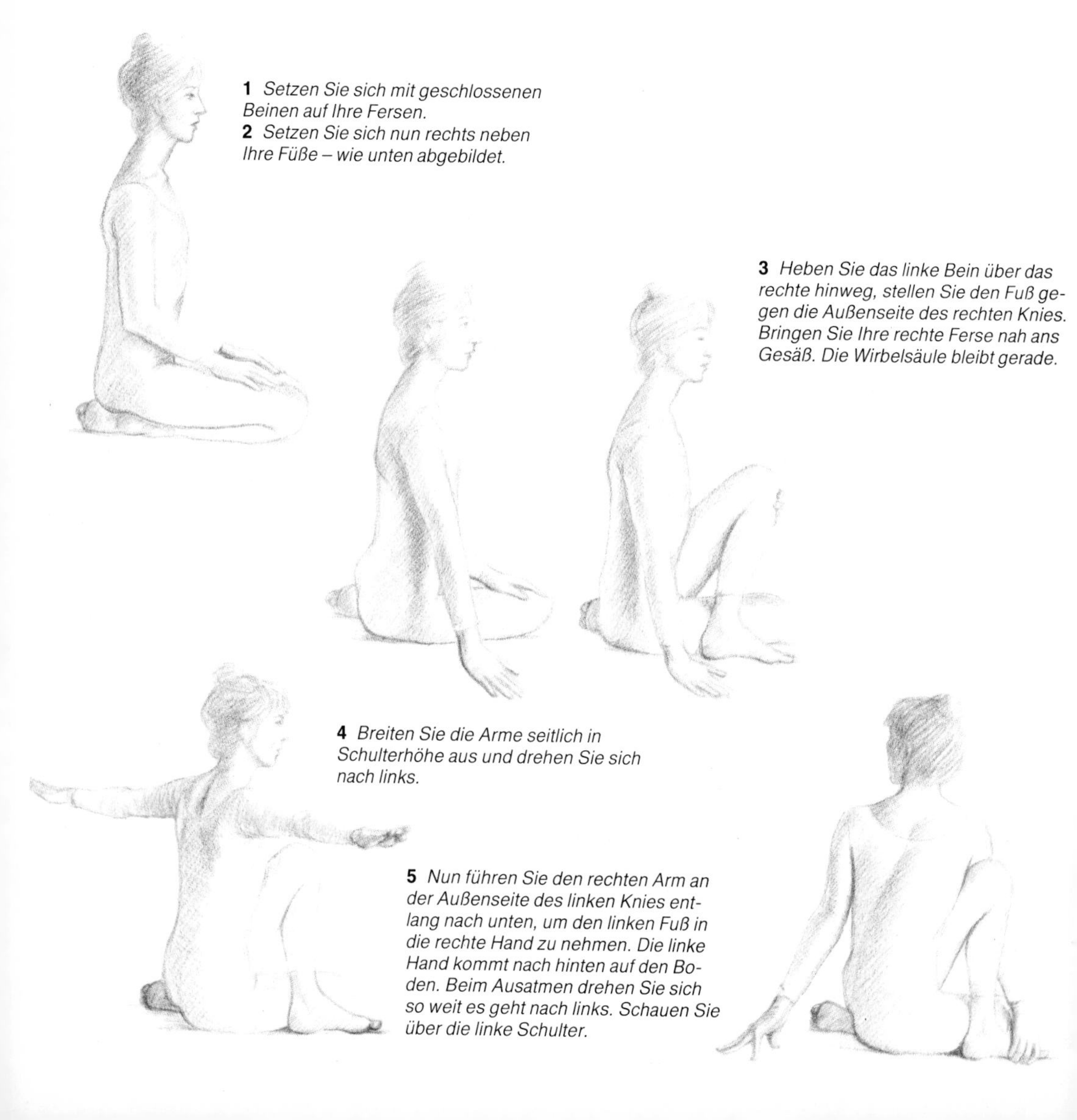

1 *Setzen Sie sich mit geschlossenen Beinen auf Ihre Fersen.*
2 *Setzen Sie sich nun rechts neben Ihre Füße – wie unten abgebildet.*

3 *Heben Sie das linke Bein über das rechte hinweg, stellen Sie den Fuß gegen die Außenseite des rechten Knies. Bringen Sie Ihre rechte Ferse nah ans Gesäß. Die Wirbelsäule bleibt gerade.*

4 *Breiten Sie die Arme seitlich in Schulterhöhe aus und drehen Sie sich nach links.*

5 *Nun führen Sie den rechten Arm an der Außenseite des linken Knies entlang nach unten, um den linken Fuß in die rechte Hand zu nehmen. Die linke Hand kommt nach hinten auf den Boden. Beim Ausatmen drehen Sie sich so weit es geht nach links. Schauen Sie über die linke Schulter.*

Der Lotus

Der Lotus symbolisiert die spirituelle Entwicklung des Menschen: die Wurzeln im Schlamm versinnbildlichen seine niedere Natur; der aus dem Wasser aufsteigende Stiel die intuitive Suche und die im Sonnenlicht blühende Blume die Selbstverwirklichung. Im Yoga verkörpert der Lotus oder Padmasana die klassische Haltung für Meditation und Pranayama. Das aufrechte Sitzen mit gerader Wirbelsäule, die Beine als stabile Basis verschränkt, versetzt den Körper mühelos in einen ruhigen Zustand. Je länger Sie diese Stellung aushalten, um so mehr verlangsamt sich der Stoffwechsel, der Geist wird klarer und ruhiger. Durch die aufrechte Haltung der Wirbelsäule fließt das Prana gleichmäßig und erhöht Ihre Konzentration. Die Stellung fördert die Beweglichkeit von Knöchel, Knie und Hüften und belebt die Beinnerven. Machen Sie zuerst die Aufwärmübungen für den Lotus sowie den halben Lotussitz.

»Der Yogi, der in Padmasana sitzt und seinen Atem reguliert . . . wird befreit. Darüber gibt es keinen Zweifel.«
Hatha Yoga Pradipika

Lotus-Aufwärmübungen
Das Üben dieser Bhadrasana-Positionen erleichtert Ihnen den Lotus. Sitzen Sie aufrecht mit gestreckter Wirbelsäule und legen Sie die Fußsohlen aneinander, die Fersen nah an den Körper. Für die Knie-Knöchel-Stellung (links) drücken Sie Ihre Knie mit den Händen fest nach unten. Beim Schmetterling (rechts) umfassen Sie Ihre Füße und bewegen Ihre Knie auf und ab.

Der Lotus
Um in den Lotus zu kommen, setzen Sie sich mit gegrätschten Beinen – das Rückgrat aufrecht – auf den Boden. Dann beugen Sie ein Knie, biegen den Fuß nach innen und legen ihn hoch auf den anderen Oberschenkel. Nun kommt der zweite Fuß dazu. Legen Sie ihn unter den anderen Oberschenkel, entsteht der halbe Lotus (Ardha Padmasana), der zunächst leichter fällt und sich genausogut für Meditation und Pranayama eignet, bis Ihre Beine geschmeidiger sind. Für den vollen Lotus bringen Sie dann Ihr zweites Bein über das erste, indem Sie den Fuß weit oben auf den gegenüberliegenden Oberschenkel legen. Im klassischen Lotus befindet sich das linke Bein oben und beide Knie berühren den Boden.

Die Krähe

Diese Asana imitiert die Haltung einer krächzenden Krähe – das Körpergewicht wird nur von Ellbogen und Händen getragen, der Kopf hochgehoben. Als eine der nützlichsten Gleichgewichtsstellungen ist die Krähe oder Kakasana tatsächlich leicht zu schaffen, auch wenn sie fortgeschrittener aussieht. Das Geheimnis liegt darin, daß man sich weit genug nach vorn beugt, sich durch nichts ablenken läßt und seine ganze Aufmerksamkeit allein auf das Gleichgewicht konzentriert. Das Üben der Krähe wird Ihre Handgelenke, Arme und Schultern stärken, Ihre Konzentrationsfähigkeit steigern und Ihre Atemkapazität durch Dehnung des Brustkorbs vergrößern. (Sie finden eine Menge Gleichgewichtsübungen im Kapitel Asanas und Variationen → Seite 100 bis 155.)

»Der Yogi erkennt sich selbst im Herzen aller Wesen und alle Wesen in seinem Herzen.«
Bhagavad Gita

1 *Gehen Sie in die Hocke und bringen Sie Ihre Arme zwischen die Knie. Die Hände legen Sie – schulterbreit auseinander – flach vor sich auf den Boden. Spreizen Sie die Finger, so daß sie ein wenig nach außen zeigen. Dann knicken Sie die Ellbogen seitlich nach außen, damit die Rückseite Ihrer Arme die Ständer für Ihre Knie bilden.*

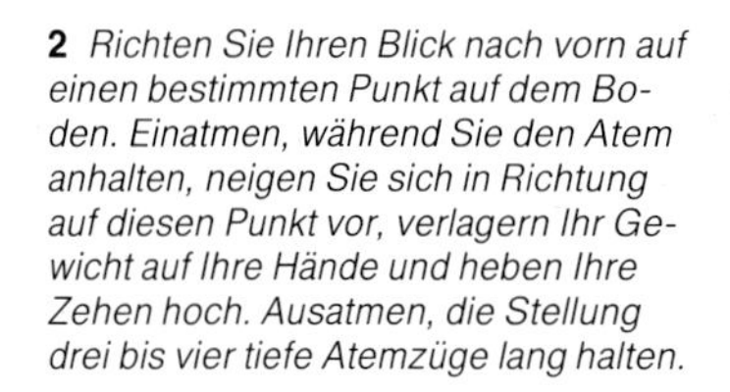

2 *Richten Sie Ihren Blick nach vorn auf einen bestimmten Punkt auf dem Boden. Einatmen, während Sie den Atem anhalten, neigen Sie sich in Richtung auf diesen Punkt vor, verlagern Ihr Gewicht auf Ihre Hände und heben Ihre Zehen hoch. Ausatmen, die Stellung drei bis vier tiefe Atemzüge lang halten.*

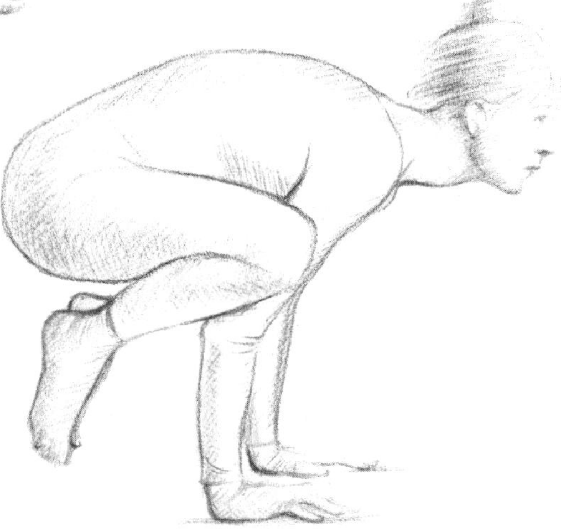

Die Hand-Fuß-Stellung

Die Hand-Fuß-Stellung oder Pada Hastasana wirkt ähnlich wie die Kopf-Knie-Stellung: Sie strafft die Taille, stellt die Beweglichkeit der Wirbelsäule wieder her und streckt die Bänder der Beine, besonders die Kniesehnen. Sie verbessert auch die Blutzufuhr zum Gehirn. Ebenso wie bei der Zange ist das Ziel diese Asana, sich so weit wie möglich nach vorn zu beugen und dabei Wirbelsäule und Beine gerade zu lassen. Sobald der Rücken geschmeidiger ist, können Sie Ihre Zehen fassen und Ihren Kopf zum Schienbein bringen. Atmen Sie tief in der Position und lassen Sie sich bei jedem Ausatmen tiefer sinken. Um die Brust näher an die Beine zu bringen, gehen Sie mit den Händen nach hinten – wie auf dem Foto.

»Die Natur formt dich beständig nach Gottes Ebenbild.«
Swami Sivananda

1 *Aufrecht stehen, mit geschlossenen Füßen, ausatmen. Beim Einatmen die Arme über den Kopf heben. Den Kopf heben. Machen Sie sich so groß wie möglich, um die Wirbelsäule auseinanderzuziehen.*

2 *Während Sie ausatmen, falten Sie sich aus dem Becken heraus nach vo und greifen mit Ihren Händen nach vorn. Lassen Sie Beine und Wirbelsäule gestreckt.*

3 *Beugen Sie sich so weit es geht nach unten, fassen Sie Ihre Knöchel oder Ihre großen Zehen mit den Daumen und den Zeigefingern (wie oben). Ziehen Sie Ihren Kopf herunter zum Schienbein und atmen Sie tief in der Stellung. Lösen Sie die Stellung langsam, atmen Sie ein und strecken Sie sich aus der Hüfte nach vorn. Strecken Sie die Arme über Ihren Kopf aus, dann lassen Sie sie seitwärts hinunter.*

Das Dreieck

In der Kunst der Hindus ist das Dreieck ein kraftvolles Symbol für das göttliche Prinzip. Es findet sich vielfach in den zur Meditation benutzten Yantras und Mandalas. Mit der Spitze nach unten repräsentiert es Shakti, die dynamische weibliche Kraft; mit der Spitze nach oben steht es für Siva, die passive männliche Kraft. Trikonasana, das Dreieck, beendet den Zyklus unserer Grundstellungen. Es erweitert die Bewegung des halben Drehsitzes, dehnt die Wirbelsäule hervorragend nach den Seiten, stimuliert die Rückennerven und aktiviert die Verdauung. Der Körper wird leichter, andere Asanas gelingen besser. Achten Sie beim Dreieck auf gestreckte Knie und gerade Hüften. Beugen Sie sich erst nach links, wie unten gezeigt, dann wiederholen Sie die Übung nach rechts. Streben Sie nach vollkommenem Gleichgewicht in diesen Grundstellungen, und Sie erreichen die notwendige Kontrolle und Konzentration für die fortgeschritteneren Abwandlungen der Asanas.

»Freude ist ewig, sie wird nie enden. Leid ist vergänglich, es währt niemals ewig.«
Swami Sivananda

1 *Grätschen Sie Ihre Beine etwa einen Meter auseinander. Ihr linker Fuß zeigt nach links, der rechte ein klein wenig nach links. Den linken Arm in Schulterhöhe ausstrecken, den rechten Arm hochheben zum rechten Ohr. Einatmen.*

2 *Während Sie ausatmen, beugen Sie sich nach links und ein wenig nach vorn. Lassen Sie die linke Hand an ihrem linken Bein hinuntergleiten bis zum tiefsten Punkt, den Sie erreichen können. Schauen Sie auf Ihre rechte Hand. Atmen Sie ein paar Mal in dieser Stellung, bevor Sie sich wieder daraus lösen. Nach rechts beugend wiederholen.*

Schautafel der Grundstellungen

Diese Schautafel ist zum schnellen Nachschlagen gedacht und soll Ihnen helfen, gemäß Ihrem Erfahrungsstand Ihren Weg durch das Grundprogramm zu finden. Als Anfänger beginnen Sie mit dem fortschreitenden 20-Tage-Kurs. Dieses Programm, das in vier 5-Tage-Perioden aufgeteilt ist, führt Sie behutsam in die Yoga-Praxis ein. Während der ersten fünf Tage konzentrieren Sie sich ausschließlich auf die in der ersten Spalte aufgeführten Übungen und Asanas. Im Lauf der weiteren 5-Tage-Perioden bauen Sie allmählich auf dieser Grundlage auf. Für diesen »Grundkurs« haben wir keine Zeiten angegeben, da Anfänger unterschiedlich lange brauchen, um sich

	Totenstellung	Leichte Stellung	Kapalabhati	Anuloma Viloma	Nacken rollen	Augenübungen	Löwe	Sonnengebet	Beinübungen	Kopfstand	Schultersta
	1	2	3	4	5	6	7	8	9	10	11
Grundkurs: 4 Phasen à 5 Tage – Phase 1	●	●	● *		●	●	●	● *	●		
Phase 2	●	●	●	● *	●	●	●	● *	● *		● *
Phase 3	●	●	●	● *	●	●	●	● *	● *	● *	● *
Phase 4	●	●	●	● *	●	●	●	● *	● *	● *	● *
Halbstündige Klasse	1m		3m	4m*				5m*		3m*	1m*
Typische Klasse (1½ Std.)	5m		4m	6m*	1m	2m	1m	10m*	5m	10m*	5m*
Seiten	24	32	72	73	32	33	33	34	36	38	40

Abkürzungen

m
Minuten
*
Totenstellung

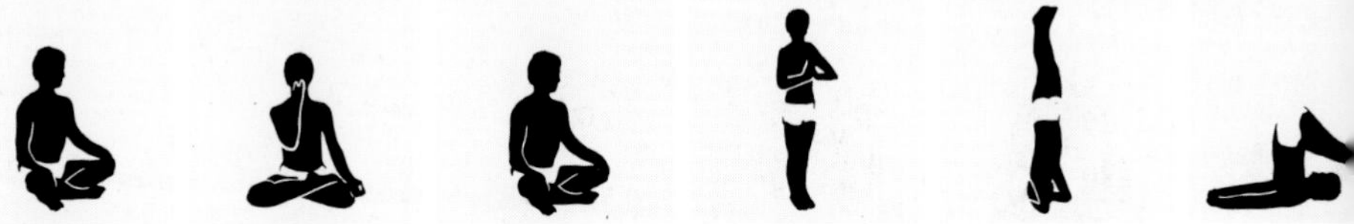

Leichte Stellung Anuloma Viloma Augenübungen Sonnengebet Kopfstand Pflug

einzuüben. Wenn Sie einmal die komplette Sequenz kennen, können Sie die »Typische Klasse« absolvieren, die eineinhalb Stunden dauert. Bitte beachten Sie, daß die hier genannten Zeiten nur ungefähr angeben, wie lange Sie an einer Stellung arbeiten, nicht wie lange Sie diese halten sollen. Jeder * in der Sequenz bedeutet: mindestens sechs tiefe Atemzüge lang in der Totenstellung entspannen. Für die Tage, an denen Sie zu wenig Zeit für eine volle Sitzung finden, haben wir eine »Halbstundensitzung« angeführt. Diese beinhaltet ein Grundprogramm von Asanas, die Ihren Körper fit halten, bis Sie wieder Zeit für die komplette Sitzung haben. Welcher Tabelle Sie auch folgen, gehen Sie systematisch vor und machen Sie Yoga zu einem Bestandteil Ihres Lebens. Swami Sivananda sagt: »Ein Gramm Praxis ist mehr wert als eine Tonne Theorie.«

Brücke · Kopf-Knie-Stellung · Heuschrecke · Halber Drehsitz · Krähe · Dreieck

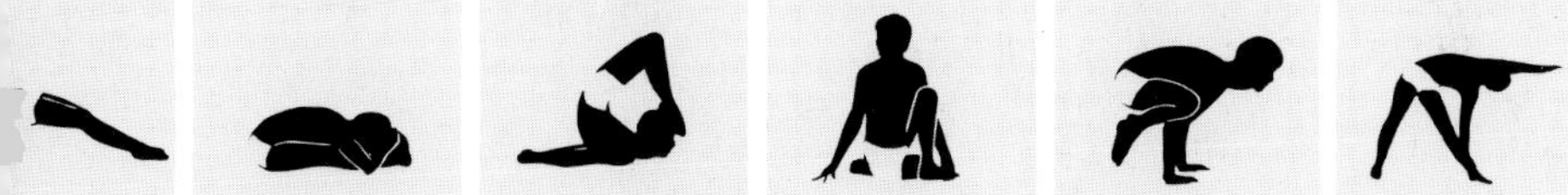

	14	15	16	17	18	19	20	21	22	23	24
Grundkurs: 4 Phasen à 5 Tage – Phase 1											●
Phase 2	● *	● *	● *							●	●
Phase 3	● *	● *	● *		● *	●			●	●	●
Phase 4	● *	● *	● *	● *	● *	●	●	●	●	●	●
Halbstündige Klasse	½m*	1m*	½m	½m*		1m			1m	1m	5m
Typische Klasse (1½ Std.)	2½m*	5m*	2m*	2m*	2m*	2m	1m	1m*	2m	2m	10m
	46	48	50	52	54	56	58	60	62	64	24

Fisch · Kobra · Bogen · Lotus · Hand-Fuß-Stellung · Totenstellung

Die Atmung

»Wenn der Atem wandert, dann ist der Geist unruhig. Aber wenn der Atem still ist, ist es auch der Geist.«
Hatha Yoga Pradipika

Atem ist Leben. Wir können tagelang ohne Nahrung oder Wasser leben, aber man beraube uns des Atems und wir sterben innerhalb von Minuten. Daher ist es erstaunlich, wie wenig Aufmerksamkeit wir im normalen Leben der Bedeutung des richtigen Atmens widmen. Für einen Yogi erfüllt korrektes Atmen zwei Hauptfunktionen: es bringt mehr Sauerstoff ins Blut und damit zum Gehirn und es kontrolliert Prana oder die Lebensenergie (→ Seite 70), was wiederum zur Kontrolle des Geistes führt. Pranayama, die Lehre von der Atemkontrolle, besteht aus einer Reihe von Übungen, die vor allem diese Bedürfnisse erfüllen und den Körper in strahlender Gesundheit erhalten sollen.

Es gibt drei Grundtypen der Atmung: Schlüsselbeinatmung (oberflächlich); Brustatmung (mittel) und Bauchatmung (tief). Eine volle Yoga-Atmung vereint diese drei Arten. Sie beginnt mit einem tiefen Atemzug in den Bauch und setzt die Einatmung über Brust und Schlüsselbein fort.

Die meisten Menschen haben vergessen, wie man richtig atmet. Sie atmen flach, durch den Mund und beanspruchen das Zwerchfell kaum oder nur wenig. Entweder heben sie beim Einatmen die Schultern oder ziehen den Bauch ein, sie nehmen so nur wenig Sauerstoff auf und füllen damit auch nur die Lungenspitzen. Dies führt zu einem Verlust an Spannkraft und mindert die Abwehrkräfte.

Die Yoga-Praxis erfordert es nun, daß Sie diese Angewohnheiten ändern. Richtiges Atmen bedeutet: bei geschlossenem Mund durch die Nase atmen, voll ein- und ausatmen, um wirklich die Lunge vollständig einzubeziehen. Wenn Sie ausatmen, zieht sich der Bauch zusammen, das Zwerchfell hebt sich und massiert dabei das Herz; beim Einatmen dehnt sich der Bauch, das Zwerchfell senkt sich und massiert die Bauchorgane.

So wie es drei Stadien für eine Asana gibt (→ Seite 29), besteht auch Pranayama aus drei Teilen pro Atemzug: Einatmen, Anhalten und Ausatmen. Vielfach wird das Einatmen für die wichtigste Phase der Atmung gehalten; doch liegt der Schlüssel im Ausatmen. Denn je mehr verbrauchte Luft Sie ausatmen, desto mehr frische Luft können Sie einatmen (→ Seite 182): Yoga-Atemübungen betonen vor allem eine verlängerte Phase des Atem-Anhaltens und des Ausatmens; tatsächlich ist in einigen Übungen die Ausatmung doppelt so lang wie die Einatmung, das Anhalten des Atems viermal so lang.

Beim Einatmen durch die Nase wird die Luft gefiltert und erwärmt. Vom Yogastandpunkt aus ist jedoch der ausschlaggebende Grund für die Nasenatmung das Prana. Genauso wie Sie durch die Nase atmen müssen, um die Gerüche aus der Luft aufzunehmen, müssen Sie durch die Nase atmen, um möglichst viel Prana aufzunehmen. Denn in der Nasenhöhle liegen die Geruchsorgane, an denen Prana vorbeistreicht, um ins Zentralnervensystem und ins Gehirn zu gelangen.

Yoga-Atemübungen lehren, wie Sie Prana – und damit den Geist – kontrollieren, denn beide hängen voneinander ab. Sind Sie ärgerlich oder ängstlich, atmen Sie flach, schnell und unregelmäßig; umgekehrt verlangsamt sich Ihre Atmung, sobald Sie entspannt oder tief in Gedanken versunken sind. Das können Sie leicht selber ausprobieren. Lauschen Sie einen Augenblick dem leisesten Geräusch im Raum: unbewußt wird sich durch die Konzentration Ihre Atmung verlangsamen oder gar aussetzen.

Da sich Ihr Geisteszustand in Ihrer Atmung widerspiegelt, folgt daraus, daß Sie durch Atemkontrolle auch lernen, Ihren Geist zu kontrollieren. Indem Sie die Atmung regulieren, erhöhen Sie nicht nur die Aufnahme von Sauerstoff und Prana, sondern bereiten sich gleichzeitig für die Praxis der Konzentration und Meditation vor.

Prana und der feinstoffliche Körper

Das Wesentliche an allen Yoga-Übungen ist die Bewegung des Pranas, der Lebensenergie oder Spannkraft. Prana ist in der Materie, aber es ist nicht Materie. Es ist in der Luft, aber es ist nicht Sauerstoff. Es ist eine feine Form der Energie, die in Luft, Nahrung, Wasser und Sonnenlicht enthalten ist und alle Arten von Materie belebt. Durch das Üben von Asanas und Pranayama wird mehr Prana aufgenommen und im Körper gespeichert, das bewirkt einen großen Zuwachs von Energie und Stärke. Zusätzlich zu seinem physischen Körper nehmen Yogis am Menschen noch zwei andere ihn umgebende Körper wahr: den Astralkörper und den Kausalkörper.

Prana ist die vitale Verbindung zwischen Astral- und physischem Körper; es fließt hauptsächlich in den Nadis des Astralkörpers, wie unten gezeigt wird. In seiner Eigenschaft als positive Kraft wird es Prana genannt, als negative Kraft Apana. Prana selbst ist ein afferenter Impuls, der sich nach oben bewegt, Apana ist efferent und bewegt sich nach unten. Wenn beide sich im Maladhara Chakra vereinen, erwacht die Kundalini-Energie.

Kundalini und die Nadis

Nadis sind Nervenkanäle oder Bahnen im Astralkörper, durch die das Prana fließt. Asanas und Pranayama reinigen die Nadis. Denn: sind diese blockiert, kann Prana nicht ungehindert fließen, was zu Krankheiten führt. Den alten Yogis zufolge gibt es rund 72 000 Nadis. Wichtigstes aller Nadis ist Sushumna, im physischen Körper dem Rückenmark entsprechend. Zu beiden Seiten von Sushumna verlaufen zwei weitere Nadis: Ida und Pingala, die den sympathischen Ganglien (Nervenknoten) des Rückenmarks entsprechen, wie im Querschnitt eines Wirbels oben rechts gezeigt wird. Kundalini ist die schlafende oder ruhende kosmische Kraft, oft als zusammengerollte Schlange dargestellt. Sie befindet sich an der Basis von Sushumna im Muladhara Chakra und wird durch Pranayama oder andere Yoga-Praktiken erweckt oder belebt:

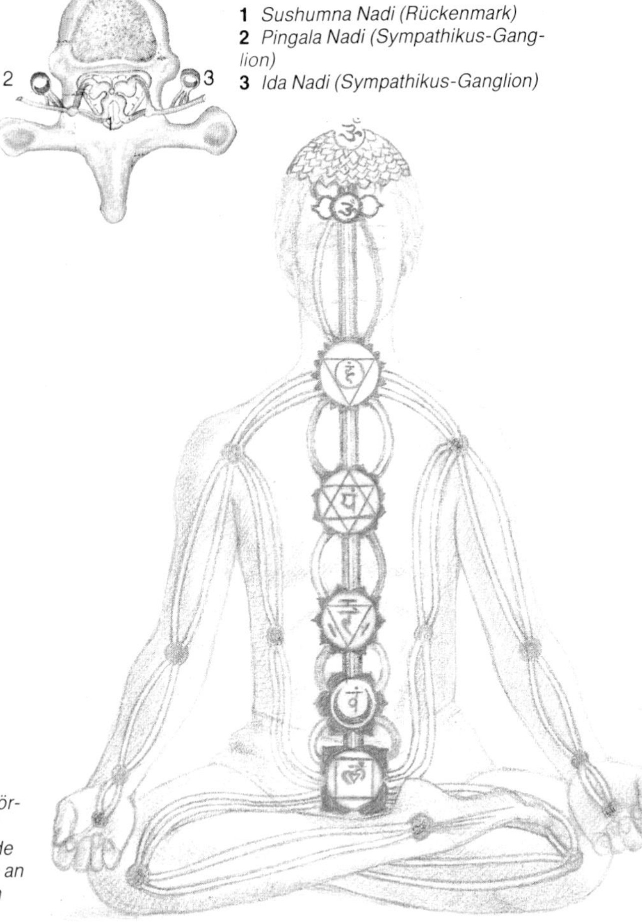

1 *Sushumna Nadi (Rückenmark)*
2 *Pingala Nadi (Sympathikus-Ganglion)*
3 *Ida Nadi (Sympathikus-Ganglion)*

Der Weg der kosmischen Kraft
Ida und Pingala drehen sich spiralförmig um Sushumna, das Hauptnadi im Astralkörper. Wird die schlafende Kundalini erweckt, bewegt sie sich an Sushumna hinauf durch die sieben Chakras.

Die sieben Chakras

Chakras sind Energiezentren im Astralkörper. Sechs befinden sich auf Sushumna, das siebte – Sahasrara Chakra – auf der Krone des Kopfs. Alle Chakras werden mit einer bestimmten Anzahl von Blättern dargestellt, die der Zahl der dort entspringenden Nadis entspricht. Jedes Blatt steht für eine Tonschwingung, die erzeugt wird, wenn die Kundalini-Energie durch das Chakra fließt. Zusätzlich haben alle Chakras, außer dem Sahasrara, ihre eigene Farbe, ihr entsprechendes Element und das Bija Mantra, wie rechts dargestellt. Alle sechs entsprechen im physischen Körper den Nervensträngen entlang der Wirbelsäule: An der Basis von Sushumna befindet sich Muladhara – dem Sakral(Kreuz)geflecht gleichzusetzen. Hier schläft Kundalini. Dann kommt Swadhisthana, dem Keimdrüsengeflecht entsprechend, gefolgt von Manipura, dem dritten Chakra, das dem Sonnengeflecht entspricht, dem Hauptspeicher des Prana. Anahata, in der Herzgegend gelegen, entspricht dem Herzgeflecht. Vishuddha, im Halsbereich, entspricht dem Kehlkopfgeflecht und Ajna Chakra – zwischen den Augenbrauen – dem Höhlengeflecht.

Sahasrara, das siebte und höchste Chakra, entspricht im physischen Körper der Zirbeldrüse. Bei ihrem Aufsteigen durch die verschiedenen Chakras bewirkt Kundalini unterschiedliche Bewußtseinszustände. Erreicht sie Sahasrara, erlangt der Yogi Samadhi. Noch im Diesseits agierend, hat er bereits einen Zustand jenseits von Zeit, Raum und Kausalität erreicht.

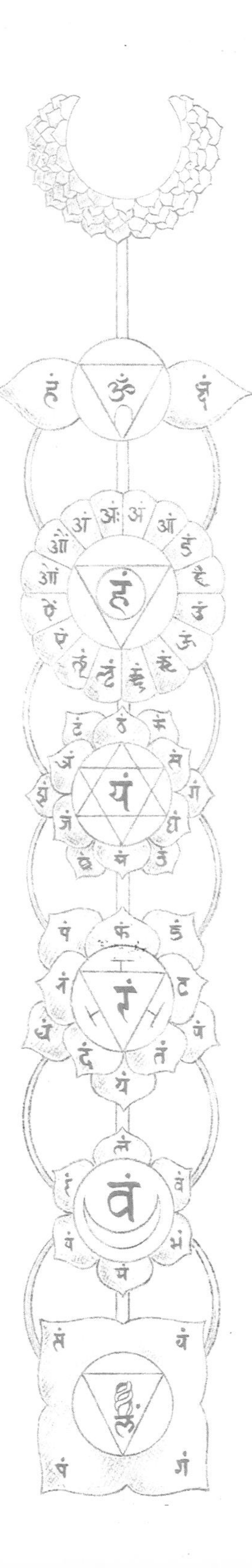

Sahasrara Chakra
Das tausendblättrige Lotuschakra entspricht dem Absoluten. Erreicht Kundalini diesen Punkt, erlangt der Yogi Samadhi oder Überbewußtsein.

Ajna Chakra
Dieses schneeweiße Chakra hat zwei Blätter. Sitz des Geistes, ist sein Mantra OM.

Vishuddha Chakra
Dieses meerblaue Chakra hat sechzehn Blätter. Sein Element ist Äther und sein Mantra Ham.

Anahata Chakra
Dieses rauchfarbene Chakra hat zwölf Blätter; sein Element ist Luft; sein Mantra Yam.

Manipura Chakra
Dieses rote Chakra hat zehn Blätter, sein Element ist Feuer, sein Mantra Ram.

Swadhisthana Chakra
Dieses weiße Chakra hat sechs Blätter. Sein Element ist Wasser, sein Mantra Vam.

Muladhara Chakra
Dieses gelbe Chakra hat vier Blätter, sein Element ist Erde, sein Mantra Lam.

Die Grundatmung

Yoga-Atmung oder Pranayama belebt den Körper, beruhigt Emotionen und schafft Geistesklarheit. Bevor Sie mit den Übungen beginnen, sollten Sie die richtige Atmung verstanden haben und das Zwerchfell voll einsetzen können, wie auf Seite 69 beschrieben. Um den Pranafluß zu erleichtern und den Lungenflügeln genügend Raum zur Ausdehnung zu geben, werden Yoga-Atemübungen in aufrechter Sitzhaltung ausgeführt, wobei Rückgrat, Nacken und Kopf eine Linie bilden: Entweder in der Leichten Stellung (→ Seite 32) oder im Lotus (→ Seite 58) oder, wenn keine dieser beiden Sitzhaltungen angenehm ist, auf einem Stuhl sitzend (→ Seite 172). Die Grundatmung besteht aus fünf Übungen. Kapalabhati und Anuloma Viloma sind gleich wichtig für Asana-Grundstellungen und sollten im Mittelpunkt Ihres Pranayama stehen. Am Anfang üben Sie ausschließlich **vor** Ihren täglichen Asanas. Anuloma Viloma ist die beste Reinigungsübung für die Nadis und bereitet den Körper auf fortgeschrittenes Pranayama vor. Brahmari, Sitkari und Sithali sind untergeordnete Pranayamas, die Sie machen können, wenn Sie mehr Zeit für eine Sitzung haben.

»Pranayama ist das Bindeglied zwischen geistigen und körperlichen Disziplinen. Obgleich physisch, liegt seine Wirkung darin, den Geist zu beruhigen, zu klären und auszugleichen.«
Swami Vishnu Devananda

Kapalabhati

Kapalabhati ist nicht nur Pranayama, sondern auch eine der sechs Kriyas oder Reinigungspraktiken (→ Seite 154). Durch die forcierte Ausatmung wird die verbrauchte Luft aus den Lungenspitzen ausgestoßen, Raum für die Aufnahme frischer, sauerstoffreicher Luft geschaffen und das gesamte Atemsystem gereinigt. Eine wunderbar kraftspendende Übung, um Pranayama zu beginnen. Wörtlich übersetzt heißt Kapalabhati »Scheinender Schädel« und wirkt tatsächlich klärend auf den Geist und fördert die Konzentration durch erhöhte Sauerstoffaufnahme des Körpers. Die Übung besteht aus einer Reihe von Aus- und Einatmungen mit anschließendem Atemanhalten. Zum Ausatmen ziehen Sie die Bauchmuskeln kräftig zusammen, heben das Zwerchfell und drücken die Luft aus den Lungen; zum Einatmen entspannen Sie die Muskeln, und die Lunge kann sich wieder mit Luft füllen. Die Ausatmung sollte kurz, kräftig und deutlich zu hören sein; die Einatmung länger, passiv und geräuschlos. Das wiederholte Auf- und Abbewegen des Zwerchfells belebt Magen, Herz und Leber. Zu Beginn praktizieren Sie drei Runden mit zwanzig Atemzügen, die Sie dann allmählich auf sechzig Atemzüge steigern.

Eine Runde Kapalabhati
Machen Sie zwei normale Atemzüge. Einatmen, kurz und kräftig ausatmen, dabei den Bauch einziehen. Einatmen, den Bauch entspannen. 20mal in gleichmäßigem Rhythmus bei ständiger Betonung des Ausatmens wiederholen. Dann einatmen, vollständig ausatmen, voll einatmen und den Atem, so lange es ohne Verkrampfung geht, anhalten. Langsam ausatmen.

Anuloma Viloma

ɜei dieser wechselseitigen Nasenat-
ıung atmen Sie durch ein Nasen-
ɔch ein, halten den Atem an, dann
tmen Sie durch das andere Nasen-
ɔch aus – und zwar im Verhältnis
':8:4. Das linke Nasenloch ist der
Veg von Ida Nadi, das rechte von
'ingala Nadi. Wenn Sie wirklich ge-
und sind, atmen Sie ungefähr eine
Stunde und fünfzig Minuten durch
as Ida-Nasenloch, dann die gleiche
'eit durch das Pingala-Nasenloch.
)och bei vielen Menschen ist dieser
atürliche Rhythmus gestört. Anulo-
ıa Viloma stellt den gleichmäßigen
temfluß wieder her und harmoni-
iert die Pranabewegung im Körper.
)as ist besonders wichtig, wenn Sie
as Prana über Sushumna, das Zen-
ralnadi, nach oben führen wollen (→ Seite 70). Eine Runde Anuloma Vilo-
ıa besteht aus sechs Schritten, wie
nten abgebildet. Beginnen Sie mit
ehn Runden und bauen Sie die
Jbung allmählich auf zwanzig Run-
en aus.

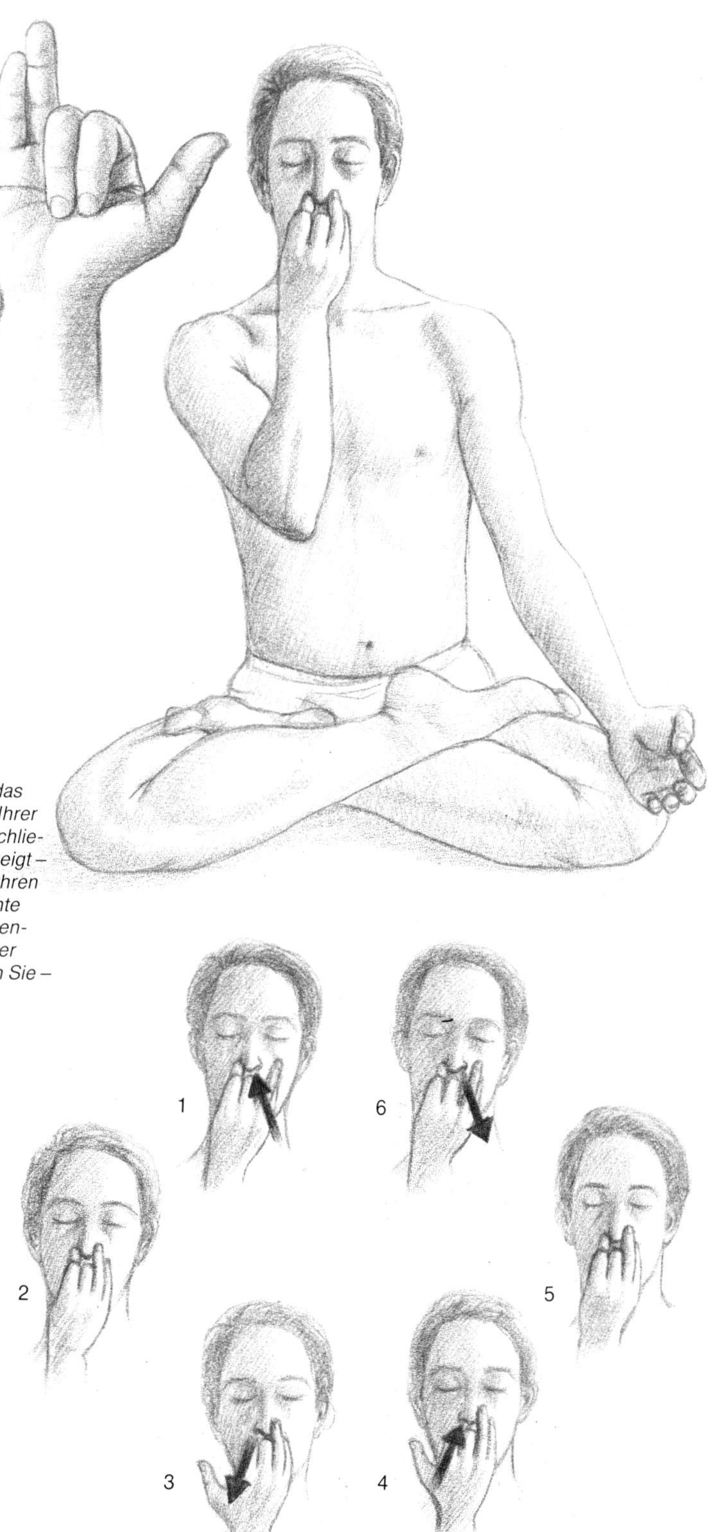

Das Vishnu Mudra
In Anuloma Viloma wenden Sie das Vishnu Mudra an, indem Sie mit Ihrer rechten Hand die Nasenlöcher schließen. Winkeln Sie – wie oben gezeigt – Zeige- und Mittelfinger ab und führen Sie Ihre Hand zur Nase. Der rechte Daumen schließt das rechte Nasenloch; Ringfinger und kleiner Finger schließen das linke. Nun machen Sie – wie unten dargestellt – weiter.

Eine Runde Anuloma Viloma
1 *Atmen Sie durch das linke Nasenloch ein, indem Sie das rechte mit dem Daumen schließen.*
2 *Atem anhalten, beide Nasenlöcher schließen.*
3 *Durch das rechte Nasenloch ausatmen, das linke mit Ringfinger und kleinem Finger geschlossen halten.*
4 *Atmen Sie durch das rechte Nasenloch ein, indem Sie das linke geschlossen halten.*
5 *Atem anhalten, beide Nasenlöcher schließen.*
6 *Atmen Sie durch das linke Nasenloch aus, indem Sie das rechte mit Ihrem Daumen schließen.*

Brahmari

In Brahmari schließen Sie teilweise die Stimmritze, während Sie durch beide Nasenlöcher einatmen und dabei einen Schnarchton erzeugen. Dann atmen Sie langsam aus und summen dabei wie eine Biene. Die Einatmung reinigt den Rachenraum und bringt ihn zum Schwingen. Durch das Summen wird die Ausatmung verlängert. Infolge der verzögerten Ausatmung eignet sich diese Übung hervorragend für Schwangere und bereitet auf die Wehentätigkeit vor. Brahmari, auch als Summ-Atem bekannt, gibt eine frische, klare Stimme und empfiehlt sich daher für Sänger. Sie sollten Brahmari 5- bis 10mal wiederholen.

Sitkari

Sitkari und Sithali (unten) sind ungewöhnliche Yoga-Atemübungen, weil dabei mehr durch den Mund als durch die Nase geatmet wird. In Sitkari pressen Sie die Zungenspitze gegen den oberen Gaumen, während Sie langsam durch den Mund einatmen und dabei einen Zischton erzeugen. Nachdem Sie den Atem so lange wie möglich angehalten haben, atmen Sie langsam durch die Nase aus. Wiederholen Sie das 5- bis 10mal. Nach der Überlieferung soll Sitkari den Gesichtsausdruck verschönern. In der »Hatha Yoga Pradipika« steht: »In dieser Art übend nähert man sich Gottes Schönheit.« Sitkari und Sithali kühlen den Körper, befreien von Hunger und Durst. Sie eignen sich daher besonders bei heißem Wetter und während einer Fastenkur.

Sithali

Bei dieser Übung strecken Sie Ihre Zunge etwas heraus, rollen die Seiten nach oben – wie rechts gezeigt – und formen so eine Rille, um die Luft beim Einatmen einzusaugen. Schließen Sie den Mund, während Sie den Atem anhalten, dann atmen Sie langsam durch die Nase aus. Wenn Sie anfangs Ihre Zunge noch nicht einrollen können, strecken Sie sie einfach ein wenig durch die Lippen und saugen Sie die Luft über die Zunge ein. 5- bis 10mal wiederholen.

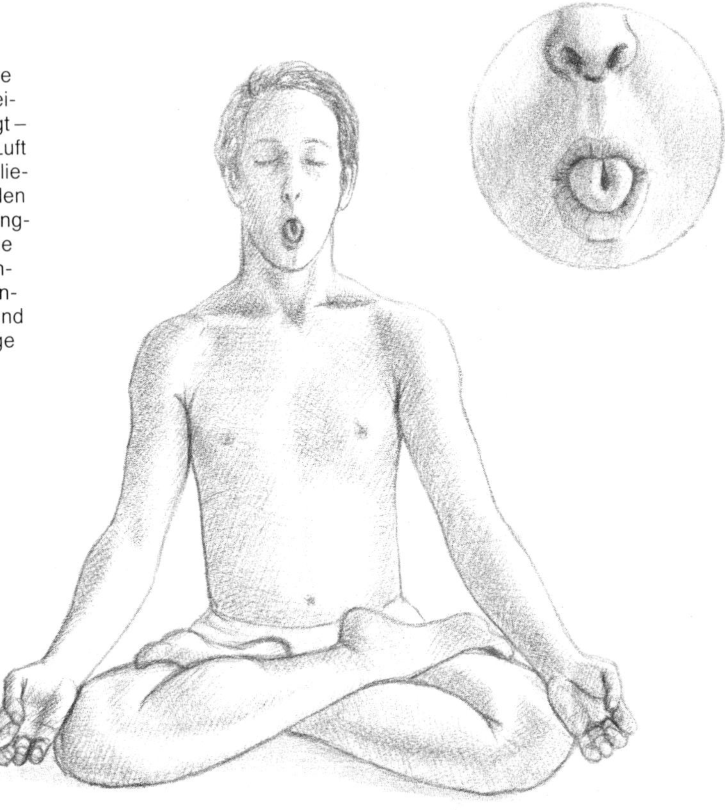

Die fortgeschrittene Atmung

Venn Sie Kapalabhati und Anuloma Viloma einige Monate lang geübt
aben und es Ihnen gelingt, sie ohne Anstrengung auszuführen,
önnen Sie an die Ausweitung Ihrer Pranayama-Sitzung mit diesen
ɔrtgeschrittenen Übungen denken. Sie sollten sich jedoch ganz
icher fühlen, denn die folgenden fortgeschrittenen Pranayamas dür-
en nicht zu leicht genommen werden – sie sind wirkungsvolle Instru-
nente zur Kontrolle des Pranaflusses und zur Erweckung der laten-
en Kundalinikraft. Bevor Sie damit beginnen, sollten Sie sich mög-
chst durch mehrmonatige tägliche Asana-Übungen, Pranayama,
Aeditation und eine gesunde, vegetarische Kost sowohl körperlich
ls auch geistig gereinigt und gestärkt haben. Zusätzlich zu diesen
ɔrtgeschrittenen Übungen fahren Sie fort mit mindestens zwanzig
Runden von Anuloma Viloma täglich.

Die drei Bandhas

Bandhas oder »Verschlüsse« sind
besondere Stellungen zum Bewah-
en und Benutzen der riesigen Re-
serven von Prana, das durch die fortgeschrittenen Atemübungen erzeugt
vird. Bandhas verhindern nicht nur
das Ausströmen von Prana, sie ermöglichen Ihnen auch die Regulie-
ung des Pranaflusses sowie die
Umwandlung in spirituelle Energie.
Bevor Sie die Bandhas ins Pranaya-
na einbauen, sollten Sie sie schon
einige Tage einzeln geübt haben. Ja-
andhara und Mula Bandha werden
gleichzeitig während des Ateman-
naltens angewandt, um Prana und
Apana zu vereinen (→ Seite 70).
Uddiyana Bandha erfolgt nach einer
Ausatmung, um Pranapana in die
Sushumna hinaufzustoßen und so
Kundalini zu erwecken.

Jalandhara Bandha
*Während Sie den Atem anhalten, drük-
ken Sie Ihr Kinn fest aufs Brustbein
(wie im Schulterstand). Dies verhindert, daß Prana aus dem Oberkörper
entweicht. Achten Sie beim Ausatmen
auf die Lösung des Bandhas und heben Sie den Kopf.*

Uddiyana Bandha
*Nachdem Sie vollständig ausgeatmet
haben, ziehen Sie den Bauch hoch und
nach hinten zum Rückgrat. Dies treibt
Prana an Sushumna Nadi hinauf.*

Mula Bandha
*Während Sie den Atem anhalten, zie-
hen Sie erst den Analschließmuskel,
dann die Bauchmuskulatur zusammen.
Dies verhindert das Entweichen von
Apana aus dem Unterkörper und zieht
es hinauf, zur Vereinigung mit Prana.*

Jjjayi

jayi stärkt das Nerven- und Ver-
ıuungssystem und befreit von
chleim. Alten Yogatexten zufolge
ıtsteht Krankheit durch ein Über-
aß an Schleim, Gas oder Galle. Uj-
yi und Surya Bheda sind körperer-
tzende Pranayamas, die Ausat-
ung erfolgt daher durch das küh-
nde linke Nasenloch, den Weg von
a Nadi. Um Ujjayi zu üben, atmen
e voll durch beide Nasenlöcher
n, während Sie sanft die Stimmrit-
schließen (weniger als in Brah-
ari, → Seite 74). Dies ergibt einen
chwachen Seufzerton, da die Luft
nter die Nase gezogen wird. Atem
ıhalten, dabei Jalandhara sowie
ula Bandha anwenden. Dann die
eiden Verschlüsse lösen und das
echte Nasenloch mit dem rechten
aumen schließen und durch das
ıke ausatmen. Beginnen Sie mit
inf Runden pro Sitzung und stei-
ern Sie allmählich auf zwanzig.

Samanu

amanu ist eine fortgeschrittene
echnik zur Reinigung der Nadis. Es
erbindet Pranayama mit der Visuali-
erung der Chakras sowie mit Japa
→ Seite 98) auf die Bija Mantras von
uft, Feuer, Mond und Erde.
Konzentrieren Sie sich auf das
nahata Chakra und wiederholen
ie im Geist beim Einatmen durch
as linke Nasenloch »Yam« 8mal,
eim Atemanhalten 32mal, beim
usatmen durch das rechte Nasen-
och 16mal.
Konzentrieren Sie sich auf das
lanipura Chakra, wiederholen Sie
n Geist »Ram« im gleichen Verhält-
is, atmen Sie jedoch durch das
echte Nasenloch ein und durch das
ıke aus.
Fahren Sie fort wie in 1, konzen-
ieren Sie sich aber nun auf das
londzentrum an der Nasenspitze
nd wiederholen Sie im Geist
Tam«. Während Sie den Atem an-
alten, stellen Sie sich vor, wie der
ektar des Mondes durch Ihren gan-
en Körper fließt. Atmen Sie lang-
am aus und konzentrieren Sie sich
uf das Muladhara Chakra während
ie »Lam« wiederholen.

nwendung der drei Bandhas *(links)*
*n oben beschriebenen Bhastrika be-
utzen Sie alle Bandhas, um Prana und
pana zu vereinen und die ruhende
undalini zu erwecken.*

Surya Bheda

In Surya Bheda atmen Sie langsam durch das rechte Nasenloch ein, während Sie das linke mit Ringfinger und kleinem Finger der rechten Hand schließen. Halten Sie den Atem an, indem Sie beide Nasenlöcher schließen und Ihr Kinn wie im Jalandhara Bandha fest aufs Brustbein pressen. Dann schließen Sie das rechte Nasenloch mit Ihrem Daumen und atmen durch das linke aus. Die Phase des Atemanhaltens sollten Sie allmählich verlängern. Surya bedeutet »Sonne« und bezieht sich auf das rechte Nasenloch, den Weg von Pingala Nadi. Atmen Sie nur durch dieses Nasenloch ein, wird Hitze im Körper erzeugt und Unreinheiten, die den Pranafluß beeinträchtigen, werden ausgeschwemmt. Wiederholen Sie Surya Bheda zunächst zehnmal und steigern Sie sich allmählich auf vierzig.

Bhastrika

Dies ist die mächtigste aller Übungen zur Erweckung der Kundalini. Bhastrika (das bedeutet »Blasebalg«) besteht – wie Kapalabhati – aus einer Reihe von Atemzügen, gefolgt von Atemanhalten. Es gibt jedoch einen grundlegenden Unterschied zwischen den beiden Übungen: Bei Bhastrika wird die Lunge schnell und kräftig aufgepumpt, wobei Sie alle Muskeln des Atemsystems benutzen: Sie schließen beide Nasenlöcher und wenden Jalandhara sowie Mula Bandha an, während Sie den Atem anhalten, Sie atmen nur durch das rechte Nasenloch aus. Während dieser Übung erhitzt sich der Körper und kühlt sich dann durch Ausdünstung wieder ab. Anschließend wenden Sie Uddiyana Bandha an. Bhastrika ist das beste Pranayama für das Nerven- und Gefäßsystem, es klärt und konzentriert den Geist. Beginnen Sie mit drei Runden von je zehn Atemzügen und erhöhen Sie langsam auf hundert Atemzüge und ein Maximum von acht Runden.

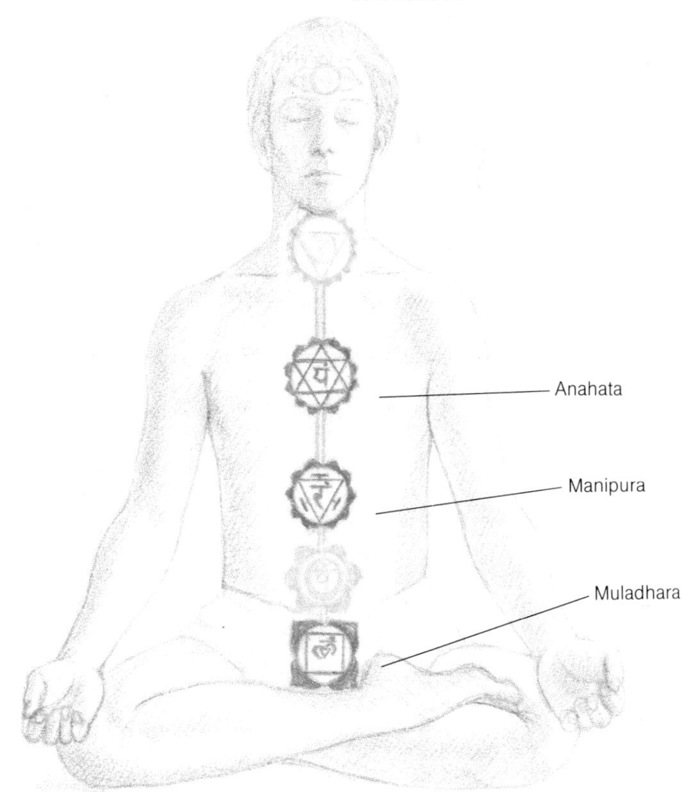

Yoga-Ernährung

»Der Yogi esse maßvoll und angemessen
sonst ist er – wie klug auch immer –
nicht erfolgreich.«
Siva Samhita

Wir sind, was wir essen. Diese Behauptung stimmt in mehr als einer Hinsicht. Natürlich ist Essen notwendig für unser körperliches Wohlbefinden. Aber ebenso beeinflußt es auf eine sehr subtile Weise unseren Geist, denn die Substanz der Nahrung formt den Geist. Eine natürliche Ernährung – rein oder »sattvig« – besteht aus frischer, leichter und nahrhafter Kost wie Obst, Getreide und Gemüse. Sie erhält den Körper schlank und beweglich, klärt und schärft den Geist, macht ihn aufnahmebereit für die Praxis des Yoga. Voll von Prana ist eine reine und mäßige Ernährung die bestmögliche Garantie für physische und psychische Gesundheit. Sie bringt Harmonie und Spannkraft in Körper und Geist. In diesem Kapitel wollen wir die Hintergründe der Yoga-Ernährung beleuchten und Ratschläge für den Übergang zu einer ausgeglicheneren und gesünderen Ernährung geben.

Der Yoga-Weg der Ernährung ist ganz einfach der natürlichste. Sonne, Luft, Boden und Wasser vereinen sich, um die Früchte der Erde zu erzeugen: Gemüse, Obst, Hülsenfrüchte, Nüsse und Samen. Der Nährwert dieser Nahrung kommt direkt von der Quelle, sozusagen »aus erster Hand«. Im Gegensatz dazu beziehen wir den Nährwert aus Fleisch, Fisch oder Geflügel »aus zweiter Hand« – wir konsumieren das Fleisch von Lebewesen, die ihrerseits natürliche Energie, umgesetzt aus verschiedenen Pflanzen, entwickelt haben. (Es ist interessant, daß wir lediglich pflanzenfressende Tiere wie Kühe, Schafe und Ziegen zu uns nehmen, nur in Ausnahmefällen sind es fleischfressende Tiere wie zum Beispiel Hunde.) Fleisch enthält einen hohen Anteil von Giften (80 Prozent aller Lebensmittelvergiftungen werden durch Fleisch oder Fleischprodukte verursacht) und macht anfälliger für Krankheiten. Es fehlen ihm auch lebensnotwendige Vitamine und Mineralien, außerdem enthält es mehr Eiweiß, als wir brauchen. Durch den Verzehr von Fleisch zwingen wir unseren Körper zu einer unnatürlichen Kost, für die er nicht geschaffen wurde – unsere Zähne und der Darm unterscheiden sich wesentlich von denen der Fleischfresser. Tatsächlich kommen Anatomie und Physiologie der vegetarisch lebenden Primaten der unseren am nächsten.

Abgesehen von den kritischen Betrachtungen über Gesundheit und Nährwert ist fleischliche Kost unrationell und verschwenderisch. Viele Kilo Getreide müssen an Tiere verfüttert werden, damit ein Kilo Fleisch auf den Tisch kommt; die »verschwendete« Nahrung wird benötigt, um das Tier mit Energie zu versorgen. Als Eiweißverwerter ist das Tier ineffizient. Ein halber Hektar Land, mit Getreide bebaut, liefert uns ungefähr fünfmal mehr Protein als ein halber Hektar Weideland für Schlachtvieh. Die Zahlen für Hülsenfrüchte – zehnmal mehr Proteine – und Blattgemüse – fünfzehnmal mehr – sind noch verblüffender. Bei einigen speziellen Gemüsesorten ist das Verhältnis sogar noch günstiger.

Wenn wir uns einer natürlichen Ernährung zuwenden, müssen wir uns auch fragen, ob wir ruhigen Gewissens das Fleisch eines Lebewesens verzehren können, das oft unter grausamsten Bedingungen geschlachtet wurde. In der sogenannten zivilisierten Welt sind die erschreckenden Praktiken der Fleischindustrie unserem Blick entzogen. Angesichts hübsch verpackter Fleisch- oder Fischportionen sehen wir keine Verbindung mehr zwischen dem Produkt und dem – unnötigerweise für uns – getöteten Tier.

Ahimsa, die Heiligkeit aller Lebewesen, gehört zu den höchsten Gesetzen der Yoga-Philosophie; wenn wir geistig wachsen wollen, dürfen wir es nicht außer acht lassen. Für den Yogi ist alles Leben heilig: Jede Kreatur ist ein lebendiges Ganzes, mit Herz und Gefühl, Atem und Gespür. Vor diesem Hintergrund ist allein schon der Gedanke an Fleischgenuß ein Frevel. Haben Sie sich erst einmal bewußt gemacht, woher Ihr Essen kommt und wie es Sie beeinflußt, wird Ihr Geist sich allmählich öffnen und Sie werden erkennen, daß alle Geschöpfe ebenso göttlich sind wie Sie selbst.

Die Drei Gunas

Im nichtmanifestierten Universum hat die Energie drei Qualitäten, die als Gunas bekannt sind und im Gleichgewicht zueinander existieren: Sattva (Reinheit); Rajas (Aktivität, Erregung, der Prozeß des Wandels); und Tamas (Dunkelheit, Trägheit). Sobald die Energie Form annimmt, überwiegt eine der drei Qualitäten oder Eigenschaften (→ Seite 16). So sind auf einem Apfelbaum einige Früchte schon reif (sattvig), andere reifen noch (rajasig) und wieder andere sind überreif (tamasig). Gleichgültig, welche Eigenschaft vorherrscht, ein Element der beiden anderen wird immer vorhanden sein. Ein einzelner Apfel kann zum Großteil reif sein, doch ein Teil kann schon faulen, auch wenn man es mit dem bloßen Auge nicht erkennt, und ein anderer Teil wechselt gerade von einem Zustand in den andern. Die drei Gunas umfassen jegliche Existenz, alles Geschehen. Ein Raub als Handlung ist grundsätzlich rajasig; doch die Entscheidung zum Raub und das Motiv können überwiegend tamasig, rajasig oder sattvig sein – je nach Situation. In jedem Menschen überwiegt eines der Drei Gunas, ist stärker als die beiden anderen und spiegelt sich in allem, was er tut und denkt. Nur in der Erleuchtung sind die Drei Gunas vollständig überwunden.

Jenseits der Drei Gunas *(rechts)*
Nur das erleuchtete Selbst, der Samadhi genannte Bewußtseinszustan überwindet die Drei Gunas. In diese Bild sind alle anderen Elemente – de Menschen Körper und Geist, der Ba und die Stufen – den Gunas unterworfen.

Sattvige Nahrung

Dies ist die reinste Ernährung, die am besten geeignete für jeden ernsthaften Yogaschüler. Sie nährt den Körper und erhält ihn in einem friedfertigen Zustand. Sie beruhigt und reinigt den Geist, befähigt ihn zu Höchstleistungen. Eine sattvige Ernährung führt somit zu wahrer Gesundheit: Ein friedfertiger Geist kontrolliert einen kräftigen Körper und zwischen beiden fließt ein ausgeglichener Energiestrom. Zu sattviger Nahrung gehören Getreide, Vollkornbrot, frisches Obst und Gemüse, reine Fruchtsäfte, Milch, Butter und Käse, Hülsenfrüchte, Nüsse, Samen, Sprossen, Honig und Kräutertee.

Rajasige Nahrung

Zu Rajas zählt man Speisen, die sehr scharf, bitter, sauer, trocken oder salzig sind. Sie zerstören das geistig-körperliche Gleichgewicht, indem sie den Körper auf Kosten des Geists nähren. Zuviel rajasige Nahrung überreizt den Körper und erregt Leidenschaften, der Geist wird unruhig und unkontrollierbar. Zur Rajas-Nahrung gehören alle scharfen Sachen wie scharfe Gewürze und starke Kräuter, Stimulantien wie Kaffee und Tee sowie Fisch, Eier, Salz und Schokolade. Hastiges Essen gilt ebenfalls als rajasig.

Tamasige Nahrung

Eine tamasige Nahrung nützt wede dem Geist noch dem Körper. Prana oder Energie wird abgezogen, der Verstand wird getrübt, Trägheit ste sich ein. Die Abwehrkräfte des Kör pers schwinden und der Geist füllt sich mit düsteren Empfindungen w Ärger und Habgier. Tamasige Nahrung besteht aus Fleisch, Alkohol, Zwiebeln, Knoblauch, fermentierte Lebensmitteln wie Essig und verdo benen oder überreifen Substanzen Zu Tamas rechnet man auch den Genuß von Tabak und die Völlerei.

Natürliche Nahrung

Bis vor kurzem noch wurden Vegetarier von Fleischessern mit einer gewissen Skepsis betrachtet. Man tat sie als Nahrungsfanatiker oder Spinner ab, die sich von unappetitlichen Speisen wie braunem Reis oder Nußfrikadellen ernähren. Heute sind die Menschen zwar besser informiert, doch wird vegetarische Kost noch oft genug als langweilig, uninteressant und mangelhaft zurückgewiesen. Dabei verhält es sich genau umgekehrt; wenn jemand sich gegen solche Vorwürfe verteidigen muß, dann die Fleischesser. Es gibt medizinische Beweise genug, daß eine ausgewogene vegetarische Ernährung außerordentlich gesund ist. Sie versorgt den Körper mit all den Proteinen, Mineralien und Vitalstoffen, die er braucht. Statistisch gesehen fällt die Quote der Herzinfarkte, Schlaganfälle, Nierenkrankheiten und Krebserkrankungen bei Vegetariern geringer aus. Ihre Abwehrkräfte sind stärker und sie neigen weniger zu Fettleibigkeit als Fleischesser. Die Auswahl an Obst, Gemüsen, Hülsenfrüchten, Nüssen, Samen und Getreide ist reichlich, und man kann diese Lebensmittel in unendlich vielen Variationen zubereiten; jeder Geschmack, jede Zunge wird befriedigt. Um den Körper gesund zu erhalten, sollte Ihre Ernährung die in der Tabelle unten aufgeführten Elemente sowie Wasser enthalten.

Kohlenhydrate und Fette geben Energie; Eiweiß, Vitamine und Mineralien sind notwendige Bausteine für den Körper. Die erforderlichen Mengen sind individuell verschieden. Aktive Menschen beispielsweise brauchen mehr Fette und Kohlenhydrate, Kinder und Schwangere mehr Eiweiß und Calcium.

Die Eiweißfrage

Angst vor Eiweißmangel – das ist der Haupteinwand, den Fleischesser gegen eine vegetarische Kost vorbringen. Doch gerade sie nehmen Eiweiß von schlechtester Qualität zu sich, nämlich in toter oder abgestorbener Form. Wir sind auch Lebewesen und können unseren Eiweißbedarf aus Pflanzen beziehen. Tierisches Eiweiß enthält zuviel Harnsäure, die von der Leber aufgespalten werden muß. Einiges wird ausgeschieden, doch der Rest lagert sich in den Gelenken ab und verursacht Versteifungen, die schließlich zu Gelenkerkrankungen wie Arthritis führen. Nüsse, Milchprodukte, Algen und Hülsenfrüchte, vor allem die Sojabohne und ihre Nebenprodukte wie Tofu und Sojamilch – sie alle liefern hochwertiges Eiweiß. Die Menschen der westlichen Hemisphäre sind ohnehin zu stark auf Eiweiß fixiert in der Meinung, mehr davon zu brauchen, als es tatsächlich der Fall ist.

Dabei gibt es beträchtliche Widersprüche unter den verschiedenen Wissenschaftlern über den wirklichen täglichen Eiweißbedarf. Die Weltgesundheitsorganisation empfiehlt derzeit eine Aufnahme von 25 bis 50 Gramm täglich als ausreichend, um das Körpergewebe zu erhalten und aufzubauen.

Ausgewogene Nahrung

Bedeutend wichtiger als die Menge an Eiweiß ist dessen Qualität. Eiweiß setzt sich aus Aminosäuren zusammen, die zu einem Teil vom Körper synthetisiert werden, andere müssen mit der Nahrung aufgenommen werden. Der Schlüssel zu einem ausgewogenen Gehalt an Aminosäuren in der Nahrung liegt in der Zusammenstellung einander ergänzender Lebensmittel. Um als Vegetarier den größtmöglichen Gehalt aus der Nahrung zu ziehen, sollte man sich vollwertige Eiweißmahlzeiten zusammenstellen. Einige Grundkombinationen sind: Getreide (wie

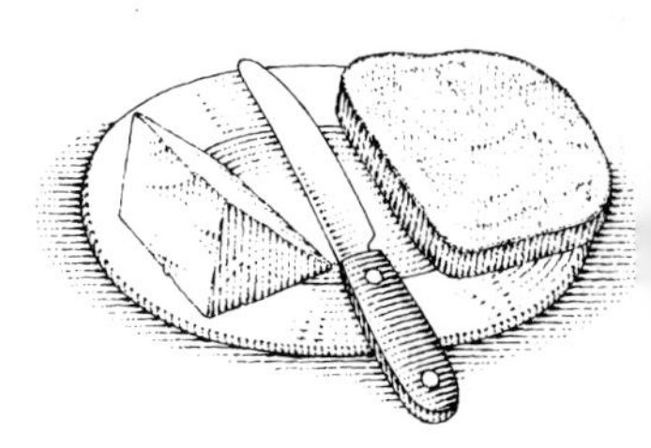

Vollständige Eiweißmahlzeiten
Zu einfachen vegetarischen Mah ten, wohlausgewogen mit Eiweiß hören Vollkornbrot und Käse, Bo gekocht oder als Salat – sowie G de mit Milch.

'ollkornbrot, Reis) mit Hülsenfrüch-
ən (Bohnen, Erbsen, Linsen); Ge-
'eide mit Milchprodukten; Samen
Sesam oder Sonnenblumen) mit
lülsenfrüchten. Drei klassische,
infache Mahlzeiten können als Bei-
piel dieses Prinzip erläutern: Ge-
'eide und Milch, Brot und Käse so-
vie Reis mit Bohnen. Mahlzeiten, die
ach solchen Grundsätzen zusam-
nengestellt wurden, geben dem
Körper das Eiweiß, das er braucht.
Gleichzeitig sind sie appetitlich und
hne große Vorbereitungen herzu-
tellen. Ein erfinderischer Koch kann
daraus eine Menge abwechslungs-
eicher Menüs zubereiten. Das ist
rische, natürliche – das ist die beste
Nahrung.

Fette und Fasern

Eine vegetarische Ernährung ist reich an Fasern und Ballaststoffen sowie mehrfach ungesättigten Fettsäuren. Ein Mangel an Ballaststoffen – die in unraffinierter Pflanzennahrung enthalten sind – führt zu einer Reihe von Darmstörungen. Untersuchungen im Süden Englands ergaben, daß Vegetarier ungefähr doppelt soviel Ballaststoffe zu sich nehmen wie Fleischesser. Sie konsumieren auch weniger Fett; und die Fette, die sie essen, sind häufig mehrfach ungesättigt und nicht gesättigte tierische Fette, die zu einem Ansteigen der Cholesterinwerte im Blut führen.

Nährwerttabelle

Die Analyse einiger gebräuchlicher Nahrungsmittel zeigt erstaunliche Wertunterschiede. Zum Beispiel enthalten Nüsse und Käse sehr viel Eiweiß, Brote viele Mineralien.

Erklärung

Na	Natrium
K	Kalium
Ca	Calcium
Mg	Magnesium
P	Phosphor
S	Schwefel
Cl	Chlor

Lebensmittel (100 g)	Eiweiß (g)	Kohlenhydrate (g)	Fette (g)	Mineralien (über 10 mg)	Vitamine (über 10 mg)
Äpfel	0.3	11.9	—	K	A
Bananen	0.7	11.4	0.2	K Mg P Cl	B
Orange	0.6	6.2	–	K Ca Mg P	A, C
Kohl (roh)	1.9	3.8	–	K Ca Mg P	B, C
Kartoffeln (gebacken)	2.6	25.0	0.1	K Mg P S Cl	B, C
Tomaten	0.9	2.8	–	K Mg P S Cl	A, B, C
Linsen	7.6	17.0	0.5	Na K Ca Mg P S	B
Erbsen	5.8	10.6	0.4	K Ca Mg P S Cl	A, B, C
Vollkornbrot	0.7	41.8	2.7	Na K Ca Mg P S Cl	B
Nudeln	4.2	26.0	0.3	K Mg P S Cl	–
Reis	2.2	29.6	0.3	K P S	B
Butter	0.4	–	82.0	Na K Ca P Cl	A
Cheddarkäse	26.0	–	33.5	Na K Ca Mg P S Cl	A
Vollmilch	3.3	4.7	3.8	Na K Ca Mg P S Cl	A
Joghurt (3,5%)	5.0	6.2	1.0	Na K Ca Mg P Cl	–
Mandeln	16.9	4.3	53.5	K Ca Mg P S	A, B
Margarine	0.1	0.1	81.0	Na P S Cl	–
Honig	0.4	76.4	–	Na K P Cl	–

Nahrungsumstellung

Vegetarier zu werden, ist ein positiver Schritt. Sie entschließen sich nicht nur, auf Fleisch zu verzichten, sondern Sie öffnen sich die Tür zu einer neuen Lebensweise. Einigen fällt die Umstellung leicht, andere brauchen etwas länger. Am besten ändern Sie Ihre Kost allmählich, nicht abrupt, lassen langsam Fleisch und Fisch weg und ersetzen sie durch ausgewogene vegetarische Nahrung. Sie werden bald feststellen, daß Ihr Verlangen nach Fleisch nachläßt. Es hilft Ihnen, wenn Sie sich eine Zeitlang mit dem Thema insgesamt befassen. Informieren Sie sich über ausgewogene Ernährung, erkennen Sie Nachteile und Gefahren des Fleischessens. Haben Sie sich vom Wert des Vegetarismus überzeugt, fällt Ihnen die Umstellung leichter. Wer sich ernsthaft für Yoga interessiert, sollte nicht nur Fisch und Fleisch weglassen, sondern auch auf Eier, Alkohol, Zigaretten, Kaffee, Tee und andere Genußmittel verzichten. Manche Leute glauben, daß Vegetarier beim Essen in Lokalen oder bei Freunden Schwierigkeiten haben. Aber in den letzten zehn Jahren wurden immer mehr vegetarische Restaurants eröffnet – und selbst dort, wo nicht speziell an Vegetarier gedacht wird, finden Sie immer etwas, das Sie unbesorgt genießen können. Aufgrund einer reineren Kost werden Ihnen die Asanas leichter fallen: denn je weniger Fleisch Sie essen, um so weniger steif wird Ihr Körper. Und ebenso wie eine sattvige Nahrung Sie im Yoga unterstützt, wird regelmäßiges Üben von Asanas, Pranayama und Meditation Ihr Bewußtsein verändern und rajasige oder tamasige Nahrung ihren Reiz verlieren.

»Jedes samentragende Gras . . . und jeder frucht- und samentragende Baum: sie sollen Euch sein wie Fleisch.«
Genesis 1,29

Hier noch einige Hinweise zur Erleichterung der Umstellung:

- Achten Sie darauf, daß Sie regelmäßig vollwertiges Eiweiß wie Nüsse, Hülsenfrüchte, ganze Körner und Käse zu sich nehmen.
- Essen Sie jeden Tag Rohkost – schneiden oder reiben Sie einige Gemüse, andere lassen Sie ganz, um die Geschmacksunterschiede je nach ihrer Beschaffenheit herauszufinden.
- Nehmen Sie grüne Blattgemüse in Ihren Speisezettel auf.
- Wenn Sie Gemüse kochen, dann möglichst schnell und schonend, um den Nährwert zu erhalten. Die beste Zubereitungsart ist Dämpfen oder Schmoren.
- Essen Sie täglich frisches Obst. Wenn Sie Obst erhitzen, dann rasch; langsames, langes Kochen zerstört die meisten Vitamine.
- Achten Sie auf frische und vollwertige Nahrung; ranzige Nüsse, verdorbenes Obst und welkes Gemüse werden tamasig und verlieren einen Großteil ihres ursprünglichen Nährwerts.
- Vermeiden Sie »denaturierte« Nahrung wie Weißbrot, Kuchen, Auszugsmehl, Dosenobst, -gemüse und -säfte sowie gesättigte Fette und gehärtete Öle.
- Kochen Sie nur soviel, wie Sie zu einer Mahlzeit essen. Aufgewärmtes Essen hat kaum noch Nährwert.
- Seien Sie erfinderisch und haben Sie Mut zum Experimentieren – bringen Sie durch neue Zutaten Abwechslung in Ihren Speiseplan.
- Lernen Sie, rajasige und tamasige Nahrung durch sattvige zu ersetzen – benutzen Sie zum Beispiel Tofu statt Eier, Honig statt Zucker oder Kräutertee statt Schwarztee.

»Reine Nahrung bewirkt die Reinigung der inneren Natur.«
Swami Sivananda

Fasten

Als Mittel der Reinigung und Selbstdisziplin reicht Fasten weit in die Geschichte zurück. Die alten amerikanischen Indianer fasteten, um den Großen Geist zu sehen; Christus verbrachte vierzig Tage und Nächte ohne Nahrung in der Wüste und Moses fastete auf dem Berge Sinai. Yogis fasten in erster Linie, um Geist und Sinne zu kontrollieren, aber auch um den Körper zu reinigen und zu verjüngen. Tatsächlich ist Fasten die natürliche Art des Körpers, mit Krankheit oder Schmerz fertig zu werden – wilde Tiere hören auf zu fressen, wenn sie sich verletzt haben oder krank fühlen. Auch wir verlieren unseren Appetit, wenn wir Fieber haben. Normalerweise wenden wir eine Menge Energie für den Verdauungsprozeß auf. Gönnt man dem Verdauungssystem eine Pause, so wird diese Energie für die geistige Entwicklung und zur Selbstheilung freigesetzt, sie trägt also dazu bei, daß der Körper die Giftstoffe ausscheidet. Auf keinen Fall sollte Fasten mit »Diät-Halten« verwechselt werden. Sinn und Zweck des Fastens ist die Reinigung von Körper und Geist, weniger die Gewichtsabnahme; es gibt einige Leute, die nach dem Fasten sogar zunehmen.

Wie man fastet

Zunächst entscheiden Sie, wann und wie lange Sie fasten wollen. Wählen Sie eine Zeit, in der Sie nicht zuviel zu tun haben und nehmen Sie keine Medikamente: Fasten an sich ist bereits eine Art von Medizin. Ein Fasttag pro Woche ist eine gute Möglichkeit zur Stärkung Ihrer Willenskraft, aber um den Körper zu reinigen und zu entgiften, brauchen Sie länger. Vier Tage können Sie unbesorgt und ohne ärztliche Überwachung fasten. Entschließen Sie sich auch für eine bestimmte Art des Fastens: mit Wasser, Fruchtsäften oder Gemüsesäften – und bleiben Sie dabei. Bei einem Wasserfasten trinken Sie fünf bis sieben Gläser reines Quell- oder Brunnenwasser täglich. Trinken Sie langsam, um das Prana aufzunehmen. Während eines Saftfastens trinken Sie die gleiche Menge, doch »kauen« Sie den Saft anstatt ihn einfach zu schlucken. Einläufe und Kriyas, besonders zu Beginn des Fastens, beschleunigen den Reinigungsprozeß. Einläufe oder Basti (→ Seite 155) entfernen die Schlacken aus den Därmen, während Kunjar Kriya am ersten Fastentag ganz natürlich ist, um die Giftstoffe vom Magengrund zu lösen. Trinken Sie vier Gläser lauwarmes Wasser mit je einem Teelöffel Salz. Dann ziehen Sie Ihren Magen zusammen und stecken zwei Finger in den Hals, bis Sie alles Wasser wieder erbrechen.

Die ersten drei Fastentage sind am schwierigsten. Während der Körper sich bemüht, die angesammelten Giftstoffe abzubauen und auszuscheiden, treten möglicherweise folgende Begleiterscheinungen auf: Kopfweh, belegte Zunge, schlechter Atem, Erbrechen. Sollten Sie beim Wasserfasten Herzklopfen bekommen, trinken Sie Obstsaft; beim Saftfasten essen Sie in diesem Fall ein Stück Obst. Es können auch Atemschwierigkeiten auftreten, die sich aber normalerweise mit Pranayama beheben lassen. Sollten Herzklopfen und Atemschwierigkeiten andauern, so brechen Sie das Fasten behutsam. Fasten verlangsamt den Kreislauf, Sie müssen sich daher wärmer als sonst anziehen, vielleicht wird Ihnen auch leicht schwindlig,

Das Fastenbrechen

Der schwierigste Teil des Fastens ist wahrscheinlich das vernünftige Fastenbrechen, denn sobald Sie etwas Nahrung kosten, wird Ihr Geist ständig nach mehr verlangen. Aber genauso wie Sie nach dem Schlaf nicht mit tausend Fragen bombardiert werden wollen, müssen Sie Ihren Körper nach dem Fasten erst langsam wieder ans Essen gewöhnen. Die erste Speise sollten Sie mit Bedacht aussuchen. Damit Sie nicht gleich am Anfang übertreiben, ist es ratsam, das Fasten am Abend zu brechen und erst dann wieder etwas zu essen, wenn die erste Speise verdaut ist. Vegetarier sollten ungefähr ein Pfund frisches Obst zu sich nehmen – Trauben (ohne Kerne), Kirschen oder andere saftige Früchte, jedoch keine Bananen, Äpfel oder Zitrusfrüchte. Fleischesser, die schwerere Kost gewöhnt sind, nehmen ein Pfund gedünsteten Spinat oder geschmorte Tomaten. Verfahren Sie nach einem zweitägigen Fasten wie folgt:

1. Tag – nur frisches Obst (wie oben) und einen Teelöffel Naturjoghurt, um die Verdauung anzuregen.
2. Tag – nur Salate.
3. Tag – gedünstetes Gemüse mit leichtem Getreide wie Buchweizen oder Hirse.
4. Tag – Kehren Sie allmählich zu Ihrer Normalkost zurück.

Nach viertägigem Fasten erweitern Sie den obigen Zeitplan, indem Sie zwei Tage bei frischem Obst bleiben und so weiter. Tee, Kaffee, Alkohol und Gewürze sollten Sie während des Fastenbrechens vermeiden.
Am ersten und dritten Tag machen Sie einen Einlauf.
Halten Sie sich genau an diese Anweisungen, damit Sie Ihren Magen nicht überlasten. Wie George Bernard Shaw sagte: »Jeder Narr kann fasten; aber nur ein Weiser kann es ordentlich brechen.«

wenn Sie sich zu schnell oder zu plötzlich bewegen. Während des Fastens werden viele Giftstoffe im Körper durch die Haut ausgeschieden; vermeiden Sie also Make-up oder Deodorants, da sie die Poren verschließen. Sie sollten lernen, während des Fastens mit Ihren Kräften hauszuhalten – unternehmen Sie täglich einen ruhigen Spaziergang, vermeiden Sie jedoch anstrengende Übungen wie Dauerlauf. Praktizieren Sie täglich wenigstens eine Serie von Asanas und Atemübungen, um die angesammelten Giftstoffe zu lösen und ihre Ausschwemmung aus dem Körper zu beschleunigen. Nehmen Sie sich Zeit zur Meditation, Ihr Geist wird während des Fastens viel ruhiger. Nach einigen Tagen wird Ihr Magen sich nicht mehr nach Essen sehnen und Sie werden die ersten positiven Begleiterscheinungen bemerken: einen ausgeprägteren Geruchssinn, mehr geistige Energie und Konzentration. Fasten gibt Ihnen mehr Zeit für Ihre spirituelle Entwicklung; Sie erkennen, bis zu welchem Maß Sie Ihre Denk-, Verhaltens- und Eßmuster kontrollieren können. Um einen Erfolg nicht zu gefährden ist es wichtig, das Fasten sinnvoll und systematisch – wie gegenüber beschrieben – zu brechen.

Der Mittelweg

Shakyamuni lebte viele Jahre als Wanderasket, ohne feste oder flüssige Nahrung zu sich zu nehmen, bis er nur noch aus Haut und Knochen bestand. Nachdem er schließlich dieser Anstrengungen müde war, aß er und setzte sich unter einen Feigenbaum; er gelobte, sich nicht mehr zu bewegen, bis er Erleuchtung erlangt hätte. Die ganze Nacht wurde er von Dämonen geplagt, aber bei Tagesanbruch erreichte er sein Ziel: das Nirvana. Wie Buddha predigte er die Weisheit des Mittelwegs zwischen den Extremen von Schwelgerei und Selbstabtötung.

Fastender Buddha in Meditation *(oben) Eine Skulptur aus Nordindien, 19. Jahrhundert.*

Der Erleuchtete *(rechts) Ein berühmtes Buddha-Bildnis aus Sarnath (Indien), 5. Jahrhundert.*

Meditation

»Meditation ist ein beständiger Fluß
der Wahrnehmungen oder Gedanken, wie das
Strömen des Wassers im Fluß.«
Swami Vishnu Devananda

Bewußt oder unbewußt sind wir alle auf der Suche nach dem Frieden der Seele, den die Meditation bringt. Jeder von uns hat seine eigenen Vorstellungen davon, wie er Frieden findet; wir haben alle eigene Meditationsgewohnheiten – von der alten Dame, die strickend am Feuer sitzt bis zum Bootsverleiher, der den Sommernachmittag am Fluß verstreichen läßt, ohne Gedanken an das Verrinnen der Zeit. Wird unsere Aufmerksamkeit beansprucht, so beruhigt sich der Geist; wenn wir unsere Gedanken auf eine Sache zu konzentrieren vermögen, verstummt das ununterbrochene innere Geschwätz. Tatsächlich resultiert die Zufriedenheit, die wir verspüren, wenn unser Geist ganz in Anspruch genommen ist, weniger aus der Aktivität selbst als vielmehr aus der Konzentration: wir vergessen Sorgen und Nöte.

Doch bringen uns diese Aktivitäten nur für eine kurze Zeit unseren Seelenfrieden, nämlich solange sie uns beschäftigen. Sobald der Geist wieder abgelenkt wird, kehrt er zum gewohnten ruhelosen Umherwandern zurück, verbraucht Energie für die Gedanken an die Vergangenheit oder für die Träume über die Zukunft. Der Gegenwart weicht er dabei stets aus. Erst durch ein Meditationstraining des Geistes werden wir zu anhaltender Zufriedenheit finden. Meditation ist die Praxis ständiger Beobachtung des Geistes. Das bedeutet, den Geist auf einen Punkt zu konzentrieren, ihn zu beruhigen, damit er das Selbst erkennt. Durch die Unterbrechung der Gedankenwellen kommen Sie zum Verständnis Ihrer wahren Natur, Sie finden Weisheit und Ruhe in sich.

Wenn Sie sich zum Beispiel auf die Flamme einer Kerze oder auf ein Mantra konzentrieren (→ Seite 98), kehrt Ihre Aufmerksamkeit beständig zum Gegenstand Ihrer Konzentration zurück. Die Bewegung des Geistes beschränkt sich auf einen kleinen Kreis. Zunächst werden Ihre Gedanken weiter wandern wollen, doch durch stete Übung können Sie die Zeit der geistigen Konzentration verlängern. Im Anfangsstadium, wenn Ihr Geist sich noch leicht ablenken läßt, bezeichnet man die Meditation korrekter als »Konzentration«; in der wirklichen Meditation erreichen Sie einen ununterbrochenen Gedankenfluß. Der Unterschied zur Konzentration ist ein gradueller, kein technischer. Swami Vishnu erklärt das so: »Während der Konzentration hält man den Geist an festen Zügeln; während der Meditation sind die Zügel nicht mehr notwendig, denn der Geist bleibt aus freien Stücken auf einer einzigen Gedankenwelle.«

In der Reihe der acht Glieder von Patanjali bilden Konzentration und Meditation das sechste und siebte Glied des Raja Yoga (→ Seite 19). Das achte ist Samadhi oder Überbewußtsein – ein Zustand jenseits von Zeit, Raum und Kausalität, wo Körper und Geist transzendiert werden und vollkommene Einheit herrscht. Im Samadhi werden der Meditierende und der Gegenstand der Konzentration eins – denn das Gefühl der Trennung oder Dualität wird durch das Ego erzeugt. Den alten Veden zufolge bedeutet Konzentration oder Dharana das Fixieren des Geistes auf einen Gedanken für eine Zeitspanne von zwölf Sekunden; Meditation oder Dhyana entspricht zwölf Dharanas – ungefähr zweieinhalb Minuten – und Samadhi zwölf Dhyanas – weniger als eine halbe Stunde.

Ähnlich wie Sonnenstrahlen, mit Hilfe eines Vergrößerungsglases gebündelt, etwas zum Brennen bringen können, läßt sich der Geist durch die Konzentration der Gedankenwellen stärken und schärfen. Fortgesetzte Meditation beeinflußt Ihr ganzes Handeln: Sie entwickeln mehr Zielstrebigkeit und stärkere Willenskraft, Ihr Denken wird klarer und konzentrierter.

Swami Vishnu schreibt: »Meditation erwirbt man nicht leicht. Ein schöner Baum wächst langsam. Man muß auf die Blüte warten, auf das Reifen der Frucht und auf ihren vollen Geschmack. In der Blüte der Meditation drückt sich ein Frieden aus, der das ganze Wesen durchdringt. Die Frucht aber . . . ist unbeschreiblich.«

Das Meistern des Geistes

Der Geist ist wie ein See, Gedankenwellen kräuseln seine Oberfläche. Um das tieferliegende Selbst sehen zu können, müssen Sie zunächst die Wellen glätten; dann werden Sie – statt Diener zu bleiben – Meister Ihres Geistes. Die meiste Zeit, in der Sie wach sind, schlingert der Geist im Sturm Ihrer Gedanken, hin- und hergerissen zwischen Wünschen und Wehren, angenehmen oder unangenehmen Gefühlen und Erinnerungen. Von all den Kräften, die den Geist aufwühlen, sind es die Sinne, die die Konzentration am meisten stören: Sie wecken Wünsche und Phantasien. Sie hören eine vertraute Melodie im Radio und schon eilt Ihr Geist zurück in die Zeit, als Sie sie zum erstenmal vernahmen; ein verführerischer Geruch, ein plötzlicher kalter Windzug, und wieder schweifen Ihre Gedanken ab. Die stärksten Sinne sind Sehen und Hören. Fortwährend lenken sie den Geist nach außen und verbrauchen wertvolle Energie. Aus diesem Grund benutzt man in der Meditation entweder Töne (Mantras) oder Bilder (im Tratak).

In der Natur des Geistes liegt es, ständig nach Glück zu suchen. Dabei hofft er dann vergeblich auf Befriedigung, wenn er erreicht hat, was er wünschte. Besitzt er den ersehnten Gegenstand endlich, gibt der Geist kurzzeitig Ruhe. Doch nach einiger Zeit beginnt das ganze Spiel von neuem, denn der Geist selbst bleibt unverändert und sein wahrer Wunsch unerfüllt. Stellen Sie sich zum Beispiel vor, Sie kaufen sich ein neues Auto. Eine Zeitlang sind Sie stolz und zufrieden – der Geist ruht. Doch schon bald möchten Sie gern ein neueres Modell oder eine andere Farbe; oder Sie sorgen sich, daß es gestohlen oder beschädigt werden könnte. Was als Freude begann, wurde zu einer neuen Quelle der Unzufriedenheit, denn die Erfüllung eines Wunsches gebärt einen neuen.

Yoga lehrt uns, daß wir eine Quelle der Freude und Weisheit in uns tragen, einen Schatz der Stille, den wir erkennen und aus dem wir uns nähren können, wenn die Bewegung des Geistes zur Ruhe kommt. Gelingt es uns, unsere Sehnsucht nach Zufriedenheit nach innen zu lenken, statt sie an äußeren, vergänglichen Dingen festzumachen, entdecken wir, wie wir in Frieden leben können.

Die Beobachtung der Gedankenspiele

Während der Meditation erleben Sie den Geist als Instrument. Auch wenn Ihre Konzentrationsübung täglich nur von kurzer Dauer ist, empfinden Sie die Bewegung des Geistes und wie wenig Sie in der Gegenwart leben. Aus dieser kurzen Erfahrung mit einer anderen Art von Wahrnehmung lernen Sie zu beobachten und Ihr Denkschema zu ändern. Eine der nützlichsten Methoden zur Kontrolle des Geistes besteht darin, sich nicht länger von Gefühlen, Gedanken und Taten abhängig zu machen. Statt sich mit ihnen zu identifizieren, nehmen Sie sich selbst etwas zurück und versetzen sich in die Rolle eines Zeugen, so, als ob Sie jemand anderen beobachten. Wenn Sie sich dann selbst leidenschaftslos betrachten, ohne Urteil oder Lob, verlieren Ihre Gedanken und Gefühle die Macht über Sie – Sie fangen an, Geist und Körper als Instrument zu sehen, die Sie kontrollieren können. Durch das Loslösen von den Spielen des Ego lernen Sie, Verantwortung für sich selbst zu übernehmen.

»So wie Schönheit und süßer Duft der Lotusblume sich erst entfalten, wenn sie aus dem Schlammwasser aufsteigt und sich der Sonne zuwendet, entwikkelt sich unser Leben nur dann in Schönheit, wenn wir die Welt der Maya oder Illusion hinter uns lassen und in der Meditation zu Gott schauen.«
Swami Vishnu Devananda

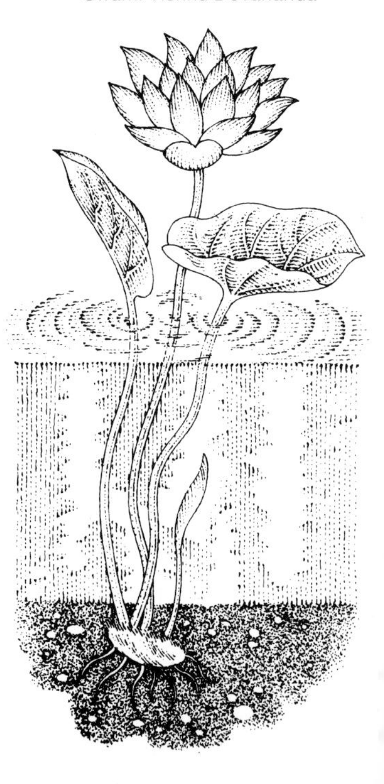

Meditation im täglichen Leben

Es wird Ihnen kaum gelingen, den Geist in Ihrer kurzen Meditationssitzung zu zähmen, wenn Sie ihn die übrige Zeit zügellos schweifen lassen. Je länger Sie den Geist konzentrieren, desto eher werden Sie sich sammeln können, wenn Sie sich zur Meditation hinsetzen. Außer den auf den folgenden Seiten beschriebenen Meditationstechniken hier noch einige Vorschläge, die zur Sammlung Ihres Geistes beitragen können: Versuchen Sie zum Beispiel beim Spaziergang den Atem mit Ihren Schritten in Einklang zu bringen: drei Schritte einatmen, drei Schritte ausatmen. Langsames und kontrolliertes Atmen beruhigt den Geist (→ Seite 69). Wenn Sie ein Buch lesen, prüfen Sie Ihre Konzentration, indem Sie am Ende der Seite überlegen, wieviel Sie behalten haben. Und beschränken Sie Japa nicht auf Ihre Meditationsstunden – wiederholen Sie Ihr Mantra beispielsweise auf dem Weg zur Arbeit, während Sie Ihre Asanas üben oder eine Mahlzeit zubereiten. Am wichtigsten ist das positive Denken. Wird Ihr Seelenfrieden durch Ärger oder Traurigkeit erschüttert, beruhigen Sie sich durch Konzentration auf das entgegengesetzte Gefühl. Ersetzen Sie zum Beispiel Gefühle des Hasses durch jene der Liebe, Zweifel durch Vertrauen oder Hoffnung. Mit Hilfe dieser einfachen Techniken gewöhnen Sie Ihren Geist langsam an Konzentration. Äußere Einflüsse berühren Sie immer weniger. Ob Sie eine schwierige Woche im Büro hinter sich haben oder einen angenehmen Tag auf dem Lande – Ihre Stimmung bleibt ausgeglichen, weil Ihr Inneres gestärkt ist. Sie gewinnen die sichere Überzeugung, inmitten aller Veränderungen des Lebens selbstsicher und standhaft zu bleiben.

Saguna und Nirguna Meditation
Stellen Sie sich vor, Sie sitzen im Zentrum einer Kugel, die das Absolute repräsentiert. Bei der Saguna Meditation (oben) konzentrieren Sie sich auf ein Symbol auf der Oberfläche der Kugel – zum Beispiel das OM (→ Seite 96) oder das Kreuz – und werden eins mit ihm. In der Nirguna Meditation (darunter) identifizieren Sie sich mit keinem der Aspekte oder Symbole des Absoluten. Ihr Bewußtsein erweitert sich, um mit der Kugel eins zu werden und sich darin aufzulösen.

Meditationsformen

Im Yoga gibt es zwei Hauptarten der Meditation – gegenständliche oder Saguna (wörtlich: »mit Eigenschaften«) und abstrakte oder Nirguna (ohne Eigenschaften). In der Saguna Meditation konzentrieren Sie sich auf eine konkrete Sache, auf die der Geist sich leicht einstellen kann – ein Bild oder ein visuelles Symbol vielleicht oder ein Mantra, das Sie zur Einheit führt. In der Nirguna Meditation ist der Konzentrationspunkt eine abstrakte Idee wie das Absolute, ein Konzept, das sich nicht mit Worten ausdrücken läßt. Saguna Meditation ist dualistisch – der Meditierende sieht sich selbst getrennt vom Gegenstand seiner Meditation; in der Nirguna Meditation indes fühlt sich der Meditierende mit dem Absoluten eins. Die hier beschriebenen Meditationstechniken gehören hauptsächlich zur Saguna Art. Selbst wenn Ihre Vorstellung des Absoluten abstrakt ist, so ist es doch schwieriger, den Geist auf eine abstrakte Vorstellung gerichtet zu halten. Für diejenigen unter Ihnen, denen das gelingt, haben wir zwei Nirguna Mantras eingefügt (→ Seite 99) – OM und SOHAM. Egal, ob Sie Saguna oder Nirguna Meditation praktizieren, das Ziel ist dasselbe – das Überwinden der Gunas. Swami Vishnu sagt in seinen Lehren: »Sinn des Lebens ist es, den Geist auf das Absolute zu richten.«

Die Prinzipien der Meditation

Meditation kann, ebenso wie Schlaf, nicht gelehrt werden: zur rechten Zeit kommen beide von allein. Doch wenn Sie die richtigen Anfangsschritte befolgen, können Sie Ihren Fortschritt beträchtlich beschleunigen. Um den Menschen zu helfen, die Grundschritte und Stufen der Meditation zu verstehen, hat Swami Vishnu Devananda zwölf Prinzipien formuliert, die rechts aufgeführt sind. Damit Meditation zur Gewohnheit in Ihrem Leben wird, sollten Ort und Stunde dafür jeden Tag gleich bleiben. Dies wird Ihren Geist unverzüglich einstimmen, sobald Sie sich zur Meditation hinsetzen – genauso wie Ihr Magen zu den Mahlzeiten Essen erwartet. Nach einigen Monaten regelmäßiger Praxis wird Ihr Geist diese Ruhephase von selbst verlangen. Die günstigsten Tageszeiten für die Meditation sind Morgengrauen und Abenddämmerung, wenn sich die Atmosphäre mit spiritueller Energie füllt. Doch wenn diese Zeiten nicht passen, wählen Sie einfach eine Zeit, zu der Sie allein und ungestört sein können. Beginnen Sie mit zwanzig Minuten und steigern Sie die Dauer allmählich auf eine Stunde. Setzen Sie sich mit dem Gesicht nach Osten oder Norden, um die feinstofflichen Wirkungen des Erdmagnetfeldes zu nutzen. Hüllen Sie sich in eine Decke, wenn Sie es warm haben wollen. Ihre Sitzhaltung muß gerade und entspannt sein, denn unbequemes Sitzen stört Ihre Konzentration. Bevor Sie anfangen, bringen Sie den Geist zur Ruhe und lösen Sie sich von allen Gedanken an Vergangenheit, Gegenwart oder Zukunft. Nun regulieren Sie Ihren Atem – das kontrolliert den Fluß des Prana, was wiederum den Geist beruhigt. Sie sollten nicht versuchen, die Unruhe des Geistes zu bekämpfen, weil das nur weitere Gedankenwellen erzeugt. Machen Sie sich frei von Ihren Gedanken und beobachten Sie Ihren Geist.

»Das Selbst ist nicht der individuelle Körper oder Geist, sondern der jedem Menschen tief innewohnende Aspekt, der die Wahrheit kennt.«
Swami Vishnu Devananda

Meditationshaltungen
Der Lotus oder die Leichte Stellung sorgen für einen festen Grundsitz mit dem Dreieck als Basis, um den Pranafluß geschlossen zu halten. Legen Sie sich ein Kissen unter Ihr Gesäß, wenn Ihre Knie nicht den Boden berühren. Setzen Sie sich in einen Stuhl, wenn Ihnen das lieber ist (→ Seite 172). Legen Sie die Hände mit den Handflächen nach oben auf Ihre Knie. Daumen und Zeigefinger berühren sich an den Spitzen, um das Chin Mudra zu formen.

Die zwölf Prinzipien

1 *Suchen Sie sich einen besonder Platz für die Meditation; die Atmosp re, die Sie schaffen, hilft, den Geist beruhigen.*

2 *Wählen Sie eine Zeit, zu der Ihr Geist von alltäglichen Belangen unb lastet ist – Morgen- und Abenddäm rung sind ideal.*

3 *Behalten Sie täglich Ort und Tag zeit bei; das hilft dem Geist, sich schneller zu beruhigen.*

4 *Halten Sie Rücken, Nacken und Kopf in einer geraden Linie. Setzen sich mit dem Gesicht nach Norden oder Osten.*

5 *Bringen Sie Ihren Geist für die Z der Meditation zur Ruhe.*

6 *Regulieren Sie Ihre Atmung – be nen Sie mit fünf Minuten tiefer Atm dann verlangsamen Sie den Atem.*

7 *Atmen Sie rhythmisch – je drei S kunden für Ein- und Ausatmen.*

8 *Lassen Sie Ihren Geist zunächst schweifen – er wird nur noch unruh ger, wenn Sie ihn zur Konzentratior zwingen.*

9 *Nun bringen Sie den Geist zum K zentrationspunkt Ihrer Wahl – entw das Ajna oder das Anahata Chakra (→ Seite 71).*

10 *Während der Übung in der von nen ausgesuchten Technik bleiben die ganze Sitzung über bei diesem Konzentrationspunkt.*

11 *Meditation kommt, sobald Sie e nen Zustand des reinen Denkens e chen. Sie behalten jedoch noch Ihr wußtsein der Dualität.*

12 *Nach langer Übung verschwind die Dualität und Samadhi, der über wußte Zustand, wird erreicht.*

Erste Meditationen

In der langen Tradition des Meditierens gibt es eine große Vielfalt verschiedener Techniken; einige nutzen die Kraft des Tons, andere visuelle Symbole oder die Atmung. Alle jedoch haben ein Ziel: die auseinanderstrebenden Gedankenstrahlen auf einen Punkt zu konzentrieren, um den Meditierenden zur Selbstverwirklichung zu führen. Die Technik, die wir speziell für längeres Meditieren empfehlen, ist Japa – das Wiederholen eines Mantras, wie auf Seite 98 beschrieben. Doch als Anfänger in der Meditation möchten Sie vielleicht neben dem Mantra noch andere Techniken zur Disziplinierung des Geistes kennenlernen.

Yoni Mudra
Verschließen Sie Ihre Ohren mit den Daumen. Bedecken Sie Ihre Augen mit den Zeigefingern, dann schließen Sie die Nasenlöcher mit den Mittelfingern und drücken die Lippen mit den übrigen Fingern zusammen. Lösen Sie die mittleren Finger während der Meditation leicht, um ein- und auszuatmen.

Yoni Mudra

Yoni Mudra ist eine Übung in Pratyahara, dem Rückzug der Sinne. Indem Sie Ohren, Augen, Nase und Mund verschließen, ziehen Sie sich in Ihr Innerstes zurück, so wie eine Schildkröte ihre Beine unter den Panzer zieht. Während des Tages wird Ihr Geist über die fünf Sinne ständig mit Informationen und Reizen überflutet. Nur wenn die Sinne kontrolliert werden und der Geist nicht fortwährend nach außen drängt, können Sie sich konzentrieren. Das Üben der Asanas mit leerem Magen und vielleicht sogar mit geschlossenen Augen hat Ihnen bereits einen ersten Eindruck von dem Ausschluß der Sinne vermittelt. Wenn Sie in Ihrem Inneren ungestört zur Ruhe kommen, wird Ihnen durch Yoni Mudra die Tyrannei der Sinne bewußter. Auf diese Technik sollten Sie immer dann zurückgreifen, wenn Sie sich besonders unruhig oder erregt fühlen. Vertiefen Sie Ihre Konzentration, werden Sie die Anahata oder mystischen inneren Töne dieser Yoga-Übung hören, Töne wie von Flöten, Trommeln oder Glocken zum Beispiel, die ein erhöhtes Bewußtsein signalisieren. In Siva Samhita, einem Yogatext, heißt es über Yoni Mudra: »Der Yogi, der die Umgebung ausgeschlossen hat, sieht seine Seele in lichter Gestalt.«

Konzentration auf eine Reihe
Mit geschlossenen Augen stellen Sie sich einen Garten mit verschiedenen Blumen in jeder Ecke vor. Beschäftigen Sie sich zunächst mit der Beschaffenheit einer Blume. Sobald Ihr Geist unruhig wird, richten Sie Ihre Aufmerksamkeit auf die Blume in der nächsten Ecke und so weiter. Sie sollten jede Blume klar visualisieren.

Die Konzentration auf eine Reihe

Den Anfängern im Meditieren fällt es schwer, die Aufmerksamkeit auf einen einzigen Gegenstand gerichtet zu halten. Um Ihre Konzentrationsfähigkeit zu trainieren, können Sie Ihre Aufmerksamkeit zunächst auf eine Reihe von Gegenständen richten, um Ihrem Geist eine gewisse Bewegungsfreiheit einzuräumen. In der (rechts gezeigten) Konzentration auf eine Reihe wählen Sie vier Blumen als Konzentrationsgegenstände. Versenken Sie sich in eine Blume und gehen Sie, sobald Ihr Geist zu wandern beginnt, zur nächsten über. Wenn Ihnen die Konzentration auf Blumen schwerfällt, wählen Sie andere Objekte wie etwa Früchte oder Bäume. Wichtig ist nur, daß Sie Ihren Geist auf eine Reihe von Gegenständen konzentrieren, die Sie wirklich gern betrachten. Durch diese Übung werden Sie Ihren Geist auf einen feineren Konzentrationspunkt einschleifen und das Prinzip der einpünktigen Konzentration erlernen. Sobald Sie keine Schwierigkeiten mehr im Visualisieren dieser Reihe von Objekten haben und konzentriert dabeibleiben können, sind Sie für die Konzentration auf einen einzigen Gegenstand gerüstet.

Tratak

Tratak oder Starren ist eine vorzügliche Konzentrationsübung. Sie starren dabei zunächst auf einen Gegenstand oder einen Punkt, ohne zu blinzeln. Dann schließen Sie die Augen und der Gegenstand erscheint vor Ihrem geistigen Auge. Diese Übung beruhigt den ruhelosen Geist, erhöht die Aufmerksamkeit und führt schließlich zu schärfster Konzentration auf einen Punkt. Wo auch immer die Augen hinwandern, der Geist folgt nach, so daß beim Starren auf einen einzigen Punkt auch Ihr Geist einbezogen wird. Obgleich Tratak in erster Linie Ihre Konzentration stärkt und Ihren Geist reinigt, verbessert es gleichzeitig die Sehkraft und belebt das Gehirn über die Sehnerven. Es ist eine der sechs – Kriyas genannten – Reinigungsübungen.

Tratak wird meist mit einer Kerze (→ Seite 96) ausgeführt, doch können Sie auch andere Gegenstände als Ziel Ihres Starrens wählen. Sie können einen schwarzen Punkt auf ein Blatt Papier malen und dies an die Wand hängen oder ein Chakra benutzen (→ Seite 71) oder ein Yantra (→ Seite 96). Yantras sind geometrische Figuren, die den Geist sammeln. Wie ein Mantra hat auch jedes Yantra eine besondere mystische Bedeutung. Zur Abwechslung können Sie auch auf ein Symbol starren, wie auf OM (→ Seite 96) oder auf das Bild einer Gottheit. Sie müssen sich nicht auf Gegenstände im Raum beschränken. Tagsüber kann eine Blume oder eine Muschel das Ziel Ihrer Aufmerksamkeit sein, nachts der Mond oder ein leuchtender Stern. Solange Ihr Konzentrationsgegenstand sich nicht merklich bewegt und klein genug zum Anstarren ist, wird das »Fokussieren« die gewünschte Wirkung zeigen. Yogis benutzen oft – wie oben gezeigt – den Punkt zwischen den Augenbrauen oder die Nasenspitze zum Tratak.

Die Technik des Tratak bleibt unabhängig vom Zielpunkt Ihres Starrens die gleiche, obwohl sie im Freien natürlich leicht abgewandelt wird. Plazieren Sie den gewählten Gegenstand etwa einen Meter von sich entfernt in Augenhöhe. Regulieren Sie zunächst den Atem, dann starren Sie auf den Gegenstand, ohne zu blinzeln. Starren Sie nicht mit leerem Blick darauf – betrachten Sie ihn einfach ständig, ohne sich zu überanstrengen. Nach etwa einer Minute schließen Sie die Augen, und während Sie innerlich den Blick anhalten, stellen Sie sich den Gegenstand im Ajna oder Anahata Chakra (→ Seite 92) vor. Sobald das innere Bild verschwindet, öffnen Sie die Augen und wiederholen das Ganze. Laut Hatha Yoga Pradipika soll man so vorgehen: »Konzentriere Dich mit fixiertem Blick auf einen kleinen Gegenstand – bis die Tränen kommen.« Wenn Ihre Augen tatsächlich nach einer kurzen Zeit des Starrens zu tränen beginnen, ist das schlicht ein Zeichen, sie zu schließen; allmählich können Sie die Zeitspanne des Starrens dann verlängern. Wird Ihre Konzentration tiefer und Ihr Blick beständiger, lassen Sie die Augen länger geöffnet und auch länger geschlossen, bis Sie insgesamt auf eine Stunde kommen. In den ersten Tagen Ihres Tratak kann es passieren, daß unerwünschte Gedanken sich in Ihren Geist einschleichen. Lenken Sie dann einfach Ihre Aufmerksamkeit wieder auf den Gegenstand der Konzentration und Ihr Geist wird sich wieder sammeln. Mit zunehmender Praxis werden Sie den gewählten Gegenstand bei geschlossenen Augen immer klarer visualisieren können.

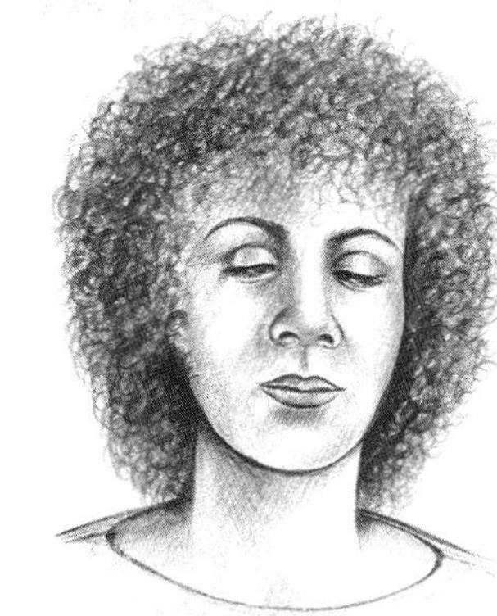

Starren auf Stirn und Nasenspitze
Durch das Starren auf den Punkt zwischen den Augenbrauen – Sitz Ihres »Dritten Auges« (oben) – oder auf die Nasenspitze (unten) stärken Sie nicht nur Ihre Konzentration, sondern auch Ihre Augenmuskeln. Für den Anfang reicht eine Minute des Starrens, verlängern Sie dann auf zehn Minuten. Überanstrengen Sie die Augen nicht; wenn sie ermüden oder schmerzen, schließen Sie sie sofort. Das Starren auf die Stirn erweckt Kundalini, das Starren auf die Nasenspitze beeinflußt das zentrale Nervensystem.

OM

Für einen Yogi ist kein Symbol mächtiger als die Silbe OM, wie diese Worte aus Mandukya Upanishad beweisen: »OM, dies ewige Wort ist alles; was war, was ist und was sein wird.« In diesem Sanskritzeichen bedeutet die untere, längere Kurve den Traumzustand, die obere Kurve steht für den Wachzustand, die aus der Mitte kommende Kurve symbolisiert den traumlosen Tiefschlaf. Der Halbmond oben steht für »Maya«, den Schleier der Illusion, der Punkt für die Transzendenz. Tritt die individuelle Seele durch den Schleier und verweilt in der Transzendenz, wird sie von den Drei Zuständen und ihren Eigenschaften befreit.

Tratak auf OM
Wenn Sie das Sanskritzeichen OM (oben links) zum Tratak benutzen, lassen Sie Ihre Augen gegen den Uhrzeigersinn darüber gleiten. In dem OM Yantra aus dem 18. Jahrhundert (unten links) wird die heilige Silbe in anderer Form präsentiert. Das Yantra stammt aus Rajasthan in Indien.

Starren auf eine Kerze *(rechts)*
Eine Kerzenflamme wird häufig als Gegenstand für Tratak benutzt, weil sich hinter den geschlossenen Augen leic das Bild der strahlenden Flamme proj ziert. Sie sollten die Kerze in Augenh he in einem dunklen, zugluftfreien Raum aufstellen.

Mantras

Der Ton ist eine Energieform aus Schwingungen oder Wellenlängen. Bestimmte Wellenlängen haben die Kraft zu heilen, andere können Glas zerspringen lassen. Mantras sind Sanskritsilben, -wörter oder -sätze, die durch Wiederholung in der Meditation das Individuum in einen höheren Bewußtseinszustand versetzen. Mantras sind Töne oder Energien, die es schon immer im Universum gegeben hat, die weder erschaffen noch zerstört werden können. Jedes wahre Mantra hat sechs Eigenschaften: Es wurde ursprünglich einem Weisen enthüllt und von ihm weitergegeben, wodurch er Selbstverwirklichung erlangte; es hat einen bestimmten Rhythmus und gehört zu einer bestimmten Gottheit; es besitzt ein »Bija«, einen Samen, als Essenz, das es mit besonderer Macht ausstattet; es enthält Shakti, die göttliche, kosmische Energie; und schließlich bewahrt es den Schlüssel, der erst durch beständige Meditation das wahre Bewußtsein aufschließt. Japa, die Wiederholung eines Mantras, vermittelt Ihnen nicht nur einen greifbaren Punkt, auf den Sie den Geist richten können, es befreit auch die in diesem Ton enthaltene Energie. Diese Energie manifestiert sich, indem sie ein besonderes Denkmuster im Geist schafft. Die korrekte Aussprache ist daher sehr wichtig. Bei ernsthafter Übung führt die Wiederholung eines Mantras zum reinen Denken, wo die Tonschwingung mit der Gedankenschwingung verschmilzt und es kein Bewußtsein der Bedeutung gibt. So wird das Mantra Sie zu wahrer Meditation führen, zum Einheitsbewußtsein, wo es keine Dualität mehr gibt. Es gibt drei Hauptarten von Mantras: Saguna Mantras rufen eine bestimmte Gottheit oder Aspekte des Absoluten an; Nirguna Mantras sind abstrakt und erklären die Einheit des Meditierenden mit dem Absoluten; und »Bija« oder Samenmantras sind Aspekte von OM, die direkt aus den fünfzig Urlauten stammen. Die Einführung in ein Mantra geschieht am besten durch einen Guru, der es mit seiner pranischen Energie ausstattet. Ist dies nicht möglich, üben Sie das Wiederholen des Mantras, das Sie sich selbst ausgesucht haben und mit dem Sie sich wohlfühlen. Bija Mantras sind hier nicht aufgeführt, da sie für Anfänger zu mächtig sind.

Fingergelenkzählen
Bringen Sie den Daumen der rech Hand auf die oberste innere Gelen te Ihres kleinen Fingers derselben Hand und führen Sie ihn bei jeder trawiederholung weiter nach unte nächst zur mittleren, dann zur unt Falte; dann wechseln Sie zum Rin ger und so weiter. Die drei Innenfa der vier Finger bringen zwölf Wiec holungen; neun Runden ergeben 108 Wiederholungen oder eine M

Japa-Arten

Sie können Ihr Mantra laut – gesprochen oder gesungen – im Flüsterton oder geistig wiederholen. Das geistige Japa ist das wirkungsvollste, weil Mantras auf einer Wellenlänge schwingen, die jenseits gesprochener oder physikalischer Töne liegt. Doch zu Beginn, wenn das Sammeln des Geistes noch Mühe macht, beginnen Sie Ihre Meditation ruhig mit dem Aussprechen des Mantra, dann flüstern Sie es, bevor Sie schließlich zur geistigen Wiederholung übergehen. Welche Art von Japa Sie auch praktizieren, es hilft, Mantra und Atem in Einklang zu bringen. Drei weitere Japa-Arten unterstützen zusätzlich Ihre Konzentration: Sie können eine »Mala« genannte Perlenkette (rechts) benutzen und Ihr Mantra wiederholen, während Sie die Perlen zählen. Sie können auch mit dem Daumen der rechten Hand die Falten Ihrer Fingergelenke zählen – wie es ganz oben rechts gezeigt wird, und schließlich können Sie das Mantra wiederholen, indem Sie es aufschreiben (gegenüberliegende Seite).

Wie man eine Mala benutzt
Eine Mala besteht aus 108 Perlen der etwas größeren »Meru«-Perle ten Sie die Mala in der rechten Har und lassen Sie die Perlen – beginr mit der Meru-Perle – zwischen Ihr Daumen und Ihrem Mittelfinger na einander abrollen, während Sie Ihr Mantra wiederholen. Wenn Sie de Meru erreichen, benützen Sie die in entgegengesetzter Richtung. Ge Sie nicht über die Meru-Perle.

aguna Mantras

am (rahm)
ls Energiemuster für Wahrheit, Gerechtigkeit und Tugend im männlichen spekt ist dieses mächtige Mantra aus drei Samentönen aufgebaut.

ita (sii-tha)
ies ist der weibliche Aspekt des Energiemusters von Ram. Es steht für die erabkunft von Prakriti oder der Natur (→ Seite 16) als Mutter. Zusammen mit am kann es als Sitaram wiederholt werden. Gemeinsam verkörpern diese eiden Mantras die Energie, die in einer idealen Heirat oder Verbindung beteht.

hyam (schiahm)
ieses Mantra repräsentiert kosmische Liebe und Mitleid im männlichen spekt und verwandelt alle Gefühle in bedingungslose Liebe.

adha (rah-dah)
adha ist der weibliche Aspekt von Shyam und symbolisiert die kosmische iebe der göttlichen Mutter.

)m Namah Sivaya (ohm nah-mah-Schivai-ah)
)ies ist ein reinigendes Energiemuster, das unsere negativen Eigenschaften erstört. Es wird gern von asketischen Naturen benutzt. Sivas Tanz repräsenert die Bewegung in der Materie. Wenn Siva seinen Tanz beendet, wird die lusion der Materie aufgehoben.

)m Namo Narayanaya (ohm nah-mo nah-rai-ah-nai-ah)
ls Energiemuster von Ausgeglichenheit und Harmonie im männlichen spekt wird dieses Mantra von Menschen in Problemsituationen gewählt, lamit sie die Kraft zur Wiedererlangung der Harmonie gewinnen.

)m Aim Saraswatyai Namah (ohm eim Sah-rah-swat-yai na mah-ha)
)en weiblichen Aspekt des Musters schöpferischer Kraft und Weisheit wähen vor allem Künstler und Musiker.

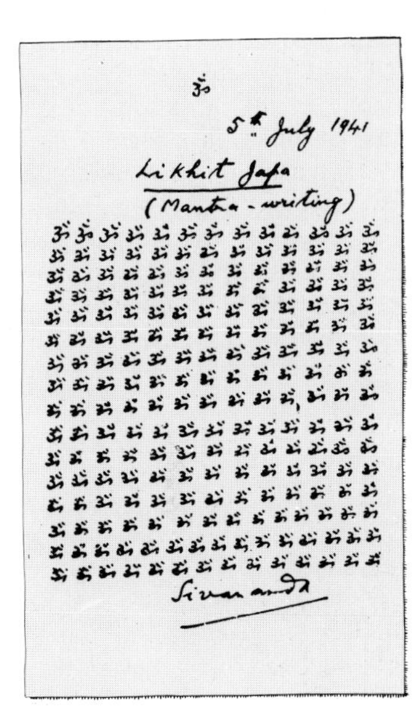
ॐ
5th July 1941
Likhit Japa
(Mantra-writing)
Sivananda

Likhita Japa
Wenn Sie Likhita Japa oder das Aufschreiben Ihres Mantras praktizieren wollen, sollten Sie sich eigens dafür ein Heft anschaffen. Entscheiden Sie sich zu Beginn, wie oft oder wie lange Sie das Mantra wiederholen wollen. Das Ziel heißt nicht, so schnell wie möglich zu schreiben, sondern vielmehr jeder einzelnen Wiederholung die gebührende Aufmerksamkeit zu schenken. Sie können in Sanskrit oder der Transskription schreiben. Statt schlicht nur von links nach rechts zu schreiben, versuchen Sie doch auch einmal ein Muster mit Ihrem Mantra. Oben sehen Sie ein Beispiel aus Swami Sivanandas eigenem Likhita Japa.

Nirguna Mantras

OM (ohm)
OM ist das ursprüngliche Mantra, die Wurzel aller Töne und Buchstaben und somit aller Sprachen und Gedanken. Das »O« wird tief im Körper erzeugt und angsam nach oben gezogen, um sich mit dem »M« zu vereinen, die Resonanz erfaßt dann den ganzen Kopf. Durch eine 20minütige Wiederholung von OM entspannt jedes Atom in Ihrem Körper.

Soham (Soh-ham)
Dieses Mantra wird unbewußt bei jedem Atemzug wiederholt: beim Einatmen »So«, beim Ausatmen »Ham«. Es bedeutet »Ich bin dies« – jenseits aller Begrenzungen von Geist und Körper, eins mit dem Absoluten.

Asanas und Variationen

»Die Stellung ist dann vollendet,
wenn die Anstrengung, sie zu erreichen,
schwindet.«
Yogabhashya

Mit den Grundstellungen haben Sie die Basis für Ihr tägliches Training erworben. Dieses Kapitel erweitert nun Ihren Horizont, indem es Ihnen eine Fülle von Abwandlungen und neue Asanas bietet, die Ihren Grundbestand erweitern. Aus Gründen der Übersichtlichkeit haben wir die Asanas in sechs Zyklen aufgeteilt: Den Zyklus des Kopfstands, des Schulterstands, der Kopf-Knie-Stellung, der Rückwärtsbeugen, der Sitzhaltungen und der Gleichgewichtsübungen. Diese Zyklen sollen jedoch keine strenge Unterteilung darstellen, sondern vielmehr den Platz eines jeden Asanas im Gesamtplan aufzeigen.

Jeder Zyklus enthält Variationen der Asanas aus der Grundübungsserie, außerdem neue Asanas, die zur selben Familie gehören. Grundsätzlich ist jede Doppelseite so aufgeteilt, daß zunächst die leichteren und dann die schwierigeren Asanas behandelt werden. Oft bestehen die fortgeschrittenen Variationen lediglich in einer natürlichen Weiterentwicklung der leichteren. Mit zunehmender Beweglichkeit und Stärke werden Sie von selbst in diese Stellungen hineinkommen. Doch wie geschickt Sie auch sind, Sie sollten die Asanas auf jeden Fall der Reihe nach üben, um Ihren Körper langsam für die schwierigeren Stellungen aufzuwärmen.

Erwarten Sie nicht, daß Sie den ganzen Zyklus in einem Durchgang schaffen. Wählen Sie ein paar neue Asanas oder Variationen aus jedem Zyklus und bauen Sie diese in Ihr Ausgangsprogramm ein, das Ihnen jetzt schon zur zweiten Natur geworden sein sollte. Beachten Sie die gleichmäßige Verteilung der Zeit innerhalb der einzelnen Zyklen – dieses Gleichgewicht ist nötig, um nicht einen Aspekt von Asanas auf Kosten eines anderen überzubetonen. Gewöhnen Sie sich gleichzeitig an, die Variationen, die Sie üben, aufeinander abzustimmen – nach der Kopf-Knie-Stellung folgen beispielsweise die rückwärtsbeugenden Übungen. Gehen Sie behutsam vor, wenn Sie eine neue Asana lernen, besonders wenn Sie am Anfang noch steif sind. Sie vermeiden dadurch eine Überbeanspruchung von Muskeln und Gelenken, und auch die inneren Organe können sich langsam an die ungewohnten Bewegungen gewöhnen.

Möglicherweise machen Sie am Anfang sehr rasche Fortschritte, später erreichen Sie dann ein Stadium, in dem Sie sich anscheinend nicht mehr verbessern. Verzagen Sie nicht, wenn das eintritt – Sie machen Fortschritte, auch wenn es Ihnen verborgen bleibt. Fahren Sie einfach mit Ihrem täglichem Übungsprogramm fort, probieren Sie verschiedene Variationen aus, um sich selbst zu fordern. Diese Phase geht rasch vorüber und mit der Zeit werden Sie deutlich erkennen, welche Rolle Asanas in Ihrem Alltagsleben spielen, und sind dann auch nicht mehr von Erfolgserlebnissen abhängig.

Einigen Yogis genügt es, in einer Stellung Vollendung zu erreichen – sie halten beispielsweise den Kopfstand für etwa drei Stunden. Die meisten Menschen aber müssen sich allmählich und gleichmäßiger entwickeln: sie arbeiten sich durch eine Reihe verschiedener Bewegungen voran. Die unterschiedlichen Asanas wirken auf jeweils andere Bereiche des Körpers und des Geistes. Wenn sich einzelne Teilbereiche des Körpers öffnen und Sie zunehmend Kontrolle darüber gewinnen, so öffnet sich entsprechend auch Ihre Persönlichkeit und Ihr Bewußtsein erweitert sich. Dies kann sich sowohl emotional als auch spirituell äußern: Sie entdecken plötzlich, daß Sie sich freier fühlen, in Gesellschaft zum Beispiel offener und entspannter sind und daß Sie viel leichter meditieren können.

Ihr Körper beginnt, sich dann wirklich zu öffnen, wenn Sie eine Asana-Stellung halten. Schließen Sie die Augen und nutzen Sie die Zeit, um sich auf Ihren Atem oder Ihr Mantra zu konzentrieren. Die Variationen einer Grund-Asana – zum Beispiel des Schulterstands – stärken Ihre Kontrolle in diesem Asana und lassen Ihre Haltung sicherer werden. Je gelöster Sie eine Asana halten, um so freier wird Ihr Geist sich nach innen zur Meditation wenden.

Der Kopfstandzyklus

Haben Sie erst einmal den Kopfstand gemeistert und sich an diese Stellung gewöhnt, können Sie mit der Entdeckung des Raums aus dieser umgekehrten Position heraus beginnen und tragen so zur Vertiefung der Stellung bei. Tatsächlich entstehen all die Variationen in diesem Zyklus ganz natürlich aus dem Kopfstand. Auf sich selbst gestellt, würden Sie diese intuitiv aus sich heraus entwickeln. Eine der Hauptlektionen, die Sie in den Umkehrstellungen lernen, besteht darin, daß Sie Arme und Beine als austauschbar betrachten. Im Lauf der Übungen werden Ihre Arme Ihr Gewicht ebenso mühelos tragen wie Ihre Beine und Sie erreichen die gleiche Beweglichkeit in dieser umgekehrten Stellung. Der Kopfstand ist seiner Natur nach eine sehr meditative Haltung. Nutzen Sie diese Tatsache, während Sie die Variationsstellungen halten – lassen Sie Ihren Geist ruhig und einpünktig werden.

Beinvariationen

Wenn Sie wirklich Freude an fortgeschrittenen Asanas empfinden und darin meditieren wollen, müssen Sie Ihr eigenes Gewicht mühelos tragen können. Die hier gezeigten Beinschwünge sind ein Mittel, um zu diesem höheren Ziel zu kommen. Indem Sie lernen, das Gewicht Ihrer Beine aus der Rückenlage heraus zu tragen, entwickeln Sie die notwendige Kraft zur Kontrolle Ihres ganzen Körpers auch für andere Stellungen. Mit der Zeit können Sie diese Übungen durch Beinvariationen in stehenden oder umgekehrten Asanas ersetzen. In der Abwandlung 1 benutzen Sie Ihre Beine als »Gewichte«, indem Sie diese in einem Bogen von der einen Seite zur anderen schwingen. Abwandlung 2 streckt Ihre Beine und macht die Hüftgelenke beweglicher. Wiederholen Sie jede Übung mindestens dreimal. Achten Sie darauf, daß die Schultern auf dem Boden und die Knie gerade bleiben.

Variation 1
Legen Sie sich mit geschlossenen Beinen auf den Boden, die Arme neben den Körper, die Handflächen zeigen nach unten. Einatmen, beide Beine hochheben und sie beim Ausatmen nach rechts auf den Boden legen; dann wieder einatmen, beide Beine hochheben und ausatmend nach links schwingen.

Variation 2
Die Arme sind zur Seite ausgestreckt, die Handflächen zeigen nach oben. Beim Einatmen heben Sie das rechte Bein und legen es beim Ausatmen zur linken Hand. Halten Sie die Stellung, atmen Sie ein und heben Sie das Bein zur Mitte, ausatmend legen Sie es auf den Boden.

Beinübungen im Kopfstand

Sie sollten sich im Sirshasana sehr sicher fühlen, ehe Sie mit einer der rechts und gegenüber gezeigten Variationen des Kopfstands beginnen. Halten Sie beide Beine in den Stellungen gerade, halten Sie die Stellung solange es angenehm ist. Sobald Ihnen diese Beinübungen mühelos gelingen, können Sie auf die Beinübungen vom Boden aus verzichten.

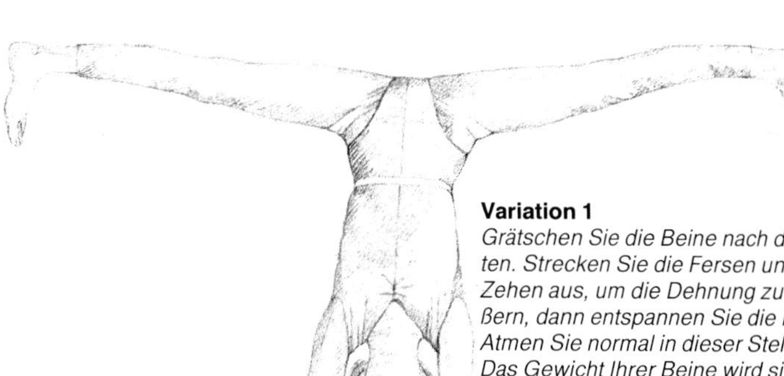

Variation 1
Grätschen Sie die Beine nach den ten. Strecken Sie die Fersen und d Zehen aus, um die Dehnung zu ve ßern, dann entspannen Sie die Füß Atmen Sie normal in dieser Stellun Das Gewicht Ihrer Beine wird sie a mählich weiter nach unten ziehen.

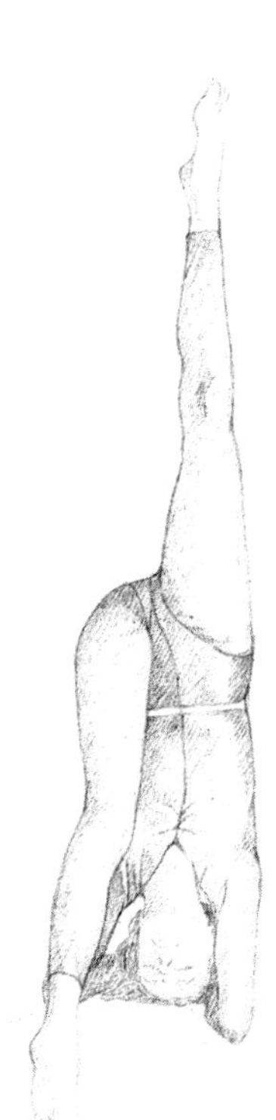

'ariation 2 und 3
Schieben Sie die Hüften zu-'ick, atmen Sie aus und legen 'ie ein Bein auf den Boden, hne das Gewicht auf den Fuß u verlagern. Beim Einatmen eben Sie das Bein wieder.
(rechts) Aus Variation 1 beim usatmen ein Bein seitlich auf len Boden stellen, einatmen, 'as Bein wieder heben.

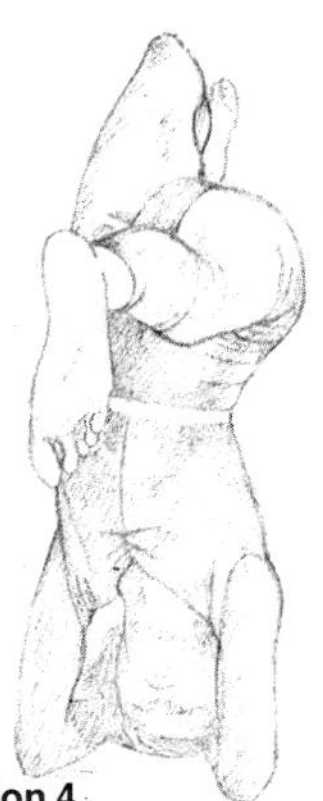

Variation 4
3ewegen Sie ein Bein nach vorn, das andere nach hinten. Die Fersen, dann die Zehen strecken. Die Schwerkraft zieht hre Beine nach unten. Nun ge-hen Sie zurück in den Kopf-stand und wiederholen die Übung durch Wechseln der Beine.

Der Skorpion

Vrischikasana, den Skorpion, zu meistern ist eher eine Sache des Vertrauens und der Konzentration als ein Kraftakt. Stellen Sie sich Ihre Hände und Unterarme als riesige »Füße« vor, und Sie werden bald die Furcht vor dem Umfallen überwinden. Wenn Sie sich auf Hände und Unterarme stützen, verteilen Sie Ihr Gewicht auf eine viel größere Fläche als aufrecht auf den Füßen stehend. Bevor Sie mit dem ganzen Skorpion beginnen, gewöhnen Sie Ihren Körper erst einmal an die Rückwärtsbeuge, indem Sie die verschränkten Finger öffnen und die Handstellung verändern. Dann falten Sie Ihre Hände wieder und kommen zurück zum Kopfstand. Wenn Sie diese Asana lernen, bringen Sie Brust und Beine möglichst nah zum Boden und ziehen Sie Ihre Hüften nach hinten, von den Füßen weg, um sicherer zu werden. Der Erfolg dieser Stellung hängt hauptsächlich davon ab, daß die Beine weit genug nach hinten gebeugt werden. Nur so läßt sich das Gewicht des Rumpfes verlagern, während die Hände dafür sorgen, daß das Gleichgewicht gehalten wird. Nach dem Skorpion strecken Sie die Wirbelsäule durch eine vorwärtsbeugende Übung im Kopfstand nach der anderen Richtung, indem Sie die Füße vor Ihrem Gesicht auf den Boden bringen (→ Seite 103).

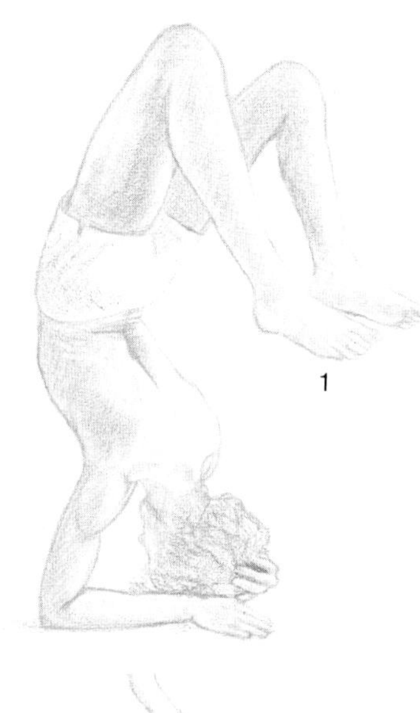

1 *Beugen Sie Ihren Rücken und Knie, führen Sie die Beine gespreizt nach hinten. Lösen Sie die Finger und legen Sie eine Hand flach neben den Kopf auf den Boden.*

2 *Legen Sie die andere Hand ebenfalls flach auf den Boden, drehen Sie die Handgelenke ein wenig nach außen, so daß Unterarme und Hände parallel liegen. Drücken Sie die Schultern nach oben und nehmen Sie alles Gewicht vom Kopf weg.*

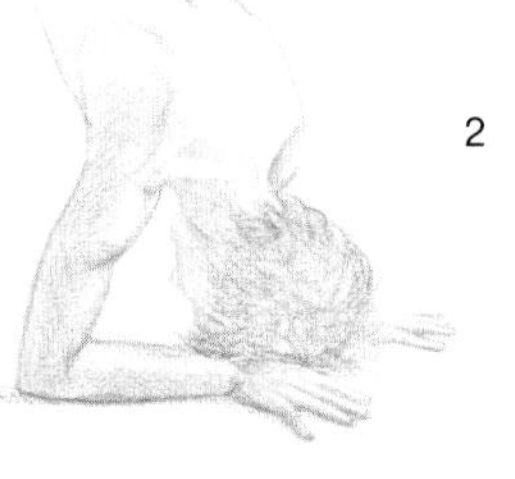

3 *Nun heben Sie Ihren Kopf und halten die Stellung. Durch zunehmende Übung werden sich Ihre Beine senken, so daß schließlich die Füße Ihren Kopf berühren. Um aus der Stellung herauszukommen, gehen Sie die einzelnen Schritte in umgekehrter Reihenfolge durch.*

Variation 1
Sobald Sie geschickter geworden sind, versuchen Sie, Ihre Beine aus der klassischen Position heraus zu strecken. Wenn Sie das fertigbringen, gehen Sie direkt, ohne Beugen der Beine, in den Skorpion.

Variation 2
In dieser fortgeschrittenen Variation (ganz rechts) ähnelt die Stellung am ehesten einem Skorpion, der seinen Schwanz über den Rücken biegt. Bringen Sie Ihre Beine soweit wie möglich zum Boden. Ziehen Sie die Hüften zurück soweit Sie können und strecken Sie die Knie.

Armvariationen

Sobald Sie den Kopfstand sicher beherrschen, probieren Sie auch einmal eine andere als die »Dreifußbasis« mit Ihren Händen aus. Das Hineinkommen in diese Stellung und Halten dieser Armvariationen ist eine Gleichgewichtsübung. Ist es Ihnen zu anstrengend, Ihre Arme mit den Beinen im klassischen Sirshasana (wie gezeigt) zu bewegen, dann grätschen Sie Ihre Beine seitlich. Je näher Ihr Körper dem Boden kommt, desto besser können Sie die Balance halten. Wenn Sie Ihr Gewicht verlagern, um die Armstellung zu verändern, halten Sie Ihren Geist mit Atemkontrolle ruhig. Jedesmal wenn Sie ein neues Hindernis bei Ihren Asanas überwinden, gewinnen Sie mehr Vertrauen in Ihre Fähigkeit, Ihre eigenen Grenzen zu überschreiten.

1a

1b

1a *Öffnen Sie die Hände und verlagern Sie das Gewicht stark nach links. Wenn Sie sich im Gleichgewicht fühlen, atmen Sie ein und während Sie den Atem anhalten, führen Sie Ihre rechte Hand zurück und plazieren sie dort, wo der Ellbogen war.*
1b *Nun wiederholen Sie das gleiche nach der anderen Seite: Führen Sie Ihre linke Hand zurück, halten, normal weiteratmen.*

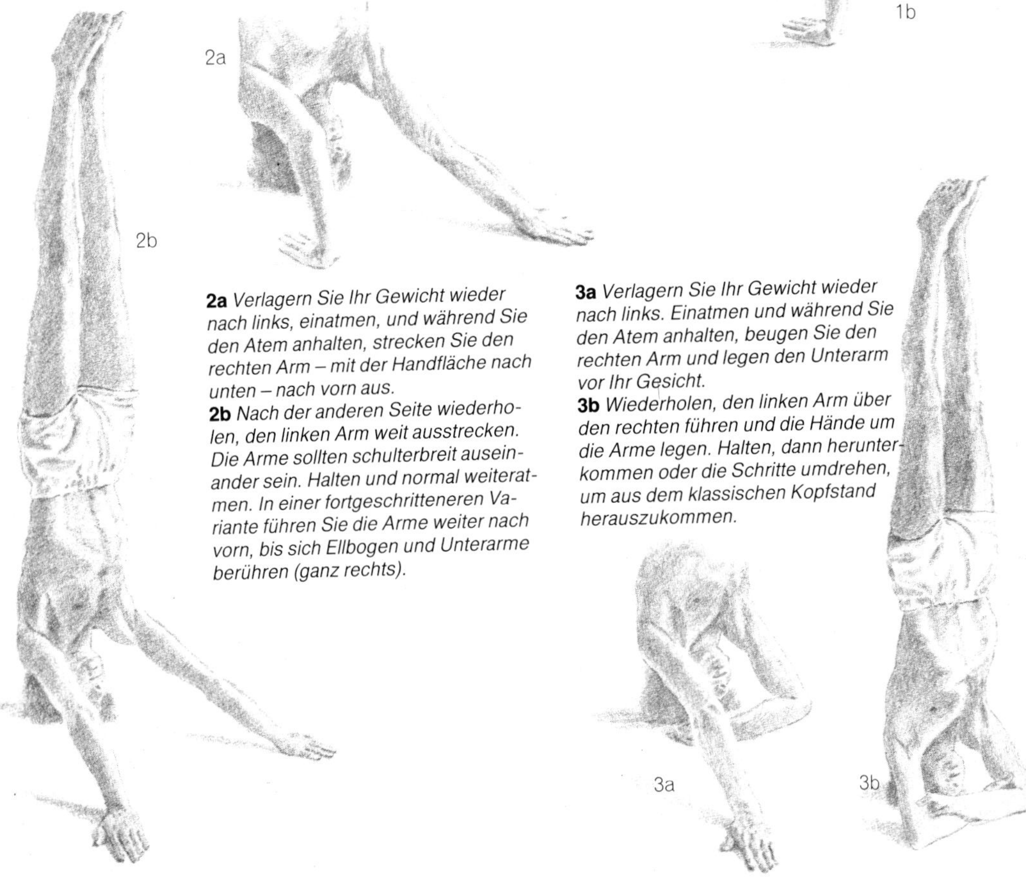
2a 2b 3a 3b

2a *Verlagern Sie Ihr Gewicht wieder nach links, einatmen, und während Sie den Atem anhalten, strecken Sie den rechten Arm – mit der Handfläche nach unten – nach vorn aus.*
2b *Nach der anderen Seite wiederholen, den linken Arm weit ausstrecken. Die Arme sollten schulterbreit auseinander sein. Halten und normal weiteratmen. In einer fortgeschritteneren Variante führen Sie die Arme weiter nach vorn, bis sich Ellbogen und Unterarme berühren (ganz rechts).*

3a *Verlagern Sie Ihr Gewicht wieder nach links. Einatmen und während Sie den Atem anhalten, beugen Sie den rechten Arm und legen den Unterarm vor Ihr Gesicht.*
3b *Wiederholen, den linken Arm über den rechten führen und die Hände um die Arme legen. Halten, dann herunterkommen oder die Schritte umdrehen, um aus dem klassischen Kopfstand herauszukommen.*

Der Lotus im Kopfstand

Beim Lotus im Kopfstand (Urdhwapadmasana) wird Ihr Körper in der umgekehrten Stellung noch fester. Mit verschränkten Beinen ist es tatsächlich leichter, das Gewicht im Kopfstand zu halten. Das Verschränken der Glieder bewirkt außerdem ein Sammeln des Körpers und lenkt die Aufmerksamkeit nach innen. Der Kopfstand zieht Prana zum Gehirn, der Lotus hält es in den unteren Gliedmaßen. In der Verbindung der beiden Asanas fühlen Sie die Konzentration der Prana-Energie in Ihrer Wirbelsäule. Zusätzlich zu der links abgebildeten Drehung können Sie sich auch aus der Stellung nach vorn beugen. Im Lotus wird der Rücken weniger belastet, was wiederum die Beugung vertieft.

Der Lotus im Kopfstand
Kommen Sie im Kopfstand in den Lotus. Nachdem Sie ein Bein abgewink haben, beugen Sie die Hüften ein we nig nach vorn und legen das zweite Bein über das erste.

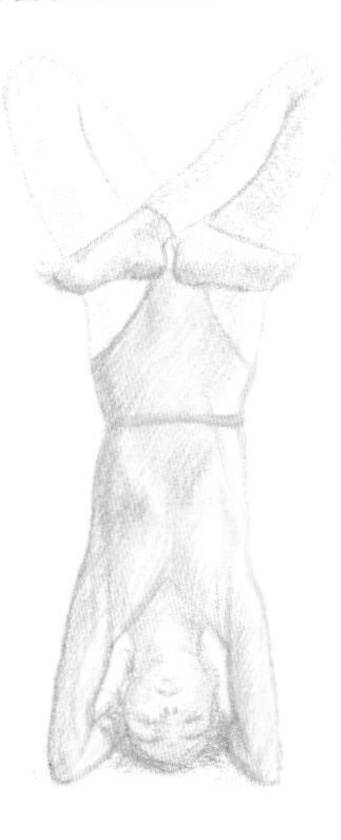

Variation *(links)*
Drehen Sie Ihre Hüften nach recht während Sie sich auf den linken U arm stützen, um das Gleichgewich halten. Mit einer Drehung nach lin wiederholen.

Umkehrstellung mit einem Bein

Dies ist eine der fortgeschrittensten Stellungen im Kopfstandzyklus. Sie erfordert äußerste Beweglichkeit und Kraft. Biegen Sie die Wirbelsäule ganz zurück und bringen Sie Ihre Füße hinter dem Kopf auf den Boden. Dann heben Sie abwechselnd je ein Bein hoch, wodurch dann jede Seite Ihres Körpers enorm gestreckt wird. Die Stellung stärkt auch Beine und Füße, denn der Fuß, der jeweils auf dem Boden bleibt, trägt nicht nur das Körpergewicht, mit seiner Hilfe können sie auch Oberkörper und Kopf nach hinten ziehen. Konzentrieren Sie sich bei dieser Asana darauf, Ihren Kopf zu dem stehenden Bein zu ziehen.

1 *Im Kopfstand beugen Sie Ihren Rücken und bringen Ihre Beine hinter den Kopf. Dann drücken Sie Ihre Ellbogen fest auf den Boden, entspannen den Rücken und schieben die Hüften hoch, während Sie sich sanft auf Ihre Füße fallen lassen. (Wenn Sie das aus dem Kopfstand heraus noch nicht fertigbringen, drücken Sie sich vom Boden in die Stellung hoch, die Hände im »Dreifuß« gefaltet.)*

2 *Nun öffnen Sie die Finger und rücken mit einem Fuß näher an Ihren Kopf heran. Halten Sie den Fuß in beiden Händen, wie rechts gezeigt, strecken Sie das andere Bein gerade hoch und heben Sie Ihren Kopf vom Boden. Wiederholen Sie das Ganze mit dem anderen Bein.*

Der Schulterstandzyklus

Die Asanas aus diesem Zyklus sind wesentlich leichter zu erschließen als die im Kopfstandzyklus, weil Sie – mit dem Gesicht nach oben – sehen können, was Sie tun. Das vermindert nicht nur Ihre Angst vor neuerlichen Verrenkungen des Körpers, sondern ermöglicht es Ihnen auch, als Ihr eigener Lehrer zu fungieren: Sie können kontrollieren, ob Ihr Körper gerade oder Ihre Glieder symmetrisch sind. In diesem Zyklus konzentriert sich das Prana im Nacken und im oberen Teil des Rückgrats – was wiederum dem unteren Rücken zugutekommt – denn alles, was am einen Ende der Wirbelsäule geschieht, spiegelt sich automatisch am anderen Ende. Um richtig in diese Variationen hineinzukommen, ziehen Sie – noch in der Totenstellung (→ Seite 24) – Ihre Schultern nach unten und strecken den Hals, von den Schultern weg, nach oben.

Armvariationen

Je beweglicher Sie in Ihren Asanas werden, um so weniger benötigen Sie Ihre Arme, um Ihren Körper zu halten. Sie werden zum Beispiel ohne Zuhilfenahme Ihrer Hände vom Sitzen auf dem Boden aufstehen können. Um in Sarvangasana das Gleichgewicht mit seitlich am Körper entlanggestreckten Armen (Variation 3), halten zu können, brauchen Sie starke Rückenmuskeln und gute Konzentration. Sobald Sie dies haben, probieren Sie auch die Beinvariationen in dieser Stellung.

Beinvariationen

Eine der Hauptlektionen der Umkehrstellungen besteht darin, Ihnen zu zeigen, daß Sie Ihre Beine nicht nur zum Tragen Ihres Gewichts, sondern auch zum Ausgleichen benutzen können. Sowohl im Schulter- als auch im Kopfstand verändern die Beinvariationen Ihre Einschätzung des Gleichgewichts und die Art und Weise, wie Sie Ihr Gewicht verteilen.

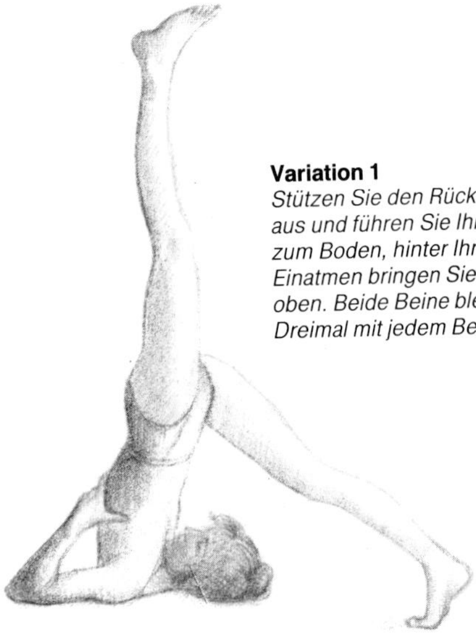

Variation 1
Stützen Sie den Rücken, atmen Sie aus und führen Sie Ihr rechtes Bein zum Boden, hinter Ihren Kopf. Beim Einatmen bringen Sie es wieder nach oben. Beide Beine bleiben gestreckt. Dreimal mit jedem Bein wiederholen.

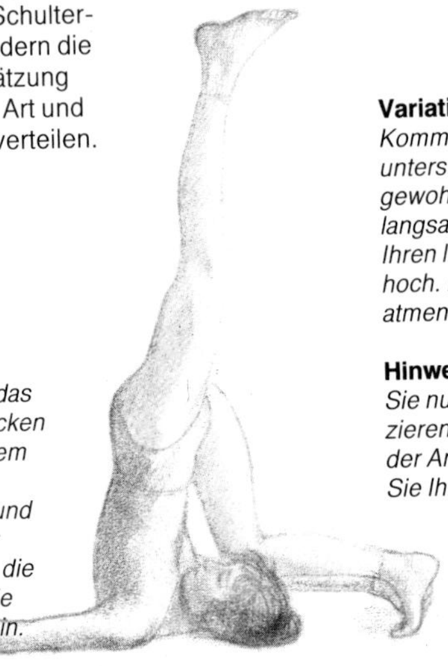

Variation 2
Wie in Variation 1 führen Sie das rechte Bein nach unten. Strecken Sie den linken Arm hinter Ihrem Rücken auf dem Boden aus, beugen Sie das rechte Bein und legen Sie das Knie neben Ihr Ohr. Nehmen Sie den Fuß in die rechte Hand. Wiederholen Sie die Übung mit dem linken Bein.

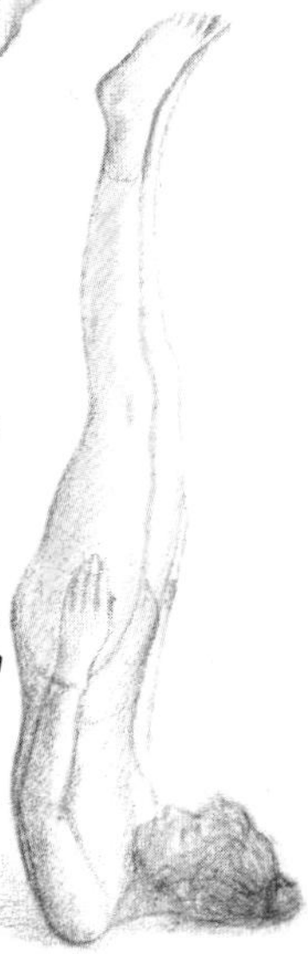

Variation 3
Kommen Sie in den Schulterstand und unterstützen Sie Ihren Rücken in der gewohnten Weise. Nun bringen Sie langsam zuerst Ihren rechten, dann Ihren linken Arm an den Hüften entlang hoch. Halten Sie die Stellung und atmen Sie normal.

Hinweis! *Diese Armvariation sollten Sie nur mit gestrecktem Rücken praktizieren. Wenn Ihr Körper beim Anheben der Arme heruntersackt, unterstützen Sie Ihren Rücken.*

Variation 4

Unterstützen Sie Ihren Rücken, beugen Sie das rechte Knie ein wenig, legen Sie dann das linke Bein über das rechte und winden Sie den linken Fuß um ihren rechten Knöchel. Drücken Sie die Beine zusammen. Halten Sie die Stellung und wiederholen Sie sie, das rechte Bein über das linke geschlungen. Dies ist der Adler im Schulterstand.

Variation 5

Im Schulterstand unterstützen Sie Ihren Rücken, beugen Ihr rechtes Knie und legen den Fuß im halben Lotus auf den linken Oberschenkel. Nun atmen Sie aus und führen Ihr linkes Bein hinter dem Kopf zum Boden, einatmen, das Bein wieder heben. Die Beine wechseln, wiederholen.

Pflugvariationen

Die Varianten des Pflugs (Halasana) biegen und strecken abwechselnd jeden Abschnitt der Wirbelsäule. Werden die Beine dabei vom Kopf weggestreckt, stärkt die Übung Ihren Nacken und den oberen Teil der Wirbelsäule. Gehen Sie mit Ihren Beinen näher zum Kopf heran, wirkt sie mehr auf den unteren Teil des Rükkens. Bevor Sie jedoch irgendeine dieser Variationen üben, halten Sie zunächst einmal die klassische Stellung mit hinter dem Rücken gefalteten Händen. Fühlen Sie sich in irgendeiner Stellung zunächst steif, so führen Sie die Arme kurz hinter sich auf den Boden, um den Rücken zu erholen. Wenn Ihr Atem zu flattern beginnt, entspannen Sie sich und lenken Sie Ihre Aufmerksamkeit auf den Atem. Dadurch überwinden Sie das Problem.

Ohr-Knie-Variationen
Im Pflug ausatmen, die Beine beugen und die Knie neben die Ohren auf den Boden legen. Die Arme über die Kniekehlen legen und die Handflächen an die Ohren pressen.

Variation 1
Grätschen Sie die Beine weit auseinander. Strecken Sie Ihre Arme – die Hände in Gebetshaltung – zwischen den Beinen nach oben. In dieser Stellung lastet Ihr ganzes Gewicht mehr auf dem Rückgrat als auf der Schulterpartie.

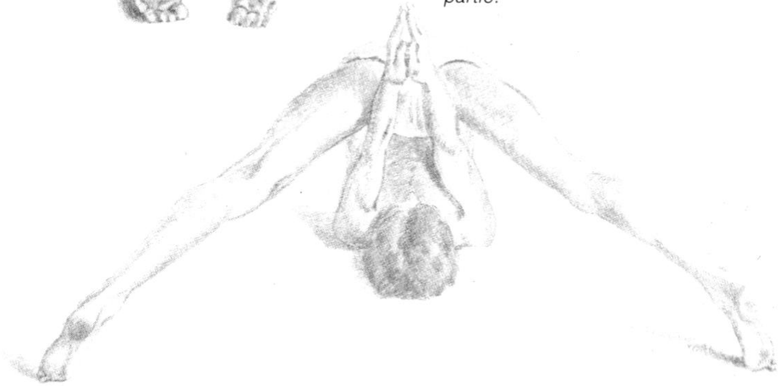

Variation 2 und 3
2a *Verschränken Sie die Finger hinter dem Rücken. Nun bewegen Sie Ihre Füße soweit wie möglich nach der einen Seite, halten Sie dabei die Knie gestreckt und die Beine zusammen, wie links gezeigt.*

2b *Beim Ausatmen beugen Sie die Knie und legen sie neben das Ohr, wiederholen Sie das gleiche nach der anderen Seite.*

3 *(unten) Führen Sie Ihre Füße weit über den Kopf zurück nach hinten. Ausatmen, die Knie beugen und zum Boden bringen. Drücken Sie Ihre Arme und die gefalteten Hände gegen den Boden. Dadurch können Sie Ihre Füße noch weiter zurückstrecken.*

Variation 4 *(links)*
Kommen Sie in den Schulterstand und legen Sie die Beine in den Lotus. Dann führen Sie die Knie langsam hinter dem Kopf zu Boden.

Brückenvariationen

Durch Sethu Bandhasana und dessen Variationen entwickeln Sie außergewöhnliche Kraft im unterem Teil des Rückens und im Bauch. Durch das Hinaufdrücken der Hüften arbeiten Sie der Schwerkraft entgegen. In der ersten Variation ist die Stellung etwas leichter zu halten, weil die erhobenen Beine Ihnen helfen, den Körper hochzuhalten. Sobald es Ihnen gelingt, mit beiden Beinen direkt aus dem Schulterstand in die Brücke zu kommen, führen Sie Ihre Hände näher an die Schulterblätter heran. Achten Sie darauf, daß die Ellbogen nicht nach außen gedreht werden, wenn Sie in die Stellung gehen. Sobald eine Asana oder eine Variation mühelos gelingt, versuchen Sie sich zu vervollkommnen. Werden Sie nicht selbstgefällig. Gleichgültig, wie geschickt Sie bereits sind – es gibt immer noch einen Schritt zur Verbesserung. Bei der Brücke zum Beispiel könnten Sie versuchen, direkt aus dem Schulterstand mit einem Bein im halben Lotus und dem anderen Bein gestreckt herunterzukommen.

Variation 1
Gehen Sie in die Brücke und mit Ihren Füßen soweit vor, bis die Beine gestreckt sind. Atmen Sie ein und heben ein Bein, halten Sie das Knie gestreckt. Atmen Sie normal, während Sie die Stellung halten. Atmen Sie aus, während Sie das Bein herunterlegen.

Variation 2
Gehen Sie in die Brücke, führen Sie die Füße zurück in Richtung Hüften, umfassen Sie die Knöchel und drücken Sie die Hüften hoch.

Variation 3 *(rechts)*
Gehen Sie im Schulterstand in den Lotus. Stützen Sie Ihren Rücken, atmen Sie aus und senken Sie langsam die Knie. Halten Sie Kopf und Schultern unten und die Ellbogen wie vorher.

Fischvariationen

Yogis benutzen den Lotus im Fisch, um für längere Zeit im Wasser treiben zu können, wobei sie die Stellung mit einer besonderen Atemtechnik verbinden. Biegen Sie Ihr Rückgrat in diesen Matsyasana-Variationen, so wird Prana zur Brust und zum Kopf hinaufgelenkt. Dadurch, daß die Füße im Lotus verschlungen sind, wird verhindert, daß Prana nach unten entweicht. Um die Rückendehnung zu intensivieren und den Brustkorb und die Lungenflügel zu weiten, stemmen Sie sich weiter hoch, indem Sie an Ihren Füßen ziehen und dabei die Ellbogen fest herunterdrücken. Versuchen Sie, den Scheitelpunkt Ihres Kopfes zum Boden zu führen, so daß Sie die Beugung bis zur oberen Wirbelsäule hinauf spüren können.

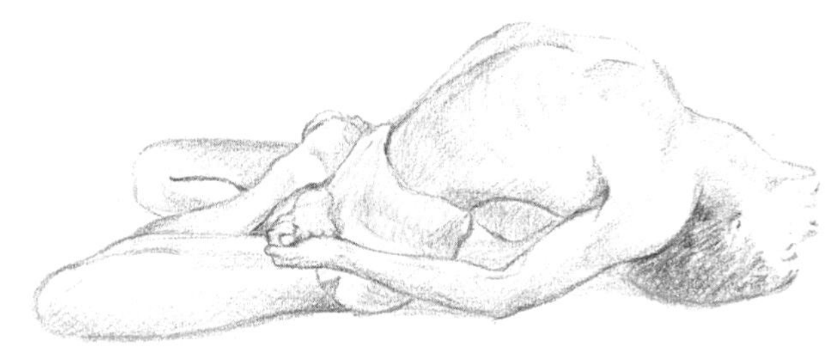

Variation 1 (Lotus im Fisch)
Legen Sie sich im Lotus hin. Stützen Sie sich auf Ihre Ellbogen und ziehen Sie Ihren Rücken hoch, bis Ihr Scheitel den Boden berührt. Mit den Handflächen nach oben, halten Sie die Füße von hinten und versuchen, Ellbogen sowie Knie auf den Boden zu drücken.

Variation 2 (Gebundener Fisch)
Im Lotus im Fisch verlagern Sie Ihr Gewicht auf den linken Ellbogen, der Rükken bleibt gebogen, wie rechts abgebildet. Greifen Sie mit Ihrem rechten Arm unter Ihren Rücken. Einatmen, den rechten Fuß fassen. Ausatmen, dann mit dem anderen Arm wiederholen.

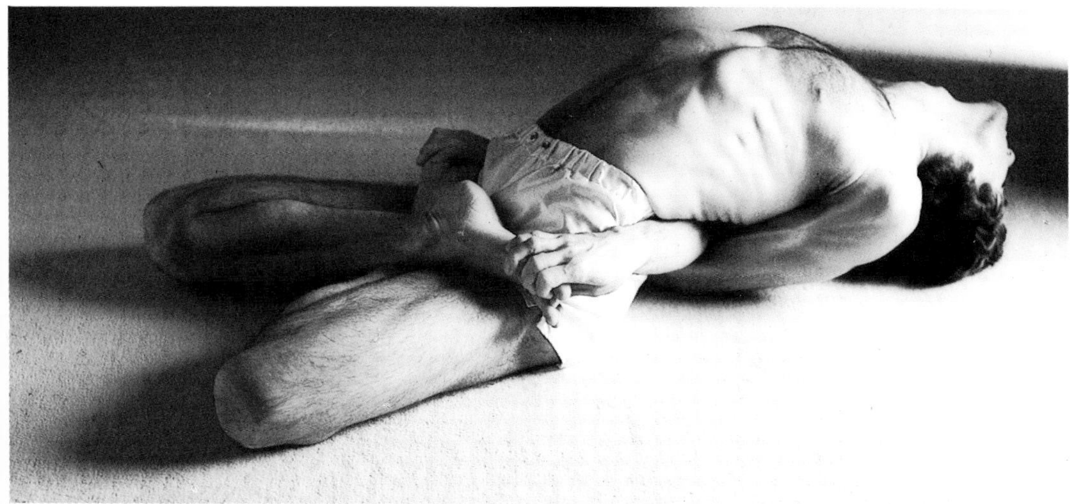

Der Kopf-Knie-Zyklus

Dieser Zyklus umfaßt nicht nur die vorwärtsbeugenden Asanas und Variationen, sondern auch die Gegenstellung – die schiefe Ebene. Die Kopf-Knie-Stellung streckt und dehnt die Wirbelsäule ihrer natürlichen S-Form entsprechend und schafft so Zwischenraum zwischen den einzelnen Wirbeln. Im Lauf der Zeit und mit zunehmender Praxis führt diese Streckübung bei der Rückenmuskulatur dazu, daß die Wirbel exakt ausgerichtet werden. Gleichzeitig nimmt die Beweglichkeit der Wirbelsäule in entgegengesetzter Richtung zu. Während Sie also mit den Asanas in diesem Zyklus Fortschritte machen, verbessern Sie auch Ihre rückwärtsbeugenden Stellungen. Wenn Sie einen Teil Ihres Körpers drücken – zum Beispiel den Arm – wird er rot, weil mehr Blut in diesen Bereich transportiert wird. Die Kopf-Knie-Stellung drückt die Bauchorgane zusammen, versorgt sie also mit frischem Blut und hält so den gesamten Verdauungstrakt gesund. Der Zyklus als Ganzes übt außerdem eine wohltuende Wirkung auf den Geist aus.

Kopf-Knie-Stellung-Variationen

Das Wichtigste bei den Übungen dieser Serie ist das Erlernen der Vorwärtsbeuge aus der Rückenwurzel heraus, wobei die Kniekehlen auf dem Boden bleiben sollen. Die verschiedenen Handstellungen verändern die Dehnung auf die Wirbelsäule und die Schultern, Sie kommen tiefer in die Position.
Variation 5 erfordert einen ausgeprägten Gleichgewichtssinn sowie Kraft, Variation 6 streckt den Rumpf und belebt die Bauchorgane. Halten Sie all diese Paschimothanasana-Variationen für längere Zeit, damit der Körper sich der Dehnung anpassen kann. Die Wirbelsäule läßt sich ziemlich langziehen – mit der Zeit kommen Sie mit Ihrem Kopf sogar bis zu den Füßen.

Variation 1 und 2
1 *Legen Sie Ihre Handflächen auf die Fußsohlen und die Finger unter die Fersen. Diese Variation verstärkt den Zug auf ihre Kniesehnen.*
2 *(unten) Die Ellbogen auf dem Boden, verschränken Sie Ihre Finger um die Fußgewölbe.*

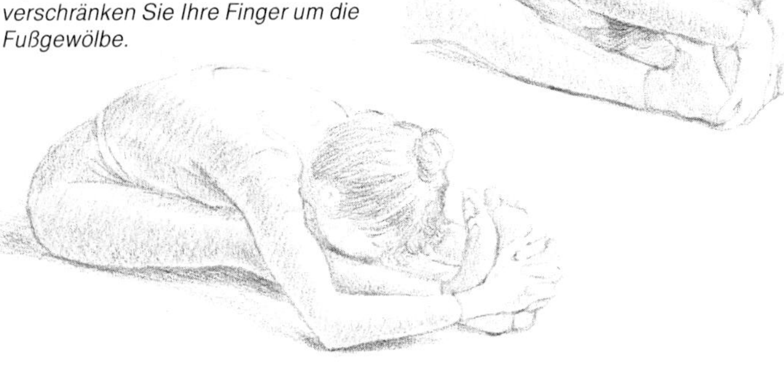

Variation 3 *(links)*
Die Ellbogen auf dem Boden, strecke Sie Ihren linken Arm über die Füße hi aus und umfassen mit Ihrer rechten Hand das linke Handgelenk. Die Stellung halten, dann die Hände wechsel und wiederholen.

Variation 4
Setzen Sie sich aufrecht mit geschlossenen, gestreckten Beinen auf den Boden. Legen Sie die Handflächen auf dem Rücken aneinander. Mit Hilfe der Bauch- und Rückenmuskeln beugen Sie sich aus der Rückenwurzel nach vorn. Diese Position weitet die Schultern und gibt Ihnen die Möglichkeit, das Rückgrat mit den Händen sanft nach unten zu drücken.

Variation 5

Setzen Sie sich mit zur Brust gezogenen Knien auf den Boden. Fassen Sie Ihre Zehen und lehnen Sie sich ein wenig zurück; versuchen Sie, in dieser Position das Gleichgewicht zu halten. Langsam strecken Sie die Beine, bringen die Oberschenkel näher zur Brust und ziehen Kopf und Rückgrat nach oben. Um die Bauchmuskeln besser zu entwickeln, versuchen Sie, die Beine zu heben, während Sie die Hände mit den Handflächen nach unten auf dem Boden lassen.

Variation 6

In der Kopf-Knie-Stellung drehen Sie Ihren Körper nach rechts und legen den linken Ellbogen neben dem rechten Schienbein auf den Boden. Benutzen Sie den Ellbogen als Hebel, um Ihren Rumpf in diese Stellung zu drehen. Halten Sie den rechten Fuß mit ihrer linken Hand und führen Sie die rechte Hand über Ihren Kopf, um den linken Fuß zu fassen. Schauen Sie zwischen den Ellbogen nach oben. Halten Sie die Stellung, atmen Sie normal, wiederholen Sie die Drehung nach links.

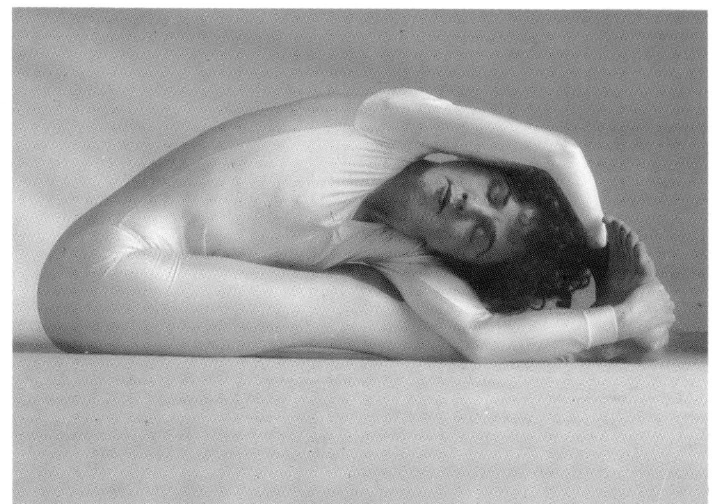

Die halbe Kopf-Knie-Stellung

In Janu Sirasana unterstützt das gebeugte Bein die Hebelkraft, während das gestreckte Bein durch das Gewicht des Rumpfs gedehnt und die Kniesehnen gestreckt werden. Sie werden sehen, daß Ihnen die Bewegung nach einer Seite leichter fällt als sich über beide Beine zu strekken. Diese Asana-Reihe hat eine starke Wirkung auf die Bauchorgane. Die Massage, die Sie durch Janu Sirasana (Mitte rechts) erhalten, wird durch den halben Lotus intensiviert. Die Drehbewegungen der Variationen 2 und 3 erzielen tiefgreifende innere Wirkungen: Sie reinigen das ganze System und halten den Körper schlank und geschmeidig. Beginnen Sie jedes Asana nach rechts, um den aufsteigenden Dickdarm zu beleben; dann nach links wiederholen (absteigender Dickdarm). In Variation 2 versuchen Sie, die Brust nach vorn zu drücken. Gelingt Ihnen dies mühelos, gehen Sie zu Variation 3 über.

1 *Sitzen Sie aufrecht, die Füße nach vorn ausgestreckt. Beugen Sie das rechte Bein und legen die Ferse an den Damm, drücken Sie die Sohle an den linken Oberschenkel. Strecken Sie die Arme mit aneinandergelegten Handflächen über dem Kopf nach oben aus. Einatmen.*

2 *(oben) Atmen Sie aus und beugen Sie sich aus der Rückenwurzel nach vorn. Fassen Sie den Fuß mit beiden Händen, bringen Sie den Kopf so weit wie möglich nach vorn zum Bein. Atmen Sie tief in der Stellung, dann lösen Sie sich langsam daraus.*

Variation 1
Bringen Sie den linken Fuß in den halben Lotus. Legen Sie Ihren linken Arm um den Rücken und halten Sie mit der Hand den Fuß. Einatmen. Beim Ausatmen beugen Sie sich nach vorn zum rechten Bein. Wenn das zu anspruchsvoll ist, beugen Sie sich nach vorn, ohne dabei den Fuß zu halten.

Variation 2 und 3
2 *(oben rechts) Bringen Sie Ihr Knie in eine Linie mit dem linken Fuß. Ausatmen, nach links beugen, den Fuß halten; nutzen Sie die Hebelwirkung des linken Ellbogens, um den rechten Arm hinunterzuziehen.*

3 *(rechts) Lassen Sie die linke Hand zunächst los, drehen Sie die Schulter nach außen, um den Kopf auf den Boden zu bringen. Rollen Sie nun den Kopf – mit dem Gesicht nach oben – zurück auf das Bein und fassen den Fuß mit beiden Händen.*

Die Seitstellung

Eine gute Dehnung ist wie ein Gähnen – wenn Sie es abbrechen, fühlen Sie sich unbefriedigt. Wenn Sie Ihre Beine immer stärker auseinanderspreizen, werden sie sich mit der Zeit immer weiter in der Grätsche öffnen. Beginnen Sie diese Dreh-Asanas, indem Sie die Beine weit aus der Hüfte heraus spreizen – je stärker Sie sie strecken, um so leichter fallen Ihnen die Seitwärtsdrehungen. Versuchen Sie, Ihr Rückgrat lang zu ziehen, während Sie sich zur Seite biegen, um mit dem Kopf bis zum Fuß zu kommen. In der Stellung ziehen Sie die Zehen zum Kopf und drücken die Fersen nach außen, um die Dehnung zu vergrößern und das Gleichgewicht zu halten.

Variation 1
Legen Sie Ihren rechten Arm um den Rücken und fassen Sie mit der Hand zur Innenseite des linken Oberschenkels. Beim Ausatmen legen Sie den Rumpf auf das linke Bein. Halten Sie den Fuß mit der linken Hand.

Variation 2
Aus Variation 1 lösen Sie die rechte Hand, um den linken Fuß zu fassen. Ziehen Sie den linken Ellbogen und die Schulter weg vom Bein. Nun legen Sie Ihren Kopf aufs Schienbein.

Bein- und Armdehnung

In diesen beiden Hastha-Padasana-Variationen sind die Beine ein wenig gedreht und werden beim Vorwärtsbeugen durch das Körpergewicht gestreckt. Die Schwerkraft trägt dazu bei, daß Ihr Körper weiter nach unten gezogen wird. Überdehnen Sie die Beine nicht, verlagern Sie zu Beginn lieber einen Teil des Gewichts noch auf Ihre Hände. Zentimeter für Zentimeter gehen Sie nach vorn, bis die Ellbogen auf den Boden kommen. Mit der Zeit werden Sie Kinn und Brust auf den Boden bringen, die Innenseiten der Oberschenkel haben sich genügend gestreckt.

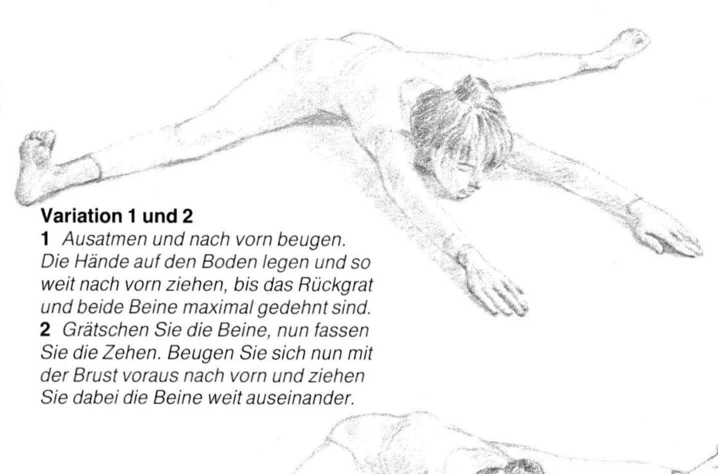

Variation 1 und 2
1 *Ausatmen und nach vorn beugen. Die Hände auf den Boden legen und so weit nach vorn ziehen, bis das Rückgrat und beide Beine maximal gedehnt sind.*
2 *Grätschen Sie die Beine, nun fassen Sie die Zehen. Beugen Sie sich nun mit der Brust voraus nach vorn und ziehen Sie dabei die Beine weit auseinander.*

Die Schildkröte
Für Kurmasana setzen Sie sich mit gegrätschten Beinen, aufgerichteten Knien und aufgestellten Füßen auf den Boden. Beugen Sie sich nach vorn und bringen Sie Arme und Schultern unter die Knie; die Hände zeigen nach hinten, die Handflächen nach unten. Langsam strecken Sie die Beine aus und ziehen den Rumpf nach vorn.

Die balancierende Schildkröte
(rechts)
Für Uthita Kurmasana atmen Sie ein, dann aus, heben Ihr rechtes Bein ho und legen es hinter den Kopf. Dann h ben Sie das linke, bringen es hinter d rechte und verschränken die Knöche Atmen Sie normal. Mit einer Einatmu heben Sie Ihren Körper und balancie ren auf Ihren Händen.

Die schiefe Ebene

Diese Asana ist eine ausgleichende Gegenstellung zur Kopf-Knie-Stellung – so wie der Fisch die anderen Asanas im Schulterstand ausgleicht. Nachdem Sie vorher Kopf und Oberkörper auf die Beine gelegt haben, kippen Sie nun den Körper nach oben und lassen den Kopf nach hinten fallen. Das streckt die ganze Vorderseite Ihres Körpers von Kopf bis Fuß. Je höher Sie die Hüften hinauf drücken, um so mehr verstärken Sie die Dehnung und kräftigen Schultern, Arme und Beine. Sobald Sie die Hüften hoch genug bekommen, werden Wirbelsäule und Rückenmuskeln den Körper mit unterstützen. Das Üben der Variationen kräftigt alle Körperteile und verbessert Ihre Wahrnehmung in bezug auf Unausgewogenheiten zwischen rechter und linker Körperhälfte. Am Anfang mag es unbequem erscheinen, die Stellung zu halten, oder Sie haben Schwierigkeiten, das Gleichgewicht dabei zu halten. Wiederholen Sie die Übungen beständig, dann entspannen Sie; mit der Zeit werden Sie genug Kraft entwickeln, um die ganze Folge durchzuführen.

1 *Setzen Sie sich mit geschlossenen Beinen aufrecht auf den Boden, legen Sie Ihre Hände mit den Handflächen nach unten hinter dem Rücken auf den Boden, die Finger zeigen vom Körper weg. Stützen Sie sich auf die Hände.*

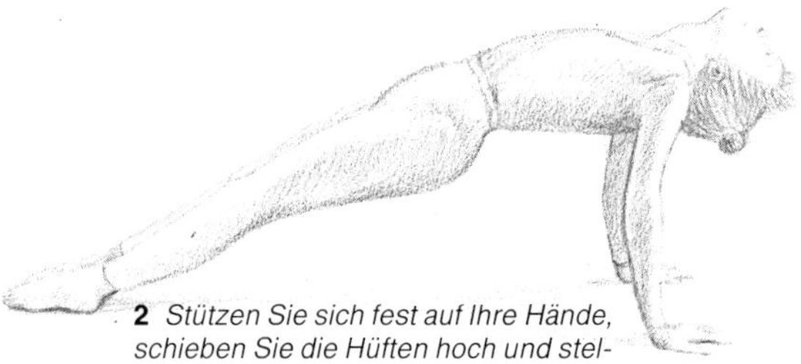

2 *Stützen Sie sich fest auf Ihre Hände, schieben Sie die Hüften hoch und stellen Sie die Füße flach auf den Boden. Die Beine bleiben gestreckt, der Kopf fällt nach hinten. Halten Sie die schiefe Ebene ein paar tiefe Atemzüge lang.*

Variation 1
Aus der schiefen Ebene heben Sie beim Einatmen das rechte Bein gestreckt nach oben, den linken Fuß lassen Sie flach auf dem Boden. Halten Sie die Stellung, atmen Sie tief, dann lösen Sie die Stellung und wiederholen sie mit dem linken Bein.

Variation 2
Aus der schiefen Ebene heben Sie beim Einatmen den rechten Arm. Sie müssen sich dabei ein wenig auf die linke Seite lehnen. Die Stellung halten und mit dem linken Arm wiederholen.

Variation 3
Aus der schiefen Ebene verlagern Sie Ihr Gewicht auf die linke Hand und die Außenseite des linken Fußes, dann strecken Sie das rechte Bein und den rechten Arm senkrecht hoch. Schauen Sie nach vorn und ein wenig nach oben, während Sie die Stellung halten. Dann lösen und mit dem rechten Arm und dem rechten Bein wiederholen.

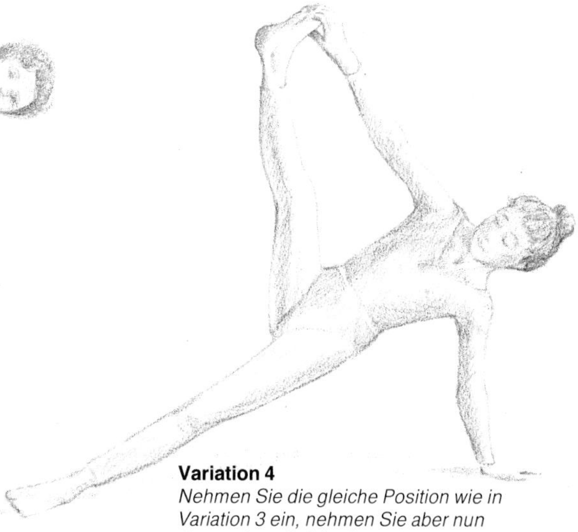

Variation 4
Nehmen Sie die gleiche Position wie in Variation 3 ein, nehmen Sie aber nun den rechten Fuß in die rechte Hand. Diese Stellung ist leichter zu halten als 3. Nach der anderen Seite wiederholen.

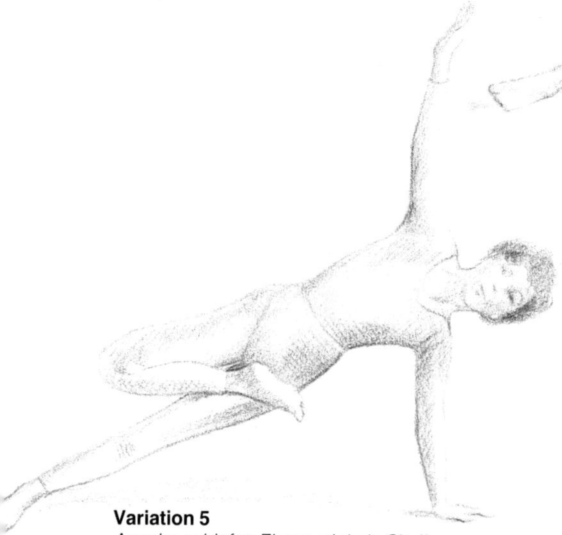

Variation 5
Aus der schiefen Ebene winkeln Sie Ihr rechtes Bein im halben Lotus ab. Verlagern Sie Ihr Gewicht auf die linke Hand und den linken Fuß und strecken Sie den rechten Arm hoch. Halten, nach der anderen Seite wiederholen.

Variation 6 *(rechts)*
Aus Variation 3 beugen Sie das rechte Knie und führen den rechten Arm nach hinten, um mit der rechten Hand den Fuß zu fassen (→ Seite 126). Drehen Sie den Körper etwas nach links, so daß der Rumpf fast zum Boden weist und ziehen Sie den rechten Fuß zum Kopf. Nach der anderen Seite wiederholen.

Der Zyklus der Rückwärtsbeugen

Während beim Kopf-Knie-Zyklus die Wirbelsäule gestreckt wurde, drücken Sie in diesem Zyklus die Rückenwirbel zusammen und strecken so die Vorderseite Ihres Körpers, weiten Brust- und Bauchraum und erleichtern damit das tiefe Atmen. Manche Menschen sind von den rückwärtsbeugenden Asanas so begeistert, daß sie fast nur noch diese üben und die anderen vernachlässigen. Um die Wirbelsäule gesund zu erhalten, muß jedoch ein Gleichgewicht zwischen Vorwärts- und Rückwärtsbeuge beibehalten werden. Es ist daher ratsam, nach einer besonders intensiven Sitzung mit Rückwärtsbeugen eine Reihe von Vorwärtsbeugen zu üben, um die natürliche Krümmung der Wirbelsäule wieder zu erreichen. Ein anderer Fehler besteht darin, die Wirbelsäule nur aus einer bestimmten Stelle heraus zu biegen – meist ist es der untere Rücken. Achten Sie darauf, daß Sie die Asanas langsam und kontrolliert beginnen und beenden, so daß Sie die Bewegung im gesamten Bereich des Rückens, vom Nacken bis zur Rückenwurzel, spüren.

Kobra-Variationen

Sobald sich Ihre Rückenmuskulatur entwickelt hat und Ihr Rückgrat beweglich genug ist, können Sie Bhujangasana bequem mit minimaler Unterstützung der Arme halten. Dann sind Sie so weit, daß Sie die Arme hochnehmen und mit den Händen zu den Knien oder Füßen fassen und den Körper noch weiter nach hinten ziehen können. Diese Variationen strecken den oberen Rücken und ermöglichen durch das Hochbiegen des Körpers, daß Prana in einem vollendeten Kreislauf fließt.

Variation 1 und 2
1 *Aus der vollen Kobra legen Sie Hand vor sich in die Mitte. Führen die andere Hand nach hinten und sen Sie Ihr Knie. So gestützt, grei Sie nun auch mit der ersten Hand hinten zum anderen Knie. Währen des Ausatmens ziehen Sie an Ihre Knien, um die Kurve der Wirbelsä vergrößern. Um sich aus der Stell zu lösen, kehren sie die Reihenfol der Schritte um.*
2 *(rechts) Stützen Sie sich auf ei Hand, mit der anderen gehen Sie hinten und fassen beide Füße, so auf Seite 126 beschrieben. Nun g Sie auch mit der ersten Hand nac ten und nehmen jeden Fuß in die sprechende Hand. Ziehen Sie die hoch.*

Variationen der Heuschrecke

In diesen Variationen bringen Sie den Körper nach vorne, strecken Rückgrat und Beine – das heißt, die Beine werden nicht so weit nach oben geschwungen wie in der Heuschrecke. Sobald Sie Salabhasana ohne Unterstützung der Hände halten können, sollten Sie diese Stellungen probieren. Dabei schieben die Arme die Beine aus den Hüften und beugen den Körper aus dem oberen Rückgrat und dem Nacken heraus nach hinten. Ehe Sie sich an diese Variationen heranwagen, ziehen Sie Arme und Schultern vom Kopf weg und schieben Sie das Kinn auf den Boden nach vorn – das erhöht die Streckung der Wirbelsäule und vermindert den Druck. Gehen Sie langsam aus der Stellung heraus, indem Sie das Gewicht von den Beinen zurück in die Arme verlagern.

Variation 1
Schließen Sie die Beine und führen Sie sie über den Kopf nach hinten. Sobald Ihre Füße den Boden erreichen, verlagern Sie einen Teil Ihres Gewichts darauf.

Variation 2 *(rechts)*
Öfnnen Sie die Beine, strecken über den Kopf, schieben Sie die sen dabei nach vorn. Schließen Beine, sobald sie waagerecht sir das Gleichgewicht zu halten, mü Sie Ihre Hüften weit genug zurüc hen, damit das Gewicht der Bein geglichen wird.

Rückwärtsbeugender Handgriff

Dieser Handgriff wird in verschiedenen Asanas benutzt. Strecken Sie die rechte Hand mit der Handfläche nach unten zur Seite. Drehen Sie die Hand nach rechts, die Handfläche zeigt nach oben, der Daumen nach hinten. Nun fassen Sie die Außenseite Ihres rechten Fußes mit der rechten Hand – Daumen auf der Sohle, die Finger oben. Den Ellenbogen beugen, nach außen und nach oben drehen und den Fuß nach vorn ziehen. Links wiederholen.

Führen Sie Ihre Hand nach hinten, die Handfläche zeigt nach oben, der Daumen nach hinten. Halten Sie die Außenseite des Fußes mit dem Daumen nach unten, den Fingern oben auf der Fußoberseite, fest. Ziehen Sie den Fuß zum Kopf.

Bogenvariationen

Falls Sie sich je gewünscht haben, Ihren Körper in beide Hände zu nehmen und nach eigenen Vorstellungen formen zu können, bringen Sie diese Variationen Ihrem Traum vielleicht näher. Nur durch das Ziehen an den Beinen läßt sich die natürliche Rückgratkrümmung so verändern, daß Sie Körperteile zusammenbringen, die sich normalerweise nicht treffen. In Variation 3 zum Beispiel ziehen Sie die Füße zu den Schultern; während in Variation 1 Ihre Fersen auf der Stirn ruhen und Sie zu Ihren Fußsohlen aufschauen. Der Hauptunterschied zwischen diesen Variationen und dem ursprünglichen Dhanurasana (→ Seite 54) liegt im Handgriff und in der Armstellung, wie oben abgebildet. Die Reichweite des Armes wird dadurch verkürzt, was wiederum die Körperdehnung verstärkt. Wenn Sie Ihre Füße fest mit beiden Händen fassen, können Sie die Beine kontrolliert nach vorn oder nach oben bewegen – als ob Sie einen Ball im Zeitlupentempo werfen würden. Sobald Sie beweglicher geworden sind, umfassen Sie die Knöchel oder die Schienbeine mit den Händen, um die Sehne des Bogens stärker zu spannen. Bei geschlossenen Knien wird die Dehnung intensiver.

Variation 1

Beugen Sie das rechte Bein. Atmen Sie ein, führen Sie den rechten Arm zurück und greifen Sie mit der rechten Hand den Fuß – wie oben. Das linke Bein bleibt gestreckt, damit halten Sie das Gleichgewicht. Atmen Sie tief, beim nächsten Einatmen fassen Sie den Fuß auch mit der linken Hand.

Variation 2

Mit dem oben gezeigten Handgriff kommen Sie in den Bogen. Atmen Sie tief, ziehen Sie die Füße bei jedem Ausatmen ein wenig mehr nach vorn. Mit der Zeit wird es Ihnen gelingen, sie über Ihren Kopf zu ziehen.

Variation 3

3 *(ganz rechts) Wenn Sie in Variation 1 sicher sind, versuchen Sie, Arme und Beine senkrecht nach oben zu strecken.*

Variation 4

Für Purna Dhanurasana müssen Ihre Schultern entspannen. Halten Sie Variation 1, bis der Körper warm ist. Dann ziehen Sie die Füße sanft herunter auf die Schultern. Der Kopf bleibt zurückgebogen.

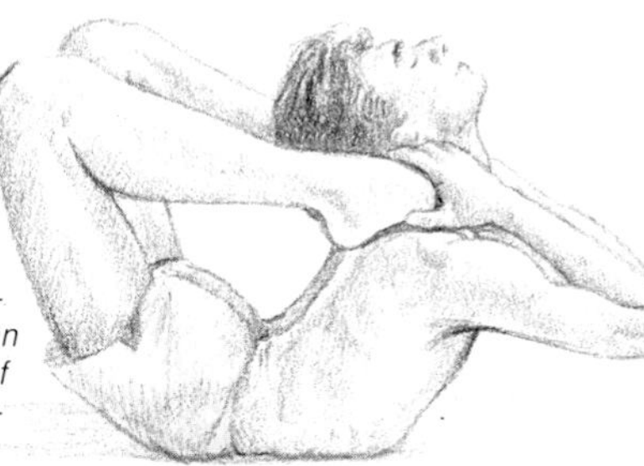

Das Rad

»Wer dieses Asana übt, erlangt vollkommene Kontrolle über seinen Körper«, sagte Swami Sivananda. Das Rad, Chakrasana, ist die dynamischste Rückwärtsbeuge, die alle Chakras oder Energiezentren belebt und wunderbar anregt. Zu Anfang sollten Sie sich vom Boden aus in die Stellung hineindrücken – es sei denn, Sie sind bereits sehr beweglich. Wenn Sie zum ersten Mal aus dem Stand in das Rad kommen, ist es günstig, den Abstand zum Boden gering zu halten. Bringen Sie also Ihren Körper so weit wie möglich zum Boden, indem Sie die Beine spreizen und die Knie beugen. Ganz wichtig ist es, das Gewicht bereits beim Zurückbeugen in die Knie zu verlagern – dann fallen Sie auf die Knie, falls Sie das Gleichgewicht verlieren. Hände und Füße sollten den gleichen Abstand voneinander haben, damit Sie die Stellung sicher halten – denken Sie sich Ihren Körper als stabilen, vierbeinigen Tisch. Mit der Zeit bringen Sie dann auch Ihre Hände zu den Füßen und schließen so den Kreis – wie unten rechts gezeigt.

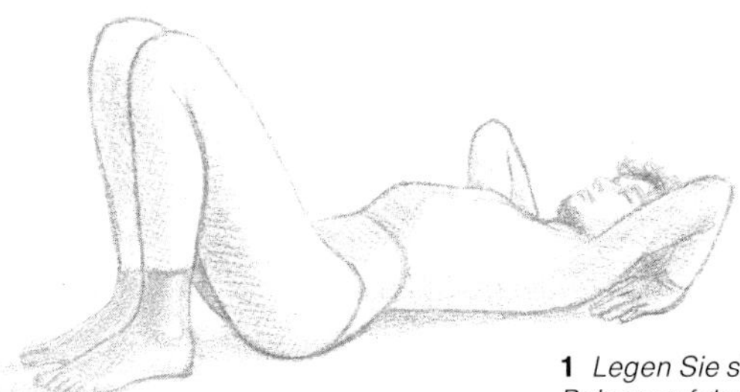

1 *Legen Sie sich mit angewinkelte Beinen auf den Boden, die Füße na beim Gesäß. Heben Sie die Arme, gen Sie sie nach hinten und legen die Hände hinter die Schultern; die ger zeigen zu Ihren Füßen. Füße ur Hände sollten weit auseinander sei*

2 *Einatmen, heben Sie die Hüften hoch, stützen Sie sich auf die Hände, Ihr Scheitel berührt den Boden. Kurze Pause.*

3 *Einatmen, die Arme durchdrücke den Kopf ganz hoch heben, wie unt gezeigt. Die Hüften hochdrücken u in der Stellung normal atmen. Durc Üben können Sie Hände und Füße her zusammenbringen. Wenn Sie a einer Decke üben, nehmen Sie die den in die Hände und ziehen Sie si damit nach hinten, zu den Füßen. K ren Sie die Schritte um, wenn Sie a der Stellung gehen.*

Alternativer Schritt ins Rad

Mit weit geöffneten Beinen, die Hände auf den Hüften, beugen Sie sich langsam nach hinten. Verlagern Sie Ihr Gewicht auf die Knie, während Sie die Hüften nach vorn drücken. Beim Einatmen führen Sie die Arme über den Kopf nach hinten. Lassen Sie sich auf die Hände fallen. Beim Aufstehen verlagern Sie das Gewicht auf die Knie, ziehen sich nach vorn und heben die Arme nacheinander oder gleichzeitig hoch.

Variation 1

Rückwärtsgebeugt führen Sie Ihre Hände langsam an der Rückseite Ihrer Beine entlang nach unten. Wenn Sie nicht mehr weiterkommen, drücken Sie die Hüften nach vorn und halten die Stellung. Sie können aber auch versuchen, mit dieser Variante in die Grundstellung des Rads zu gelangen: ein Bein mit der Hand festhalten, den anderen Arm über den Kopf heben und die Hand auf den Boden legen. Sobald die Stellung stabil ist, mit dem anderen Arm wiederholen.

Variation 2 *(rechts)*

Für Eka Pada Chakrasana stellen Si ein Bein so vor sich, daß Sie einen bilen Dreifuß errichten. Beim Einat heben Sie das andere Bein mit gestreckter Ferse hoch. Das erhoben Bein zieht den ganzen Körper hoch dem anderen Bein wiederholen.

Die Kniestellung

Supta Vajrasana bereitet den Körper für den Diamanten (unten) vor, indem Knie und Oberschenkel gestreckt und unterer Rücken gebeugt werden. Wenn Sie diese Stellung üben, achten Sie darauf, daß Schultern und Hinterkopf den Boden berühren, und lassen Sie Ihre Knie nah beisammen, damit Sie sich möglichst stark dehnen. Entspannen Sie Ihren Körper, bis er auf den Boden sinkt.

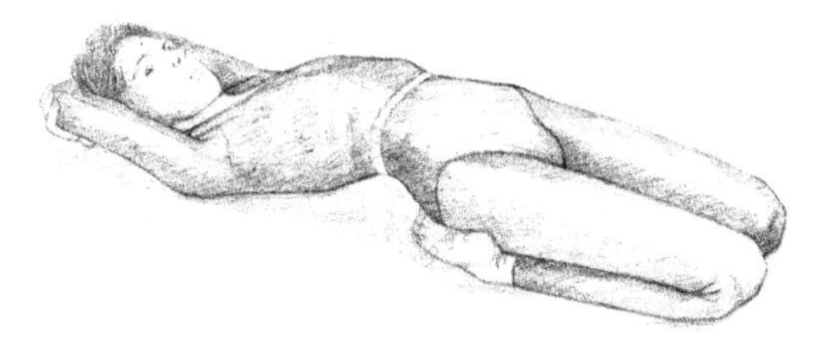

Die Kniende Stellung
Aus der knienden Position heraus lassen Sie sich behutsam zu Boden gleiten. Dabei stützen Sie sich nacheinander auf beide Ellbogen und verschränken danach die Arme hinter dem Kopf

Der Krieger

Viele von uns sind im Bereich der Schultern und des oberen Rückens sehr verspannt. Dies verursacht nicht nur eine schlechte Haltung und Steifheit, sondern behindert auch den Pranafluß.
Virasana weitet diese Bereiche und entspannt die Muskeln: Prana fließt wieder freier. Es streckt auch die Beine und macht die Knöchel beweglich. Wenn Sie ihre Hände am Anfang noch nicht fassen können, ziehen Sie sie mit Hilfe eines Tuchs zusammen.

Der Krieger
Knien Sie sich hin, Ihr rechtes Bein über dem linken gekreuzt, die Fersen zum Körper, die Zehen nach außen. Halten Sie den Rücken gerade und greifen Sie mit ihrem rechten Arm von unten den Rücken hinauf, der linke Ar greift über die Schulter nach unten un Sie schließen die Hände. Bleiben Sie der Stellung und ziehen Sie mit der lin ken Hand nach oben, um die Schulter dehnung zu vergrößern. Mit entgegen gesetzter Hand- und Fußstellung wiederholen.

Das Rad im Knien

Sowohl die Chakrasana-Variationen als auch die Diamantstellung strekken die Vorderseite des Körpers und stärken die Bauchmuskeln. Wenn Sie mit der Übung beginnen, lassen Sie die Knie noch auseinander und lösen Sie eine Hand nach der anderen aus der Stellung. Halten Sie Ihr Gleichgewicht, indem Sie sich leicht von der Seite weglehnen, auf der Sie die Hand lösen. Später bringen Sie die Knie näher zusammen und lassen beide Knöchel auf einmal los, wobei Ihre Hüften Sie nach oben ziehen.

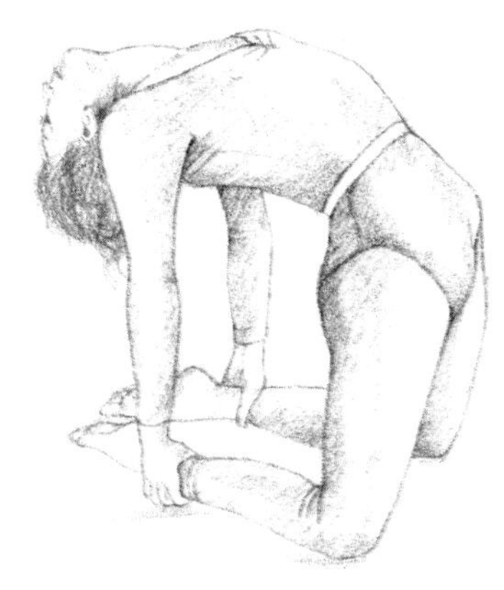

Das Rad im Knien
Knien Sie sich mit geschlossenen Bei nen hin. Schieben Sie die Hüften nach vorn und lehnen Sie sich zurück. Dehnen Sie sich leicht nach rechts und un fassen Sie zuerst Ihren rechten Knöchel, dann mit der anderen Hand den linken. Biegen Sie den Kopf zurück u atmen Sie normal. Um aus der Stellur zu kommen, drücken Sie Ihr Gewicht nach vorn, atmen ein und lösen die Hände – entweder beide gleichzeitig oder nacheinander.

Der Diamant

In dieser Stellung – Purna Supta Vajrasana – und der Variation gegenüber bilden Sie mit Ihrem Körper eine straffe, in sich geschlossene Diamantform. Wenn Sie die Füße noch nicht fassen können, ziehen Sie an Ihrer Decke, um den Kopf näher zu den Füßen zu bringen. Wenn Sie die Füße erreichen können, ziehen Sie sanft mit den Händen und drücken Sie mit den Ellbogen nach, um den Kopf näher an die Füße zu bringen. Kommen Sie ganz langsam aus diesen Stellungen, damit der Körper sich allmählich zurückformt.

Der Diamant und seine Variation
Aus dem Rad im Knien beugen Sie si zurück, bis Ihr Kopf auf dem Boden ruht. Ist Ihr Bogen groß genug, fasser Sie die Füße oder die Knöchel mit de auf Seite 126 beschriebenen Handgr Atmen Sie tief, halten Sie die Stellung

Variation *(rechts)*
Aus der obigen Stellung strecken Sie die Hände nach vorn, um die Knie zu fassen. Versuchen Sie, die Dehnung bei jedem Ausatmen zu verstärken, in dem Sie an den Knien ziehen.

Der Halbmond

In Anjaneyasana biegen Sie den Körper in Form eines Halbmonds, der oft als Symbol des Yoga bezeichnet wird. Dazu brauchen Sie Beweglichkeit und einen guten Gleichgewichtssinn. Doch anders als bei der Taube (unten) können Sie schon vom ersten Versuch an ein Gefühl für diese Asana entwickeln. Das Gewicht wird auf drei Punkten balanciert – hinteres Knie, Zehen, vorderer Fuß. Das hintere Bein gibt dem Körper am meisten Unterstützung und Ihnen das Zutrauen, sich nach hinten zu biegen. Eine größere Dehnung der Beine erreichen Sie, wenn Sie den vorderen Fuß flach auf den Boden stellen, das Knie darüber hinaus biegen und die Hüften tief nach unten sinken lassen. Das bereitet Sie auf den Spagat (→ Seite 140) vor. Sowohl der Halbmond als auch seine Variationen weiten den Brustkorb; atmen Sie daher tief, während Sie die Stellung halten. Bei jeder Ausatmung beugen Sie sich mehr zurück. Achten Sie darauf, die Asana nach beiden Seiten zu üben, indem Sie die Beinstellung wechseln.

Der Halbmond *(oben)*
Beugen Sie Ihr linkes Knie und strekken Sie Ihr rechtes Bein nach hinten, drücken Sie den Oberschenkel nach unten. Mit gefalteten Händen einatmen, Arme und Kopf nach hinten biegen und strecken.

Variation 1 *(rechts)*
*Bringen Sie Ihre Beine in die Stellung des Halbmonds wie oben links und fa*ſ *sen Sie Ihren hinteren Fuß, dann gehen Sie weiter in die Taubenstellung (unten).*

Variation 2 *(oben)*
Bringen Sie Ihre Beine in die oben lin gezeigte Stellung. Einatmen, die Hän de hinter dem Rücken falten und sie zum Bein hinunter führen, bis Sie Ihr größte Beugung erreichen. Nun halte Sie das Bein und ziehen sich noch w ter zurück.

Die Taube

Hierbei werfen Sie sich in die Brust wie eine Kropftaube. Als Anfänger in dieser Position werden Sie leichter in Kapotha Asana kommen, wenn Sie Ihren Körper zunächst ein wenig nach der Seite des erhobenen hinteren Beins drehen, sich dann aufrichten und nach vorn schauen, wenn Sie im Gleichgewicht sind. Sobald Sie beweglicher sind, sollten Sie diese Hilfestellung aufgeben und sofort mit beiden Händen nach hinten zu Ihrem Fuß fassen. Die rechts abgebildete Beinstellung gibt Ihnen die stabilste Grundlage. Aber Sie können die Stellung auch mit einer anderen Haltung des vorderen Beins üben – im Spagat (→ Seite 140): das untere Bein nach außen statt nach innen zum Oberschenkel gedreht oder im Halbmond wie auf der gegenüberliegenden Seite gezeigt. Je länger Sie Asanas üben, um so mehr scheinen sie sich ähnlich. Mit geschlossenen Augen und konzentriertem Geist verwischt sich der Unterschied zwischen den einzelnen Stellungen – Sie spüren nur noch ungeheure Leichtigkeit und Energie.

1 *Setzen Sie sich hin, Ihr linker Fuß liegt am Damm, Ihr rechtes Bein ist w nach hinten ausgestreckt. Beugen S Ihr rechtes Bein und halten Sie den F wie auf Seite 126 beschrieben.*

2 *Benutzen Sie Ihre linke Hand, um im Gleichgewicht zu bleiben. Ziehen Sie den Fuß mit Ihrer rechten Hand hoch und beugen Sie sich nach hinten, indem Sie Ihren Kopf zur Fußsohle führen.*

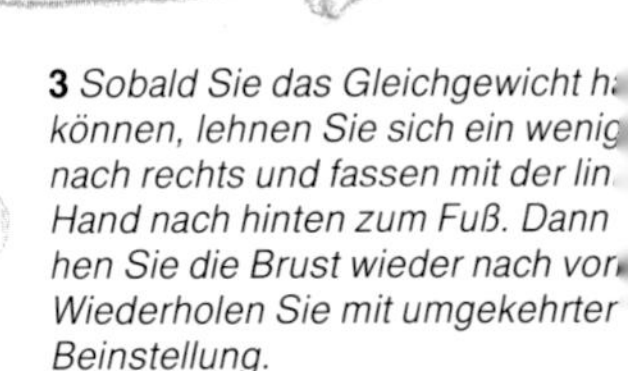

3 *Sobald Sie das Gleichgewicht h können, lehnen Sie sich ein wenig nach rechts und fassen mit der lin Hand nach hinten zum Fuß. Dann hen Sie die Brust wieder nach vor Wiederholen Sie mit umgekehrter Beinstellung.*

Der Zyklus der Sitzübungen

Dieser Zyklus umfaßt eine Fülle verschiedener Asanas – von den Wirbelsäulendrehungen und Lotus-Variationen bis zum Pfeil und Bogen und Spagat. Alle konzentrieren sich besonders auf die Beine, die Füße, die Hüften, und alle entwickeln sich aus einer sitzenden Position. In dieser stabilen Grundlage brauchen Sie den Körper weder im Gleichgewicht zu halten noch zu stützen: es bleibt Ihnen daher mehr Energie für dehnende, streckende, beugende und drehende Bewegungen. Da wir aber die Angewohnheit haben, lange auf Stühlen zu sitzen oder Schuhe mit erhöhten Absätzen zu tragen, müssen wir, bevor wir diese Asanas richtig genießen können, zunächst ein paar Grundstellungen beherrschen. Selbst als Fortgeschrittener werden Sie die Steifheit, die durch Jahre unvernünftigen Essens und Mangel an Bewegung verursacht wurde, nur langsam wieder loswerden. Doch wenn Sie zielstrebig weiterüben und sorgfältig auf Ihre Ernährung achten (→ Seite 78), werden Sie Verspannungen lösen und voll von den Vorteilen dieses Zyklus profitieren.

Der Drehsitz

Matsyendrasana und seine Variationen nach den vorwärts- und rückwärtsbeugenden Stellungen zu üben, ist sehr erfrischend und fördert die Beweglichkeit des Rückgrats. Wie bei vielen Asanas im Sitzen nutzen Sie sowohl den Boden als auch Teile Ihres Körpers als Hebel – indem Sie an Ihren Knöcheln ziehen und die Rückseite Ihrer Arme gegen die Knie drücken, um die Dehnung zu erhöhen. Stellen Sie sich vor, Sie wringen ein nasses Tuch aus, wenn Sie Ihren Körper um die eigene Achse drehen. Diese zusammenziehende Bewegung belebt den Kreislauf, stimuliert die Blutzufuhr zu den Wirbeln und verhindert Stauungen in den inneren Organen. Der Körper wird von Giften befreit und Fettgewebe abgebaut. Prana durchflutet die ganze Wirbelsäule und verleiht Kraft und Konzentration. Im halben Drehsitz (→ Seite 56) wurden Sie auf die Bedeutung der aufrechten Haltung hingewiesen. Bei den fortgeschrittenen Variationen ist dies noch wichtiger, da ja die Drehung verstärkt wird. Richten Sie Ihr Rückgrat auf, während Sie sich drehen. Atmen Sie normal, während Sie die Stellungen halten und drehen Sie sich bei jeder Ausatmung noch ein wenig mehr. Achten Sie darauf, jede Asana auch in die andere Richtung zu üben, damit Sie beide Seiten gleichmäßig drehen.

Variation 1 *(unten und rechts)*
Setzen Sie sich rechts neben Ihre Füße, heben Sie da linke Bein über das rechte, den Fuß stellen Sie neben die Hüfte. Beugen Sie sich nach vorn und fassen Sie mit der linken Hand nach hinten zu Ihrem linken Knöchel, den rechten Arm führen Sie an der Außenseite des linken Knies vorbei und umfassen das rechte Knie

Der Drehsitz *(links und rechts)*
Mit dem linken Bein im halben Lotus beugen Sie mit der linken Hand Ihr rechtes Bein über das linke und setzen den Fuß neben das linke Knie. Der linke Arm geht über das rechte Knie und hält den linken Fuß. Nach rechts drehen.

Variation 2 *(ganz rechts)*
Setzen Sie sich in den Drehsitz wie Variation 1, greifen Sie mit Ihrer link Hand nach hinten zu Ihrem linken K chel. Falls Sie Schwierigkeiten hab legen Sie sich eine gefaltete Decke ter die Gesäßhälfte des erhobenen Beins.

Lotusvariationen

Der Lotus, Padmasana, ist eine ausgesprochen vielseitige Stellung, die sich mit zahlreichen anderen Asanas verbinden läßt. Er erhöht die Wirkung einer jeden damit kombinierten Asana, beruhigt den Geist und verstärkt somit die Fähigkeit, den Körper zu kontrollieren. Im Lotus sind die Beine in einer kleinen, leicht beweglichen Stellung verschränkt, sie bilden eine stabile Grundlage zum Sitzen und lassen sich so leicht als Ganzes hochheben. In diesen Variationen stützen Sie sich wieder sowohl auf den Boden als auch auf Ihre Glieder, um den Körper sanft in so komplizierte Stellungen wie Fötus und gebundener Lotus zu führen. Das Yoga Mudra belebt die Rückennerven und unterstützt das Verdauungssystem. Sowohl diese Stellung als auch der gebundene Lotus wekken die schlafende Kundalini. Obwohl Variation 1 im strengen Sinn keine Sitzhaltung ist, wurde sie hier aufgeführt, um die Grenzen, die Sie möglicherweise zwischen den einzelnen Asanas ziehen, zu verwischen. Jede Asana, jede Abwandlung enthält immer Elemente aus mehr als einem anderen Zyklus – der Lotus im Skorpion kann als Kopfstandvariation, Gleichgewichtsübung oder Sitzhaltung gesehen werden. Im Klassischen Lotus ist das linke Bein oben. Aus Gründen des Gleichgewichts sollten Sie all diese Variationen auch mit dem rechten Bein oben üben. Sie werden den Unterschied an Ihrer Rückenwurzel spüren, wenn Sie die Beinstellung ändern.

Lotusvariation 1 *(rechts)*
Gehen Sie in den Lotus im Kopfs dann weiter wie im Skorpion. Keir Angst vorm Umfallen – Ihre Refle werden automatisch das obere Be zuerst lösen.

Das Yoga Mudra *(links)*
1 *Bei aufrechter Wirbelsäule balle die Hände zu Fäusten und legen hinter Ihre Fersen, die Daumen na außen. Drücken Sie sie sanft, abe in den Unterbauch. Einatmen.*
2 *Beim Ausatmen beugen Sie sic nach vorn und führen Ihren Kopf z Boden. Halten Sie die Stellung. U stützt von der tiefen Bauchatmun massieren die von den Fersen ge drückten Fäuste Ihre inneren Org*

Der Gebundene Lotus
Beim Ausatmen drehen Sie sich sanft nach rechts und fassen mit der rechten Hand nach hinten zum rechten großen Zeh, einatmen. Ausatmend drehen Sie sich nach links und greifen mit der linken Hand nach hinten zum linken großen Zeh. Richten Sie den Körper auf und atmen Sie tief. Das ist Bandha Padmasana.

Der Hahn
Für Kukutasana setzen Sie sich in c Lotus. Dann stecken Sie Ihre Händ zwischen Unter- und Oberschenke hindurch. Beim Einatmen drücken Ihre Handflächen nach unten und h ben Ihre Beine an den Armen entla hoch. Halten Sie Ihren Rumpf gera (ganz rechts).

Lotusvariation 2
Mit den Beinen im Lotus erheben Sie sich mit Hilfe Ihrer Hände auf die Knie, dann legen Sie sich auf den Bauch. Halten Sie einen Moment in dieser Stellung inne und legen Sie den Kopf auf Ihre gefalteten Arme. Dann bringen Sie Ihre Hände mit den Handflächen nach unten unter Ihre Schultern und gehen weiter in die Kobra (→ Seite 50). Die Hüften bleiben auf dem Boden.

Der Fötus
Für Garbhasana stecken Sie wie Hahn Ihre Arme zwischen den B hindurch bis über die Ellbogen h Dann heben Sie die Beine. Wink die Ellbogen ab, ziehen Sie die E hoch zur Brust und fassen Sie Ih ren wie rechts abgebildet.

Der Pfeil und Bogen

In Akarna Dhanurasana ziehen Sie ein Bein zurück wie ein Bogenschütze seinen Bogen spannt. Aus der klassischen Stellung (oben) können Sie beim Ausatmen das Bein wie einen Pfeil loslassen und mit den Fersen voran nach vorn schießen. In all diesen Asanas wird eine Körperseite nach vorne gebeugt, während Hüfte und Schultergelenk der anderen Seite gedehnt werden. Die Beinmuskeln werden gestreckt und dadurch sowohl Arme als auch Beine gestärkt. Somit ist der Pfeil und Bogen eine nützliche Vorbereitung auf die Bein-Kopf-Stellung (unten). Halten Sie den Körper aufrecht und schauen Sie nach vorn, während Sie diese Stellungen halten. Atmen Sie tief und langsam – dadurch können Sie Ihr Bein weiter zurückziehen und auch leichter das Gleichgewicht halten.

Der Pfeil und Bogen
Setzen Sie sich mit ausgestreckten Beinen hin, greifen Sie mit beiden Händen nach vorn und fassen Sie Ihre großen Zehen. Bei ausgestrecktem linken Bein ziehen Sie den rechten Fuß mit Ihrer Hand hoch und zurück.

Variation 1
Gehen Sie in die Stellung, aber ziehen Sie den rechten Fuß über Ihren Kopf, indem Sie das Bein ausstrecken.

Variation 2 *(rechts)*
Nehmen Sie die linke große Zehe Ihre rechte Hand und umgekehrt; linke Arm liegt über dem rechten. winkeln Sie das linke Knie an und hen den Fuß zu Ihrer Brust, Ihr Ellb gen zeigt nach oben.

Die Bein-Kopf-Stellung

Um Ihren Körper auf diese Asanas vorzubereiten, versuchen Sie zunächst folgende Aufwärmübung: Winkeln Sie das rechte Bein ab und bringen Sie es parallel zu Ihrer Brust. Umfassen Sie Ihren Unterschenkel und wiegen Sie diesen von Seite zu Seite. Nun fassen Sie den Knöchel und führen die Fußsohle zur Brust, dann heben Sie den Fuß und berühren mit den Zehen zunächst die Stirn und dann das Ohr. Mit dem linken Bein wiederholen. Mit mehr Übung werden Sie das Bein hinter den Kopf bringen und schließlich den Körper immer mehr vor das Bein. Später können Sie das Bein vielleicht hinter Ihre Schultern legen und brauchen es nicht mehr mit der Hand festzuhalten. Diese Stellung läßt sich auch im Liegen üben, dann fällt sie leichter. Diese Asana drückt die Bauchorgane stark zusammen. Heben Sie zunächst das rechte Bein, um den aufsteigenden Dickdarm zu massieren, dann das linke, um den absteigenden Dickdarm zu massieren. Die Reihenfolge ist sehr wichtig.

Bein-Kopf-Stellung
1 *(rechts) Setzen Sie sich hin, legen Sie Ihre linke Ferse an den Damm. Heben Sie Ihr rechtes Bein hoch, die rechte Schulter und der rechte Arm kommen vor das Bein, während Sie den Fuß mit Ihrer linken Hand hoch und zurück ziehen, wie rechts gezeigt.*
2 *(unten) Nun beugen Sie Ihren Kopf nach vorn und ziehen den Fuß hinter Kopf und Schultern. Bringen Sie die Handflächen in Gebetshaltung. Das ist Eka Pada Sirasana.*

Variation 1 *(rechts)*
Für Omkarasana legen Sie das lin Bein in den halben Lotus. Beugen sich nach vorn und heben Sie das rechte Bein hinter Ihren Kopf. Stü Sie sich auf Ihre Hände und versu Sie, sich aufzurichten.
Variation 2 *(ganz rechts)*
Für Dwipada Sirasana legen Sie s auf den Rücken, bringen die Beine nacheinander hinter Ihren Kopf un verschränken die Knöchel.

Der Spagat

Die einzige Möglichkeit, Anjaneyasana – den Spagat – zu meistern, besteht darin, sie ständig zu wiederholen. Wenn Sie es einmal im Jahr versuchen, werden Sie nie Erfolg haben, wenn Sie es aber in Ihr tägliches Asana-Schema einbauen, werden Ihre Beine sich allmählich leichter spreizen. Erscheint Ihnen diese Stellung extrem, so inspiriert Sie vielleicht der Gedanke, daß die Beine sich sogar noch weiter dehnen lassen: wenn es Ihnen gelingt, beide Beine im Spagat etwas vom Boden hochzuheben. Sobald Sie sich im Spagat wohlfühlen, verleiht Ihnen diese Stellung ein wunderbares Gefühl für Gleichgewicht und Symmetrie. Sie ist eine sehr stabile Asana, denn sie gibt Ihnen die längste Fläche, auf der Ihr Körper ruhen kann. Der Spagat ist ein Einstieg für zahlreiche andere Stellungen. Einige der fortgeschritteneren Umkehr- und Gleichgewichtsstellungen fallen Ihnen leichter, wenn Sie Ihre Beine weit auseinanderdehnen können. Da das Üben des Spagats den Kreislauf in den Beinen stützt, werden dadurch auch die Standübungen verbessert. Sobald Sie Taube und Spagat gemeistert haben, können Sie beide kombinieren und Variation 3 üben. Diese Asana läßt Sie deutlich jegliche Asymmetrie zwischen Ihren beiden Körperhälften erkennen und gibt Ihnen die Möglichkeit, dies zu ändern. Wenn zum Beispiel Ihre rechte Seite die beweglichere ist, ziehen Sie ein bißchen mehr am linken Fuß. Sobald Sie diese Variation beherrschen, brauchen Sie die Taube mit anderen Beinstellungen nicht mehr zu üben, denn mit dem Herunterdrücken des vorderen Beins im Spagat erreichen Sie auch eine vollständige Rückwärtsbeugung.

1 *Verlagern Sie Ihr Gewicht auf Ihre Hände, strecken Sie ein Bein – auf die Ferse gestützt – nach vorn und das andere zurück, lassen Sie die Knie noch oben.*

2 *Entlasten Sie allmählich Ihre Hände, federn Sie sacht auf und ab, um die Beine weiter auseinanderzudehnen. Sobald Sie auf beiden Beinen gerade auf dem Boden sitzen, legen Sie Ihre Handflächen in der Gebetshaltung aneinander.*

Variation 4 *(gegenüber)*
Halten Sie die Zehen Ihres rech Fußes mit der rechten Hand. Nu beugen Sie das linke Knie, fass nach hinten und nehmen den F in die linke Hand.

Variation 1 *(unten)*
Atmen Sie im Spagat ein, die Hände in Gebetshaltung. Beim Ausatmen beugen Sie sich aus der Taille mit den Händen nach vorn und legen sich über das vordere Bein.

Variation 3 *(gegenüber)*
Winkeln Sie Ihr rechtes Knie a fassen Sie nach hinten und ne men Sie den Fuß in die rechte Hand (→ Seite 126). Nun zie Sie den Fuß zum Kopf und ha ihn auch mit der linken Hand.

Variation 2 *(rechts)*
Mit gegrätschten Beinen, die Hände in Gebetshaltung, einatmen. Beim Ausatmen beugen Sie sich zurück und führen die Arme über den Kopf. Mit Ihrem Atem halten Sie sich im Gleichgewicht und sammeln Ihren Geist.

Der Zyklus der Gleichgewichtsstellungen

Das Gleichgewicht läßt sich am leichtesten halten, wenn man das Gewicht auf möglichst viele Punkte verteilt, so wie beim »Dreifuß« des Kopfstands. Wenn Sie Ihr Gleichgewicht auf einem Bein oder den Händen halten wollen, liegt das Geheimnis darin, mehr Abstützflächen zu finden. Im Baum beispielsweise stellen Sie sich einfach zwei statt einem Stützpunkt vor: Verteilen Sie Ihr Gewicht zwischen Fersen und Zehen, bis Sie Ihr Gleichgewicht finden. Wie bei allen Asanas ist es auch hier wichtig, mit bloßen Füßen zu üben, damit Ihre Zehen mehr Halt am Boden finden. Bei den Gleichgewichtsstellungen richten Sie Ihren Blick auf einen bestimmten Punkt an der Wand oder auf dem Fußboden. Wie ein Segler eine Leine zur Küste wirft, werfen Sie im Geist einen Faden zu diesem Punkt, um sich dort mit Ihrem Geist zu verankern.

Der Pfau

In Mayurasana – dem Pfau – das Gleichgewicht zu halten, erfordert Ihre ganze Kraft und Konzentration. Bei korrekter Ausführung des Asanas befinden sich Kopf, Körper und Beine in gerader Linie parallel zum Boden. Die Stellung fördert die Verdauung – selbst wenn Sie nicht auf Ihren Händen balancieren können –, weil das Körpergewicht die Ellbogen in den Unterbauch drückt und somit Milz und Bauchspeicheldrüse massiert. Sobald Sie diese Asana beherrschen, versuchen Sie es mit einer fortgeschritteneren Handstellung: Entweder stützen Sie sich auf Ihre Fäuste oder Sie lassen Ihre Fingerspitzen zum Kopf statt nach hinten zeigen.

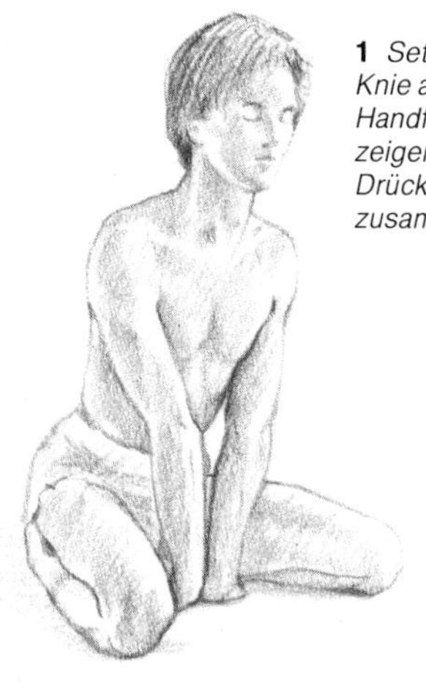

1 *Setzen Sie sich auf Ihre Fersen, die Knie auseinander. Legen Sie Ihre Handflächen auf den Boden, die Finger zeigen nach hinten zu den Füßen. Drücken Sie Ellbogen und Unterarme zusammen.*

2 *Stützen Sie sich mit den Armen ab wenn Sie sich nach vorn beugen und den Kopf auf den Boden legen. Die E bogen bleiben zusammen und drück in den Unterbauch.*

3 *(rechts) Strecken Sie die Beine nacheinander nach hinten aus, halten Sie die Knie vom Boden weg und lassen Sie die Füße beisammen. Ihr Gewicht ruht jetzt auf Zehen, Händen und Kopf. Nun den Kopf heben.*

4 *(links) Beim Einatmen schieben Sie sich auf Ihren Armen nach vorn, heben die Zehen hoch und balancieren auf Ihren Händen. Die Beine bleiben gestreckt. Halten Sie die Stellung so lange wie möglich, kommen Sie beim Ausatmen herunter auf Ihre Zehen.*

Variation 1 *(rechts)*
Gehen Sie wie oben beschrieben in den Pfau. Bringen Sie jedoch bei Schritt 3 Ihr Kinn auf den Boden; heben Sie dann wie bei der Heuschrecke beide Beine senkrecht hoch. So ähnelt die Stellung am ehesten einem Pfau, der seine Schwanzfedern spreizt.

Der Handstand

Ebenso wie beim Skorpion ist die Bewältigung des Handstands – Vrikshasana – mehr eine Sache des positiven Denkens als des Gleichgewichts. Stellen Sie sich Ihre Arme als Beine vor und spreizen Sie die Finger, um die Basis zu vergrößern, und greifen Sie fest in den Boden hinein. Üben Sie diese Asana zunächst gegen eine Wand, wenn Sie Angst vorm Fallen haben. Kommen Sie mit gestreckten Ellbogen in die Stellung, die Hände sollten mindestens einen halben Meter von der Wand entfernt sein, die Füße lehnen Sie an die Wand. Dann nehmen Sie die Füße von der Wand weg und balancieren ein wenig, damit Sie ein Gefühl für das freie Stehen bekommen. Wenn Sie sicherer geworden sind, üben Sie ohne Wand. Mit der Zeit werden Sie sogar auf Ihren Händen gehen können.

Krähen-Variationen

Diese Stellungen sind leichter als sie aussehen. Sie gelingen am besten, wenn die Arme als stabiles Podest das Gewicht der Beine tragen. Wenn Sie das ursprüngliche Kakasana (→ Seite 60) gemeistert haben, entwikkelt Ihr Körper auch die Kraft, sich nach einer Seite zu drehen und die Beine zu strecken. Die Variationen 1 und 3 fallen leichter, wenn Sie sich ein wenig auf die den Füßen gegenüberliegende Seite lehnen. Wiederholen Sie diese Stellungen immer nach rechts und nach links. Sie kräftigen Hände und Handgelenke für den Handstand. Gleichzeitig verbessert sich Ihr Gleichgewichtssinn. Mit etwas Übung können Sie Ihre Beine dann aus der Grundstellung der Krähe hochheben und direkt in den Handstand gehen.

Der Handstand
Beugen Sie sich aus dem Stand nach vorn, legen Sie die Handflächen in Schulterbreite flach auf den Boden. Die Ellbogen bleiben gerade, während Sie sich nach vorn lehnen und Ihre Schultern über die Linie Ihrer Hände bringen. Beim Einatmen schwingen Sie dann ein Bein hoch über den Kopf, durch den Schwung wird das andere Bein mitgehoben. Achten Sie trotz des Schwungs darauf, Ihre Beine ins Gleichgewicht zu bringen. Sobald Sie Ihr Gleichgewicht gefunden haben, können Sie Ihre Beine in dieser Stellung bewegen, ohne vornüber zu fallen.

Krähen-Variation 1
Mit den Händen in der Grundstellung der Krähe gehen Sie mit beiden Füßen nach rechts, winkeln die Knie an und legen sie auf das vom rechten Arm geformte Podest. Beugen Sie sich nach vorn und ein wenig nach links, während Sie die Beine hochheben.

Variation 2
Bringen Sie Ihre Hände zwischen die weit gespreizten Beine. Drücken Sie die Innenseite Ihrer Beine gegen die Arme, nach vorn beugen und die Beine mit gestreckten Knien hochheben.

Handstand-Variation *(links)*
Gehen Sie in den Handstand, winkeln Sie die Knie ab und bringen Sie allmählich Ihre Füße herunter zum Kopf. Halten Sie das Gleichgewicht zwischen Ihren Fersen und Ihren Fingern.

Variation 3 *(rechts)*
Beide Beine sind nach links gedreht, Sie stecken Ihre linke Hand dazwischen. Verschränken Sie Ihre Knöchel so, daß Sie die Beine leichter heben können, dann beugen Sie sich nach vorn und ein wenig nach rechts. Heben Sie die Beine wie rechts abgebildet hoch. Das ist Vakrasana.

Der Adler

Diese Stellung wurde nach dem sagenhaften Adler Garuda (Abbildung → Seite 110) benannt, der Schnabel und Flügel eines Vogels, doch den Körper eines Menschen hatte. Garuda Asana wirkt auf Arme und Beine wie der Drehsitz auf die Wirbelsäule – zuerst wird eine Seite gedreht und gedrückt, dann die andere, um den Kreislauf in den Gliedern anzuregen. Es ist ein vortreffliches Heilmittel bei Krampfadern. Das Tragen des eigenen Körpergewichts mit gebeugtem Bein stärkt die Beinmuskeln. Das Zusammendrücken der Arme und Beine in dieser Stellung verbessert den Kreislauf und entwickelt Ihr Bewußtsein für Ihre Extremitäten bis zu den Fingern und Zehen. Halten Sie die Stellung, atmen Sie tief; dann wiederholen und dabei Arme und Beine wechseln.

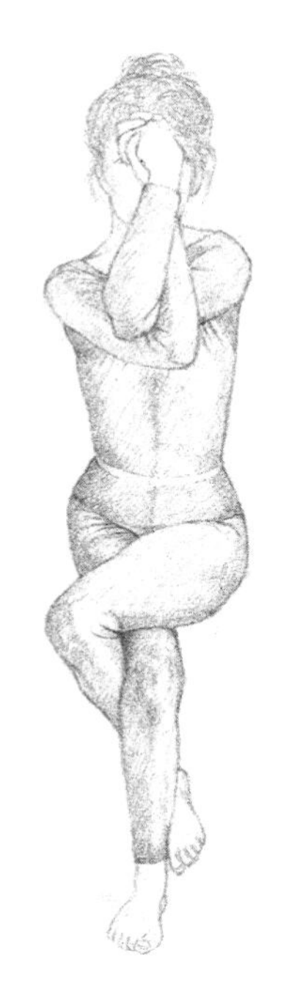

Der Adler
Stellen Sie sich mit leicht gebeugtem Knie auf Ihr rechtes Bein. Wickeln Sie das linke Bein herum, so daß die Zehen des linken Fußes an die Innenseite des rechten Knöchels kommen. Bringen Sie den rechten Unterarm vor Ihr Gesicht und wickeln Sie den linken Arm von innen heraus herum, falten Sie die Hände. Neigen Sie sich ein wenig nach unten, halten Sie die Stellung und drücken Sie Arme und Beine zusammen.

Der Baum

Diese Asana vermittelt ein wunderbares Gefühl inneren Friedens. Auf einem Bein sicher im Gleichgewicht stehend, das andere im halben Lotus darüber, die Hände in Gebetshaltung, können Sie ungestört von Ihrem Körper balancieren. Früher pflegten Yogis oft tagelang in dieser Stellung zu verharren, um damit »Tapas«, eine Art Genügsamkeit, zu demonstrieren. Auch heute noch findet man sie in dieser Haltung meditierend an den Ufern des Ganges und anderen heiligen Orten. Üben Sie den Baum schrittweise. Bevor Sie ein Bein in den halben Lotus legen, balancieren Sie zunächst auf einem Bein, dann drücken Sie einen Fuß gegen die Innenseite des anderen Oberschenkels (das Durchdrükken des stehenden Beines hilft Ihnen, im Gleichgewicht zu bleiben). Atmen Sie tief in der Stellung und wiederholen Sie sie nach beiden Seiten. Aus dem Baum im Knien oder in der Hocke aufzustehen, erfordert große Konzentration und Kontrolle. Lösen Sie sich langsam aus der Asana und nutzen Sie den Atem, um sich hochzuziehen. Wie in allen Gleichgewichtsstellungen fixieren Sie Ihren Blick zur besseren Konzentration auf einen Punkt vor sich. Sobald Sie die Stellung mühelos halten können, üben Sie mit geschlossenen Augen.

Der Baum und Variationen
Für die klassische Stellung links leg Sie ein Bein in den halben Lotus, schließen die Handflächen in Gebe haltung und heben die Arme über d Kopf.

Knie-Bein-Stellung
(unten) In Vatyanasana beugen Sie Standbein, lehnen sich etwas nach vorn und kommen auf das andere K hinunter.

Die Zehenspitzenstellung
In Padandgushtasana (gegenüber) beugen Sie das Standbein und setz sich langsam auf Ihre Ferse.

Spagat im Stehen

Diese Anjaneyasana-Variationen sind vorwärtsbeugende und Gleichgewichtsübungen zugleich mit den Vorteilen beider Zyklen. Anders als beim Spagat im Sitzen, in denen die Schwerkraft die Dehnung verstärkt, arbeiten Sie hier gegen die Schwerkraft, indem Sie mit Ihren Armen das erhobene Bein geradeziehen. Diese Asana steigert Ihre Kraft, fördert Ihre Geschmeidigkeit und verbessert Ihren Gleichgewichtssinn. Spreizen Sie die Zehen Ihres tragenden Fußes, um die Basis zu vergrößern. Ziehen Sie Ihr Bein langsam und konzentriert nach oben, wenn Sie in die Stellung hineingehen. Drücken Sie sich mit dem Standbein ab und halten Sie Beine und Rumpf gerade. Ziehen Sie Ihren ganzen Körper in die Länge, nach oben.

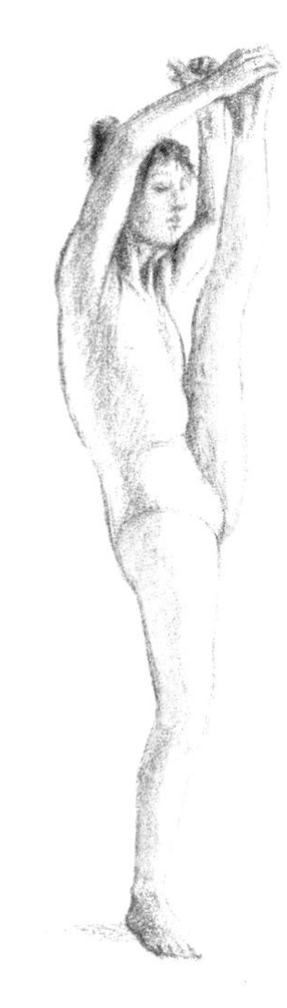

Spagat-Variation im Stehen
1 *Holen Sie den linken Fuß mit beiden Händen hoch, das Knie gebeugt. Dann strecken Sie das Knie und ziehen das Bein zum Körper.*
2 *(links) Biegen Sie das linke Knie zur Seite. Mit dem gestreckten linken Arm halten Sie die Ferse. Das Bein strecken und hochziehen. Mit der rechten Hand über dem Kopf den Fuß näher zum Kopf ziehen.*

Der Tänzer (Natarajasana)

Nataraja ist einer der Namen Sivas, des kosmischen Tänzers, der oft in dieser Stellung abgebildet ist. Es heißt, wenn Siva seinen Fuß auf die Erde setzt, wird diese zerstört und eine neue wird entstehen. Wenn Sie in Natarajasana oder die Variation kommen, lehnen Sie sich nach vorn, um das Bein hochzuziehen, dann richten Sie den Körper auf. Das Standbein bleibt fest und gestreckt zur Stabilisierung der Stellung. Bei gerader Kopfhaltung liegt die Betonung mehr auf einer Aufwärtsbewegung, während bei nach hinten gebeugtem Kopf auch der Rücken mehr gebogen wird; das wiederum erfordert mehr Kontrolle, um im Gleichgewicht zu bleiben. In der klassischen Position wird der erhobene Fuß nur von einer Hand gehalten, doch erzielt man mit beiden Händen eine größere Dehnung.

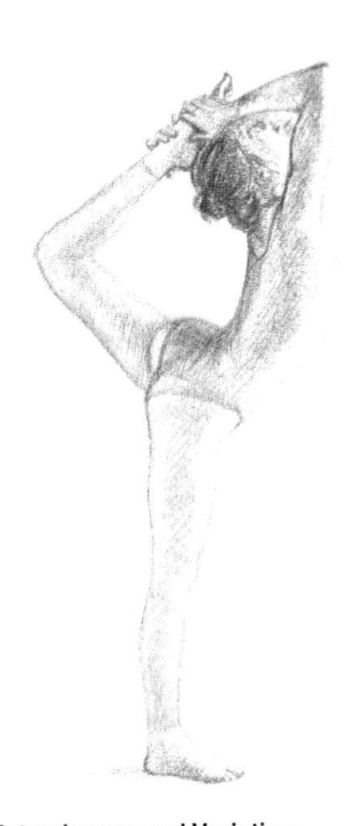

Natarajasana und Variation
Beugen Sie das linke Bein nach hinten hoch und halten Sie den Knöchel mit der linken Hand (→ Seite 54). Ziehen Sie das Bein hoch. Wechseln Sie den Handgriff (→ Seite 126) und greifen Sie auch mit der rechten Hand zum Fuß. Beugen Sie den Kopf zu den Füßen.
Variation *(rechts)*
Gehen Sie vor wie oben, doch statt den Kopf zum Fuß zu biegen, ziehen Sie den Fuß zum Kopf. Aufrecht bleiben.

Die stehende Stellung

Diese Asanas erfordern und entwikkeln sowohl Beweglichkeit als auch Kraft. Daher werden Sie diese Stellungen einfacher halten können, wenn Sie bereits den Spagat meistern. In der Stellung (oben) sollten Sie eine gerade Linie von Ihren Fingerspitzen bis zu Ihrem hinteren Fuß erreichen. Der Körper sieht aus wie ein »T«.
In Variation 2 strecken Sie Ihre Hände weit auseinander. Achten Sie darauf, daß der hintere Fuß flach auf dem Boden bleibt. Sie können diese Stellung auch benutzen, um in Variation 1 hineinzugehen. Beugen Sie sich nach vorn, mit der Brust zum Oberschenkel. Beide Arme nach vorn bringen, dann das vordere Bein durchstrecken und das hintere hochheben. Das Halten dieser Stellungen kräftigt bei regelmäßiger Übung Beine, Arme und Hüften. Achten Sie auf beidseitige Ausführung.

Variation 1
Die Füße sind auseinander, der linke Fuß zeigt nach links, der rechte ein wenig nach links. Drehen Sie sich nach links. Falten Sie die Hände über dem Kopf und heben Sie das rechte Bein. Nun beugen Sie sich nach vorn und strecken das erhobene Bein.

Variation 2
Genau wie oben, doch beugen Sie nu Ihr linkes Bein, so daß der Oberschenkel parallel zum Boden kommt; das rechte Bein bleibt gerade und der Körper aufrecht. Strecken Sie den linken Arm nach vorn und den rechten nach hinten, zum linken Arm schauen.

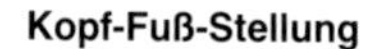

Die Kopf-Fuß-Stellung

Mit der Entwicklung Ihres Gleichgewichtssinns wird Ihnen die lebenswichtige Rolle der Füße immer klarer. Mit steifen oder unbeweglichen Füßen können Ihre Zehen weder den Boden richtig fassen noch stehen Sie richtig. Beugt sich der Kopf in Pada Hasthasana zu den Füßen, werden Sie sich dieser unterschätzten Körperteile stärker bewußt. Mit nach rückwärts ausgestreckten Armen gelingt es Ihnen besser, im Gleichgewicht zu bleiben und die Vorwärtsbeugung mit geradem Rükken auszuführen.

Kopf-Fuß-Stellung
Die Beine auseinander, die Hände im Rücken falten, nach links drehen. Nun nach unten beugen und das Kinn ans Bein bringen.

Variation
Grätschen Sie die Beine noch mehr, dann wie oben fortfahren. Während Sie den Körper nach vorn biegen, beugen Sie auch das Knie und versuchen, mit der Nase die Zehen zu berühren. Die Arme strecken.

Dreieck-Variationen

Um für die fortgeschritteneren Asanas beweglicher zu werden, ist es wichtig, beide Körperseiten ständig zu strecken und zu beleben. Diese Trikonasana-Variationen dehnen und drehen die Körperseiten und strekken die Wirbelsäule kräftig zur Seite. Jede Stellung ist auf drei Punkten aufgebaut: der ausgestreckten Hand, der aufliegenden Hand und dem abstützenden Fuß sowie dem hinteren Fuß. Zieht man eine Linie von Punkt zu Punkt, so ergibt sich ein Dreieck – daher der Name. Auch hier wird wieder der Gleichgewichtssinn trainiert, vor allem in Variation 1 und 3, in denen die Beine entgegengesetzt zum Rumpf gedreht sind. Achten Sie darauf, daß der vordere Oberschenkel parallel zum Boden bleibt und das hintere Bein in Variation 2 und 3 gestreckt. Wiederholen Sie alle Übungen gleich lang nach jeder Körperseite.

Variation 1
Grätschen Sie die Beine etwa einen Meter, der linke Fuß zeigt nach links, der rechte ein wenig nach links. Einatmen. Beim Ausatmen nach links drehen und hinunterbeugen, führen Sie Ihre rechte Handfläche zur Außenseite des linken Fußes. Strecken Sie den linken Arm hoch und schauen Sie zu den Fingerspitzen der linken Hand.

Variation 2
Gleiche Beinstellung wie oben, nur noch etwas weiter auseinander. Beugen Sie das linke Knie, legen Sie die linke Achselhöhle darüber und die linke Hand flach auf den Boden an der Innenseite des linken Fußes. Strecken Sie den rechten Arm am rechten Ohr entlang hoch und bilden Sie eine gerade Linie von der rechten Hand zum rechten Fuß. Nach oben schauen, die Stellung halten.

Variation 3
Aus Variation 2 drehen Sie Ihren Körper in die entgegengesetzte Richtung, bringen die rechte Achselhöhle über das linke Knie und die rechte Handfläche an der Außenseite des linken Fußes auf den Boden. Strecken Sie den linken Arm am linken Ohr entlang aus und schauen Sie hoch.

Die Asanazyklen

Diese Schautafel vermittelt Ihnen einen Überblick über alle Asanas des Buchs. Sie können immer dann darauf zurückgreifen, wenn Sie sich Ihr eigenes Asana-Programm zusammenstellen – wie Sie mit Hilfe einer Landkarte eine bestimmte Reiseroute aufstellen. Die Asanas aus dem Grundprogramm sind schwarz eingezeichnet, um Ihnen zu zeigen, wie die neuen Stellungen zum Grundschema passen. Die rosa gezeichneten Figuren stehen für die ganz neuen Asanas aus dem vorangegangenen Kapitel »Asanas und Variationen«. Alle Abwandlungen und Asanas – sowohl die Grundübungen als auch die neuen – sind in Kurzform jeweils in ihrem entsprechenden Zyklus beschrieben. Natürlich müssen Sie die neuen Asanas und Variationen erst einmal entsprechend den Anleitungen auf der jeweiligen Seite erlernen, bevor Sie mit der Kurzform hier etwas anfangen können. Die Stichworte sind lediglich zum Erinnern, nicht als Anweisungen gedacht. Kein Körper gleicht dem anderen – eine Asana, die dem einen leicht fällt, kostet dem nächsten Mühe. Deshalb werden hier keine mittleren oder fortgeschrittenen Übungsfolgen beschrieben. Üben Sie nach Ihrem eigenen Rhythmus, beachten Sie eine ausgewogene Zusammenstellung Ihrer Asanas.

Der Kopfstandzyklus

(102–103)
Bein-Variationen:
1 Beide Beine hoch
2 Fuß zur Hand
Kopfstand-Bein-Variationen:
1 Beine zur Seite (Seitengrätsche)
2 Beine nach vorn
3 wie 1, Bein zur Seite
4 Beine vor und zurück

(104–105)
Der Skorpion
Skorpion-Variationen:
1 Beine hoch
2 Beine waagerecht

(106–107)
Kopfstand-Arm-Variationen:
1 Ellbogen hoch, Hände herunter
2 Arm(e) ausstrecken
3 Arme zum Kopf falten

(108–109)
Lotus im Kopfstand:
Lotus im Kopfstand
Variation: *Beine im Lotus gedreht*
Umkehrstellung mit einem Bein
1 Kopfstand Rad mit erhobenem Bein

Der Schulterstandzyklus

(110–111)
Schulterstand Bein- und Arm-Variationen:
1 Bein zu Boden
2 Bein beugen, Arm strecken
3 Arme zu den Hüften (voller Schulterstand)
4 Adler im Schulterstand: Beine gedreht

5 Bein hinunter, Bein im halben Lotus (halber Lotuspflug)

(112–113)
Pflug-Variationen:
1 Knie zur Seite
2 Knie hinter den Kopf
3 Lotus im Pflug, Ohr zum Knie

(114–115)
Brücken-Variationen:
1 Brücke mit erhobenem Bein
2 Brücke, Hüften hoch, Knöchel fassen
3 Lotus in der Brücke

Fisch-Variationen:
1 Lotus im Fisch
2 Gebundener Lotus im Fisch

Der Kopf-Knie-Zyklus

(116–117)
Kopf-Knie-Variationen:
1 Hände um die Sohlen, Finger unter die Fersen
2 Ellbogen auf den Boden, Finger ums Fußgewölbe
3 Hände fassen die Gelenke hinter dem Fuß
4 Hände in Gebetshaltung hinter dem Rücken
5 Balance auf dem Gesäß
6 Vorwärtsbeugende Drehung

(118–119)
Die halbe Kopf-Knie-Stellung
Kopf-Knie-Variationen:
1 Hand hinter dem Rücken hält Fuß
2 Zur Seite beugen, oberen Arm zurück
3 Zur Seite beugen, Kopf zum Boden

(120–121)
Seitstellung-Variationen:
1 Hand hinter dem Rücken hält Oberschenkel, Rumpf am Bein
2 Beide Hände zu den Füßen, Rücken an den Beinen
Bein- und Armdehnungs-Variationen:
1 Bein grätschen, Körper nach vorn
2 Beine ausstrecken, Körper nach vorn, Hände zu den Füßen

Die Schildkröte
Balancierende Schildkröte:
Knöchel hinter dem Kopf, auf Händen balancieren

(122–123)
Die schiefe Ebene
Schiefe-Ebene-Variationen:
1 Bein hoch
2 Arm hoch
3 Arm und Bein hoch
4 Arm und Bein hoch, Hand hält Fuß
5 Arm und Bein im halben Lotus hoch
6 Hand hält erhobenes Bein über dem Kopf (schiefe Ebene mit Natarajasana)

Der Zyklus der Rückwärtsbeugen

(124–125)
Kobra-Variationen:
1 Hände zu den Knien
2 Hände halten Füße

Heuschrecken-Variationen:
1 Füße zum Boden
2 Beine waagerecht

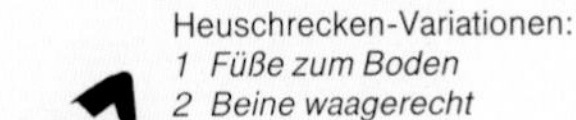

(126–127)
Bogen-Variationen:
1 Ein Bein gehalten, eines gerade (halber Bogen)
2 Füße hinter dem Kopf
3 Füße hinter dem Kopf, Arme und Beine hoch
4 Füße zu Schultern

(128–129)
Das Rad
Rad-Variationen:
1 Hände auf Rückseite der Beine
2 Ein Bein hoch (Eka Pada Chakrasana)

(130–131)
Die Kniestellung

Der Krieger
Das Rad im Knien:
Auf den Knien, die Knöchel fassen

Der Diamant
Diamant-Variation:
Hände halten Knie

(132–133)
Der Halbmond
Halbmond-Variationen:
1 Füße fassen (wie in Taube)
2 Arme nach hinten übers Bein gestreckt

Die Taube
Knie abwinkeln, Fuß hinten fassen

Der Sitzzyklus

(134–135)
Der Drehsitz
Drehsitz-Variationen:
1 Knöchel fassen
2 Knöchel hinter dem Rücken im halben Lotus fassen

(136–137)
Lotus-Variationen:
1 Lotus im Skorpion
2 Lotus in der Kobra
Yoga Mudra:
Fäuste in den Bauch, nach vorn beugen
Gebundener Lotus:
Hände halten Zehen, Arme über dem Rücken verschränkt

Der Hahn

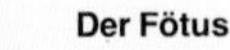

Der Fötus

(138–139)
Der Pfeil und Bogen
1 Fuß gestreckt über den Kopf
2 Hände halten entgegengesetzte Füße

Bein-Kopf-Stellung
Bein-Kopf-Variationen:
1 Unteres Bein im halben Lotus
2 Auf dem Rücken liegend, beide Beine hinter dem Kopf

(140–141)
Der Spagat
Spagat-Variationen:
1 Vorwärtsbeugen
2 Hände in Gebetshaltung nach hinten beugen
3 Hinterer Fuß zum Kopf, Arm zum vorderen Zeh
4 wie 3, gebeugtes hinteres Bein halten (Taube im Spagat)

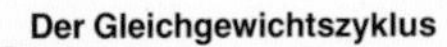

Der Gleichgewichtszyklus

(142–143)
Der Pfau
Pfau-Variation:
Beine in Heuschrecke hoch, Kinn auf den Boden

(144–145)
Der Handstand
Handstand-Variation:
Füße zum Kopf (Handstand-Skorpion)
Krähen-Variationen:
1 Seitliche Krähe, Beine zur Seite
2 Beine auseinander
3 Seitliche Krähe, Arm zwischen den Beinen

(146–147)
Der Adler

Der Baum
Knie-Bein-Stellung:
Knie im halben Lotus zu Boden
Zehenspitzenstellung:
halber Lotus auf den Fersen

(149)
Spagat-Variationen im Stehen:
1 Bein hoch, Hand hält Fuß
2 Bein seitlich hoch, Arm über den Kopf, Fuß halten

Der Tänzer (Natarajasana)
Natarajasana-Variation:
Kopf, Nacken und Wirbelsäule gerade

(150–151)
Die stehende Haltung

Steh-Variationen:
1 Auf einem Bein stehend, das andere gestreckt, balancieren
2 Arm und Bein strecken

Kopf-Fuß-Stellung:
Kopf-Fuß-Variation:
Beine auseinander, Knie gebeugt, Kopf zum Zeh

Dreieck-Variationen:
1 Nach hinten drehen
2 Beine weiter auseinander, Knie unterm Arm
3 wie 2, nach hinten drehen

Die Kriyas

Der Yogi sieht seinen Körper als Gefährt, das ihn zu höheren Bewußtseinsstufen führt. Um Pannen zu vermeiden, muß das Gefährt außen und innen gereinigt werden. Ebenso wie wir unsere Hände waschen, sollten wir auch die inneren Durchgangsorgane reinigen – schließlich sind sie nichts anderes als Fortsetzungen der äußeren Hauthülle. Die sechs Kriyas sind Reinigungspraktiken zur Belebung und Reinigung von Körperteilen, die wir oft vernachlässigen. Sie umfassen: Kapalabhati (→ Seite 72); Tratak (→ Seite 95); Neti, zur Nasenreinigung; Dhauti, für den Verdauungstrakt, das auch Kunjar Kriya (→ Seite 86) einschließt und Agni Sara (→ Seite 182) sowie das unten gezeigte Vastra Dhauti; Nauli belebt das Bauchgewebe und Basti wäscht den Dickdarm aus. Durch das Entfernen der Giftstoffe aus dem Körper schärfen die Kriyas bei regelmäßiger Anwendung den Geist, beleben die Sinne und stärken die Abwehrkräfte.

Neti

Mit zurückgelegtem Kopf, damit Sie die Nasenöffnungen deutlich sehen können, sollten Sie Neti täglich vor einem Spiegel üben. Es gibt zwei Methoden: In Sutra Neti schieben Sie einen Katheter oder ein dünnes Stück gewachste Schnur (etwa 30 cm) in ein Nasenloch und ziehen es aus dem Mund wieder heraus. Mit dem anderem Nasenloch wiederholen. Man braucht schon etwas Übung, um sicher zu gehen, daß die Schnur aus dem Mund herauskommt und muß aufpassen, daß sie nicht im Rachen verschwindet oder im Nasenloch weiter hochsteigt. In Jala Neti benutzen Sie einen kleinen Topf mit einem Schnabel, gießen damit leicht gesalzenes Wasser durch ein Nasenloch und lassen es zum anderen wieder hinausfließen. Wenn das Nasenloch verstopf ist, fließt das Wasser in den Mund und Sie können es wieder ausspucken. Wenn Sie die Übung mit beiden Nasenlöchern gemacht haben, blasen Sie das restliche Wasser sanft aus jedem Nasenloch einzeln heraus.

Sutra Neti
Tauchen Sie die Schnur in warme Salzwasser. Schieben Sie sie in d Loch im Naseninnern. Wenn Sie d eine Ende im Rachen herauskomm sehen, fassen Sie es und ziehen d Schnur langsam heraus.

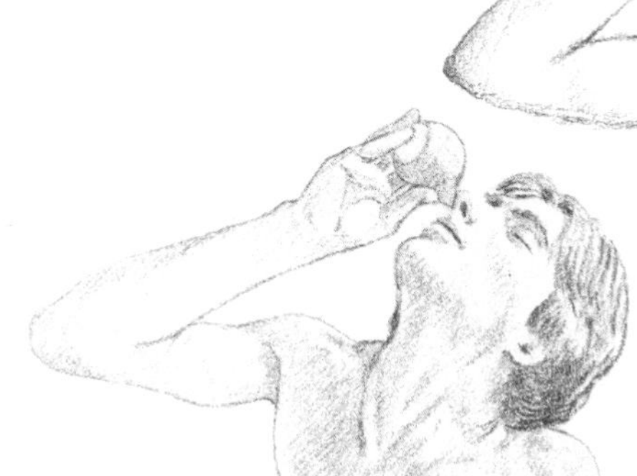

Jala Neti
Den Kopf nach links gebeugt, gießen Sie das Wasser in Ihr rechtes Nasenloch und lassen es aus dem linken wieder herauslaufen (oder aus dem Mund).

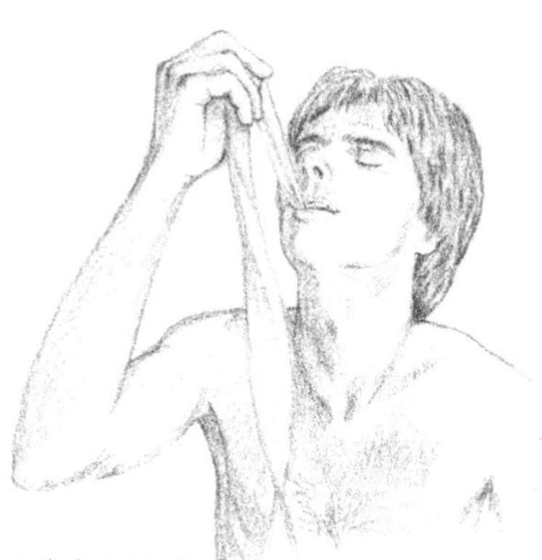

Vastra Dhauti
Tauchen Sie Gaze in lauwarmes Salzwasser. Beim Schlucken des Wassers schlucken Sie auch langsam die Gaze mit. Nehmen Sie soviel Sie können, dann ziehen Sie die Gaze sanft wieder aus Ihrer Speiseröhre hoch und aus dem Mund.

Vastra Dhauti

Yogis praktizieren dies einmal pro Woche, gleich am Morgen, auf nüchternen Magen. Die Übung besteht darin, einen etwa 4 m langen Streifen angefeuchteter Gaze zu schlukken und dann sanft, mit allen Schleimen und Abfallstoffen aus Magen und Speiseröhre wieder herauszuziehen. Am Anfang wird Ihnen vielleicht schlecht davon und Sie können nur wenige Zentimeter hinunterschlucken. Doch wenn Sie täglich ein paar Zentimeter mehr hinunterbringen, werden Sie mit der Zeit die ganze Gaze schlucken können. Nach der Übung trinken Sie ein Glas Milch. Vastra Dhauti sollte von einem erfahrenen Yogalehrer überwacht werden.

Nauli

In dieser Übung lassen Sie den mittleren Bauchmuskel heftig kreisen. Das erfordert Konzentration und Kontrolle, denn Sie lernen, einen unwillkürlichen Muskel zu beeinflussen. Konzentrieren Sie sich beim Nauli auf den Bauch. Die Übung von Agni Sara (→ Seite 182) bereitet auf Nauli vor. Versuchen Sie zunächst, den Bauchmuskel so zu isolieren, daß er einen senkrechten Strang in der Bauchmitte bildet. Dann drücken Sie mit der linken Hand nach unten und bewegen den Muskel nach rechts und umgekehrt. Nach und nach werden Sie eine glatte, wellenförmige Bewegung erreichen, die die inneren Organe belebt. Magen, Darm und Leber werden gestärkt, Menstruationsschmerzen behoben und der Fluß des Prana nimmt zu.

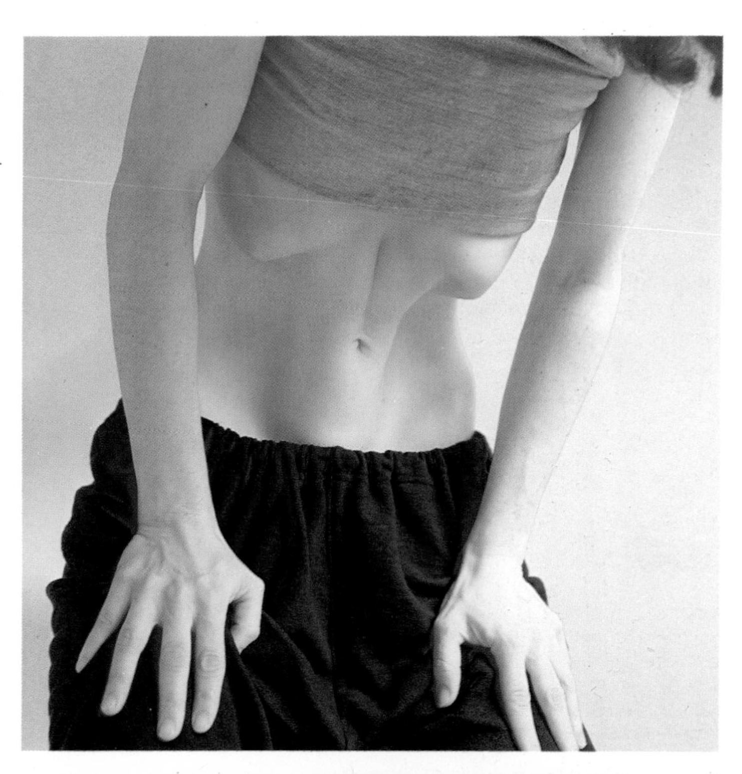

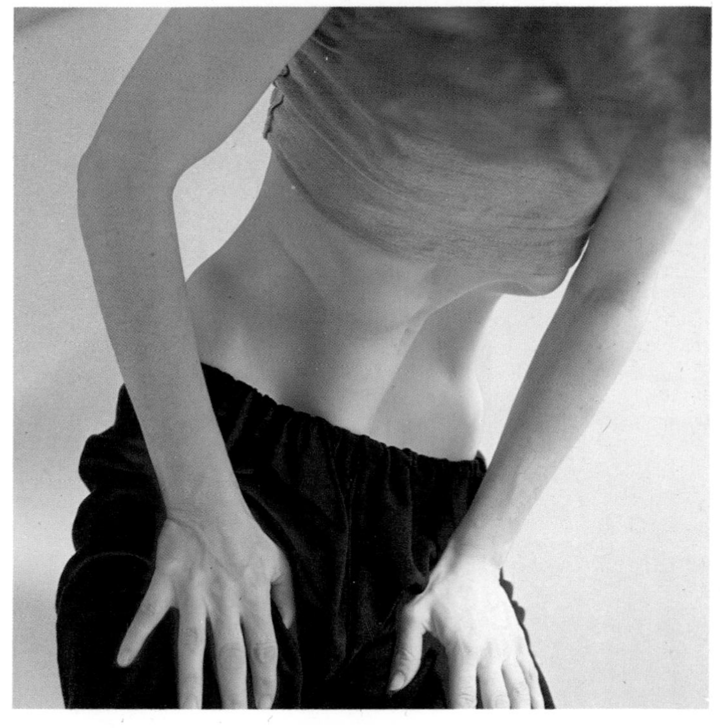

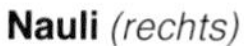

Nauli *(rechts)*
Stehen Sie mit gegrätschten Beinen, leicht gebeugten Knien und legen Sie die Hände auf die Oberschenkel. Ausatmen, Uddiyana Bandha anwenden. Den Bauch seitlich einziehen, den mittleren Muskel isolieren (oben). Dann drücken Sie mit der jeweils gegenüberliegenden Hand, um den Muskel von Seite zu Seite zu bewegen (unten).

Basti

Dies ist eine natürliche Methode zur Reinigung des Darms. Wie beim Klistier, muß Wasser in den Darm gebracht werden. Setzen Sie sich in die Badewanne und führen Sie einen runden, etwa 10 cm langen Schlauch in den Enddarm ein. Dann ziehen Sie das Wasser hoch, indem Sie Uddiyana Bandha und Nauli praktizieren. Entfernen Sie den Schlauch und üben Sie Nauli, um das Wasser im Darm zu bewegen, dann stoßen Sie es aus. Während Klistiere und Einläufe das Wasser in den Darm hineindrücken, schaffen Sie mit Basti ein Vakuum, so daß das Wasser ganz natürlich eingesogen wird.

Der Zyklus des Lebens

»Es gibt einen Geist – rein und jenseits von Alter und Tod –
. . . das ist Atman, die Seele des Menschen.«
Chandogya Upanishad

Die Yogadisziplin begleitet uns durch das ganze Leben. Sie ist eine vielseitige und allumfassende Wissenschaft, die sich allen Lebensumständen und Bedingungen anpaßt. Vielleicht fühlten Sie sich anfangs zu Yoga hingezogen, weil sie rank und schlank bleiben wollten: als dann Veränderungen in Ihrem Leben eintraten, erkannten Sie den Wert der Atemübungen und der Meditation. In diesem Kapitel befassen wir uns mit Asanas und ihrer Anpassung an verschiedene Bedürfnisse des Lebens. Drei Lebensabschnitten schenken wir besondere Aufmerksamkeit: Mutterschaft, Kindheit und Alter. Doch selbst wenn Sie sich gegenwärtig in keinem dieser Stadien befinden, können Sie aus dem hier vorgelegten Material Ideen für Ihr eigenes Vorgehen gewinnen. Die Grundübungen bilden stets die Basis für jede Asana-Folge.

Die Klarheit des Geistes, die Yoga erzeugt, sowie die körperliche Lebenskraft und Geschmeidigkeit, die es bewirkt, sind für jung und alt gleichermaßen wichtig. Kindern bietet Yoga eine Möglichkeit, das ganze Leben gesund zu bleiben. Mit ihrer natürlichen Beweglichkeit und ihrem Sinn für Gleichgewicht gelingen ihnen die Asanas mühelos, so daß die Sitzungen sowohl erfreulich als auch belohnend sind. Jugendliche werden aus allen Aspekten des Yoga großen Nutzen ziehen können. Gefühle von Befangenheit und Unbeholfenheit werden bald durch Vertrauen und Gelassenheit ersetzt. Pranayama und Entspannung helfen vor allem bei emotionalen Problemen der Heranwachsenden.

Viele Frauen kommen während ihrer ersten Schwangerschaft zum Yoga, weil sie einen Weg suchen, gerade in dieser Zeit möglichst gesund und widerstandsfähig zu bleiben. Die Entstehung neuen Lebens gehört zu den größten Wundern, die es gibt, und setzt eine Kette von Ereignissen in Bewegung, die noch die nächsten 70, 80 oder mehr Jahre beeinflussen werden. Keine Zeit ist für die eigene körperliche, geistige und seelische Entwicklung wichtiger als diese. Wenn Sie und Ihr Partner ein gutes Tagesprogramm aus Asanas, Pranayama und Meditation entwickeln, werden Ihnen die folgenden Monate dieser mit der Sorge für ein Baby ausgefüllten Zeit kaum Mühe bereiten.

Die sanften, langsamen Bewegungen der Asanas sind ideal für die späteren Lebensjahre, helfen sie doch, Körper und Geist jung und aktiv zu erhalten, während die Atemübungen die Sauerstoffzufuhr zum Gehirn verbessern. Viele Asanas können auf dem Stuhl sitzend ausgeführt werden, einige sogar im Bett liegend. Sollten Sie aus irgendeinem Grund die Asanas körperlich nicht ausführen können, so stellen Sie sich selbst in diesen Stellungen vor. Das ist eine starke Konzentrationsübung – gleichzeitig werden Sie auch körperliches Wohlbefinden spüren. Die kleinste Bewegung kann zum Asana werden, wenn sie mit Aufmerksamkeit und Bewußtsein sowie im Einklang mit dem Atem ausgeführt wird. Eine Yogaschülerin mit Arteriosklerose verbrachte mehrere Sitzungen damit, ihre Hände in der Gebetshaltung zusammenzuführen – für sie war das sicher ein Asana, das sie mit großer Freude und viel Eifer entwickelte, um es zu vervollkommnen.

Wir alle durchleben immer wieder anstrengende Zeiten, sei es, daß wir die Arbeitsstelle wechseln, eine Beziehung lösen oder das Rauchen aufgeben. In solchen Situationen kann Yoga zum Hafen im Sturm werden, weil es Sicherheit und Beständigkeit vermittelt. Oft entstehen unsere Spannungen und Ängste aus einem falschen Verständnis unseres wahren Selbst. Nur wenn Sie lernen, sich mit dem unveränderlichen, unsterblichen Selbst zu identifizieren, werden Sie den Veränderungen des Lebens mit Gelassenheit und Gleichmut begegnen können.

Mutterschaft

Die Monate, in denen die Frau ein Kind in sich trägt, sind kostbar und vergehen schnell. Besonders die erste Schwangerschaft ist eine Entdeckungsreise, eine Zeit großer Veränderungen. Nicht nur ihr Körper, auch Ihr Gefühl, Ihr Geist und Ihre Seele beschäftigen sich mit der Entstehung des neuen Lebens. Yoga verhilft Ihnen, unabhängig von Ihrem Gesundheitszustand, zur bestmöglichen Schwangerschaft und Entbindung. Von Anfang an schaffen Sie damit eine positive Umgebung für das werdende Kind. Probleme wie Übergewicht, Schwangerschaftsstreifen und Rückenschmerzen lassen sich durch Yoga vermeiden. In diesem Kapitel erfahren Sie, wie Sie Ihre Asanas Ihrem Zustand anpassen und welche besonderen Übungen für die Schwangerschaft und zur Vorbereitung auf eine leichte Entbindung nützlich sind. (Lesen Sie das ganze Kapitel, auch den Abschnitt über die späteren Jahre, denn dort werden Sie ebenfalls nützliche Hinweise finden.) Selbst wenn Sie vorher noch nie Yoga gemacht haben, werden Sie feststellen, daß schon die einfachsten Übungen Ihr Wohlbefinden und Ihre Gesundheit steigern, während Entspannung, Atemübungen und Meditation Ihnen das ganze Geschehen von der Empfängnis bis zur Geburt und die Zeit danach erleichtern: Sie werden ruhiger und sicherer. Alle Frauen haben Angst vor den Wehen – denn sie tun weh, bedeuten Anstrengung und harte Arbeit. Yoga lehrt Sie, diesem Erlebnis angemessen zu begegnen, dem Augenblick zu leben, jeden Moment so zu nehmen, wie er kommt. Ihre Übungen bereiten Sie nicht nur auf eine leichtere Entbindung vor, sie helfen Ihnen auch, mögliche Schwierigkeiten mit Ruhe und Kraft sowie Energie zu meistern. Die Meditation kann Ihnen während der Schwangerschaft sehr nützlich sein – beobachten Sie die Bewegung des Geistes, ziehen Sie Ihre Aufmerksamkeit nach innen – und alle Sorgen und Unannehmlichkeiten verlieren ihre Macht. Gerade beim ersten Kind ist es besonders wichtig, ein Programm aus Asanas, Pranayama und Meditation aufzubauen und zur Gewohnheit werden zu lassen; wenn das Baby dann da ist, wird Ihnen diese Gewohnheit zugute kommen und Sie über Phasen der Anstrengung und Erschöpfung hinwegbringen. Yoga wird für Sie zur Quelle der Kraft und hilft Ihnen, eine liebevollere und bessere Mutter zu sein.

Meditation
Schwangerschaft ist eine hervorragen de Zeit für Meditation, denn Ihr Fühlen und Denken beeinflußt auch Ihr Baby. Senden Sie während ihrer Meditation ganz bewußt Prana in die Gebärmutte hinein.

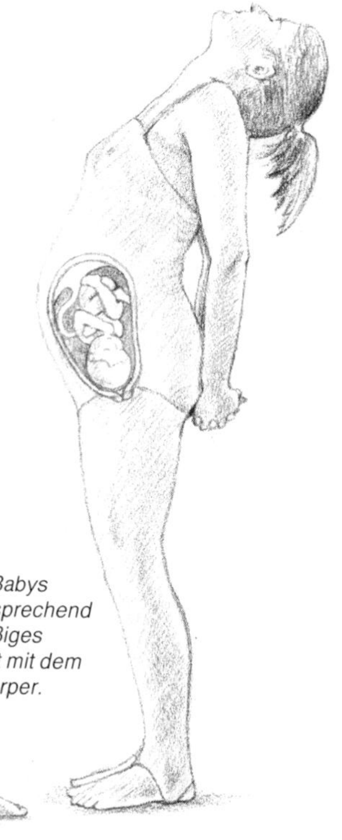

Frühe Schwangerschaft
Stellen Sie sich während der Asanas vor, wie sich das Baby mit Ihnen bewegt.

Die späteren Monate
Mit dem Wachsen des Babys werden die Asanas entsprechend abgewandelt. Regelmäßiges Üben hält Sie in Kontakt mit dem Geschehen in Ihrem Körper.

Übungsschema

Dieses Schema enthält dieselben Übungsfolgen wie das Grundprogramm (→ Seite 30). Hinzugefügt wurden Vorschläge für abgewandelte Asanas und neue, speziell für die Schwangerschaft geeignete Stellungen. Benutzen Sie den Plan in Verbindung mit den Grundstellungen und gehen Sie auch zu den Tafeln auf Seite 66/67 zurück, wenn Sie kürzer üben wollen oder ein Anfängerprogramm brauchen. Sind Sie bereits eine erfahrene Yogaschülerin, sollten Sie während Ihrer Schwangerschaft ein sanftes Grundprogramm üben. Ihr Körper scheidet während dieser Zeit das Hormon Relaxin aus, Sie werden daher in Ihren Asanas eine umfassende Verbesserung feststellen. Egal, wie dick Sie werden, Sie können immer an Ihren Sitzstellungen arbeiten, besonders am Lotus. Die Sitzstellungen sind sehr wichtige Asanas für Sie, denn sie weiten das Becken für die Geburt. Ebenso stehende Stellungen – sie kräftigen Ihre Beine und helfen, das Baby zu tragen. Weil die drei rückwärtsbeugenden Übungen aus der Grundfolge – Heuschrecke, Kobra und Bogen – auf dem Bauch liegend ausgeführt werden, haben wir hier Alternativen vorgeschlagen. Hören Sie auf Ihren Körper – Sie können am besten beurteilen, was Ihnen während der Schwangerschaft gut tut. Wenn Sie sich in einem Asana unbehaglich oder verspannt fühlen, ist das ein Zeichen, die Übung zu beenden. Aber machen Sie es sich auch nicht zu leicht – das Baby ist gut geschützt, sowohl von Ihren Bauchmuskeln als auch durch die Fruchtblase, die es in der Gebärmutter umhüllt.

Übungsbeginn
Fangen Sie wie immer mit ein paar Minuten Entspannung an. Wenn Sie die Totenstellung zu unbequem finden, probieren Sie die abgewandelten Stellungen auf Seite 169. Wenn das Baby größer geworden ist, stehen Sie aus jeder Bodenlage auf, indem Sie sich auf eine Seite rollen und sich beim Aufrichten mit Ihren Händen abstützen.

Pranayama
ist wichtig – es versorgt Sie und Ihr Baby mit Prana, vermehrt die Sauerstoffaufnahme und beruhigt den Geist. Wenn Sie sich während der Wehen auf Ihren Atem konzentrieren, werden Sie ruhig, entspannt und kontrolliert bleiben.

Beim **Sonnengebet** müssen Sie einige Stellungen leicht abändern, besonders in den späteren Monaten, wenn Ihr Bauch größer wird. Schauen Sie sich die zwölf Positionen auf Seite 34 noch einmal genau an.

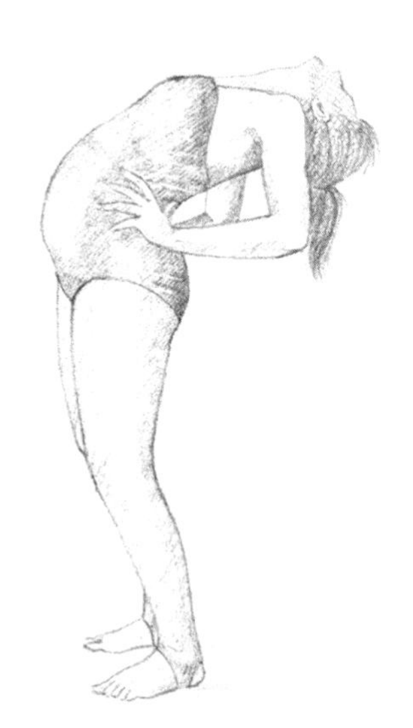

In Position 2 und 11 (Rückwärtsbeugen) können Sie Ihre Hände auf Ihre Hüften legen, statt sie hochzuheben, und Ihre Füße etwas weiter auseinander stellen, um die Beugung im Rücken weiter nach unten zu verlagern. Zwischen Position 6 und 7, in denen der Bauch normalerweise über den Boden streift, stützen Sie Ihr Gewicht mit den Händen ab und »gleiten« von einer Stellung zur nächsten. Spüren Sie, wie geborgen das Baby in Ihnen ruht.

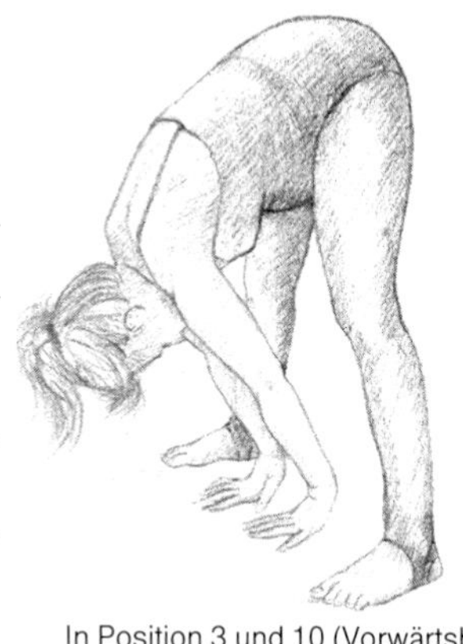

In Position 3 und 10 (Vorwärtsbeugen), oben abgebildet, gibt es keine Probleme, wenn Sie Ihre Beine etwas auseinanderspreizen, um dem Baby Platz zu lassen.

In diesen Monaten sollten Sie sich mit der einfachen Beinübung begnügen (→ Seite 36) und die Beine wechseln. Sie können auch die Version für ältere Menschen üben (→ Seite 174). Lassen Sie die doppelte Beinübung weg, sie spannt den Bauch zu stark an.

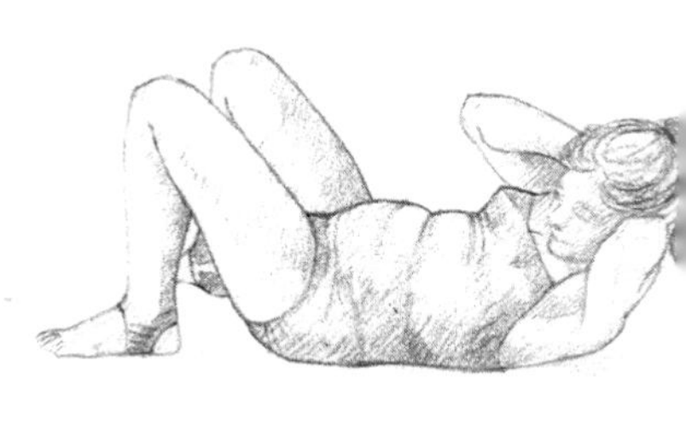

Üben Sie stattdessen das **Schwangerschaftsaufsitzen,** das Ihre Bauchmuskulatur ohne Anstrengung stärkt. Wenn Sie diese Muskeln, die das Baby in seiner Lage halten, richtig trainieren, fühlen Sie sich beide wohler. Legen Sie sich auf den Rücken, stellen Sie die Füße nahe bei Ihrem Gesäß flach auf den Boden und falten Sie Ihre Hände im Nacken. Beim Einatmen heben Sie Kopf und Schultern und beugen sich nach links. Beim Ausatmen heruntergehen; nach der anderen Seite wiederholen. Sie sollten diese Übung fünfmal nach jeder Seite machen. Spüren Sie, wie die Muskeln sich zusammenziehen, wenn Sie Kopf und Schultern heben und sich dann beim Heruntergehen langsam wieder entspannen.

Kopf- und Schulterstand sind während der Schwangerschaft unersetzlich, da sie den unteren Rücken, die Beinmuskeln und -venen sowie die Muskulatur des Unterbauchs entlasten. Sie bewirken außerdem, daß die Gebärmutter sich nach der Entbindung besser in ihre ursprüngliche Lage zurückbildet. Allerdings kann es im Verlauf der Schwangerschaft schwer fallen, in diese Stellungen hinein zu kommen und sie auch zu halten. Vielleicht hat sich auch Ihr Gleichgewichtssinn verändert.
Selbst wenn Sie diese Asanas schon gut können, sollten Sie sie Schritt für Schritt üben und sofort aufhören, sobald Sie sich unsicher fühlen. Als Anfängerin studieren Sie den Kopfstand auf Seite 38 genau, um sich mit den acht Schritten vollkommen vertraut zu machen. Schon das Üben der ersten drei Schritte (bis zum »Dreifuß«) nützt Ihnen spürbar. Sobald Position 3 für Sie angenehm wird, können Sie sich in 4 erheben und in 5 gehen. Dann wandeln Sie 6 ab, indem Sie jeweils nur ein Knie abbiegen und hochheben. Halten Sie die Stellung und lassen Sie dabei Ihre Wirbelsäule so gerade wie möglich, während Sie tief atmen.

Der **halbe Kopfstand** (oben) vermittelt Ihnen beinahe die gleichen Vorteile wie der ganze. Gehen Sie nur weiter, wenn Sie sich wirklich sicher fühlen und versuchen Sie dann den ganzen Kopfstand. Sie können ja gegen eine Wand üben, um sich dort abzustützen. Praktizieren Sie diese Asana jedoch nur in den ersten Monaten der Schwangerschaft. Knien Sie sich mit Ihrem Gesäß nah an die Wand. Bilden Sie Ihren »Dreifuß«, die Ellbogen berühren die Knie. Dann folgen die Positionen 4 und 5. In 6 gehen Sie mit Ihren Füßen die Wand hoch – langsam und sicher; notfalls legen Sie Pausen ein. Wenn die Beine gestreckt sind, nehmen Sie zunächst ein Bein und dann das andere von der Wand weg, bis Sie sich frei stehend im Gleichgewicht halten. Die Nähe zur Wand gibt Ihnen mehr Vertrauen und Sie brauchen keine Angst vor dem Umkippen zu haben. Um wieder aus der Stellung zu kommen, gehen Sie mit Ihren Füßen die Wand hinunter.

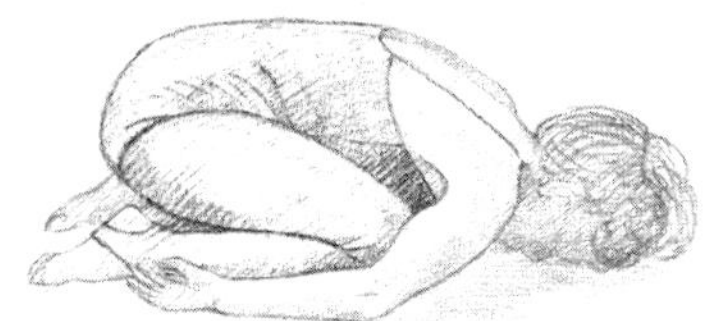

Nach dem ganzen oder dem abgewandelten Kopfstand entspannen Sie in der **Stellung des Kindes** (→ Seite 39) oder in der Abwandlung des Asanas mit geöffneten Knien (→ oben und Seite 169). Tief atmen, bis sich der Kreislauf stabilisiert hat.

Für Schulterstand und Pflug können Sie die abgeänderten Positionen auf Seite 164 in diesem Kapitel anwenden. Als Anfängerin lehnen Sie Ihre Füße einfach an die Wand. Nach dem Pflug können Sie die Dehnübungen an der Wand hinzunehmen. Den Fisch üben Sie normal; er hilft vor allem bei Depressionen. Drücken Sie sich vom Boden ab in die Brücke – aus dem Schulterstand heraus würde es zuviel Arbeit für den Bauch bedeuten.

Üben Sie die **Kopf-Knie-Stellung** nur mit gegrätschten Beinen, damit Sie dem Baby Platz lassen. Mit zunehmendem Bauchumfang finden Sie wahrscheinlich die halbe Kopf-Knie-Stellung angenehmer (→ Seite 118). Wichtigstes Element bei den vorwärtsbeugenden Übungen ist der gerade Rücken – in der Schwangerschaft wird Ihr Bauch Sie immer daran erinnern, den Rücken gerade zu halten.
Die größte Veränderung in Ihrer Asana-Reihe erfolgt bei den rückwärtsbeugenden Übungen. Es kann sein, daß Sie bei den drei Grundstellungen – Kobra, Heuschrecke und Bogen (→ Seite 50) – zuviel Druck auf Ihren Bauch ausüben. Dann sollten Sie stattdessen die abgewandelte Kobra und die Katze (→ Seite 166) nehmen, und den Bogen durch das Rad im Knien ersetzen (→ Seite 130).
Sie können auch den **Halbmond** (→ Seite 132) üben – gehen Sie dann in

die abgewandelte Stellung (oben). Stützen Sie sich dabei mit den Händen auf das Knie, wenn Ihnen das angenehmer ist.

Die Sitzstellungen sollten einen Großteil Ihrer Schwangerschafts-Asanas ausmachen, denn sie weiten das Becken, erleichtern die Wehen und stärken Beine und unteren Rükken. Möglicherweise werden Ihnen Schmetterling und Lotus sogar besser gelingen, weil sich das Becken während der Schwangerschaft dehnt, um die Geburt zu erleichtern. Sie können auch die knienden Stellungen wie den Krieger (→ Seite 130) und die Hocke (→ Seite 169) probieren, um die Elastizität der Vaginalmuskeln zu erhöhen. Wenn Sie im halben oder vollen Drehsitz (→ Seite 56 und 134) zuviel Druck auf den Bauch verspüren, beugen Sie sich zurück, um mehr Platz zu haben. Das gelingt am leichtesten in der auf Seite 174 gezeigten Variante.

Zur Abwechslung können Sie auch in der **Leichten Stellung** mit gekreuzten Beinen den abgewandelten Drehsitz üben. Legen Sie Ihre linke Hand an die Außenseite des rechten Knies und die rechte Hand hinten auf den Boden. Drehen Sie sich leicht nach rechts. Halten Sie die Stellung und atmen Sie tief. Nach der anderen Seite wiederholen.

Die **Wirbelsäulendrehung im Stehen** (oben) übt keinen Druck auf den Bauch aus. Kreuzen Sie die Beine, strecken Sie die Arme seitlich aus und drehen Sie sich zum vorderen Bein hin. Schauen Sie zum rückwärtigen Arm. Beine wechseln und nach der anderen Richtung drehen. Stehende Stellungen kräftigen die Beine. Sie können das Kind leichter tragen und während der Wehen besser pressen. Probieren Sie einige der abgewandelten Stehstellungen und Asanas aus dem Gleichgewichtszyklus (→ Seite 151) und versuchen Sie auch den Adler (→ Seite 146) – eine wunderbare Übung für den Kreislauf und zur Vorbeugung gegen Krampfadern.

Der **Baum** (oben) wirkt ähnlich und hilft – wie alle Gleichgewichtsasanas –, die Konzentration zu verbessern und den Geist zu beruhigen. Den beruhigenden Einfluß der Asanas werden Sie in den kommenden Monaten noch mehr zu schätzen lernen. Üben Sie zuerst die einzelnen Schritte des Baums wie auf Seite 146 beschrieben und legen Sie dabei eine Fußsohle möglichst hoch auf die Innenseite des anderen Oberschenkels. Wenn Ihnen das leicht fällt, legen Sie das erhobene Bein in den halben Lotus, wie abgebildet. Bald werden Sie die Stellung sogar mit geschlossenen Augen halten können.

Praktische Hinweise

Sie sollten jede Übung sofort beenden, wenn Sie irgendeine Belastung verspüren. Erholen Sie sich öfter in einer der Entspannungsstellungen. Entspannen Sie am Schluß mindestens 10 Minuten – nach Möglichkeit sogar länger – in der Totenstellung oder einer Variation (→ Seite 169). Mit dem Fortschreiten Ihrer Schwangerschaft können Sie durch regelmäßiges Üben der Asanas besser auf die Veränderungen in Ihrem Körper eingehen und das Wachsen des Kindes deutlicher spüren. Gehen Sie so oft wie möglich in Yogastunden. Erholung und Tiefenatmung werden jetzt wichtiger. Anfangs- und Endentspannung Ihrer Asanas sollten nun länger dauern. Nehmen Sie sich auch im Alltag Zeit zum Entspannen. Folgen Sie den Vorschlägen auf Seite 26 für Ihre Endentspannung, indem Sie einzelne Muskelpartien und Körperteile nacheinander anspannen und entspannen. Bauen Sie die Dammübungen auf Seite 169 mit ein. Diese Übungen zeigen Ihnen, welche Muskeln angespannt oder verspannt sind. So werden Sie diese Partien viel bewußter entspannen. Während der Entbindung können Sie dann zwischen den einzelnen Wehen entspannen und ermüden nicht so leicht.

Der Skorpion
Frauen mit jahrelanger Erfahrung im Yoga entwickeln ein solches Körpe wußtsein, daß sie auch fortgeschrit Stellungen wie den Skorpion währe der gesamten Schwangerschaft üb können (rechts). Diese Abbildung s Sie ermutigen, Ihnen zeigen, was Schwangere erreichen können.

Besondere Asanas für die Schwangerschaft

Während das Baby in Ihnen heranwächst, kann es sein, daß Sie sich unbeweglicher fühlen und es Ihnen schwer fällt, einige der nützlichsten Asanas wie gewohnt zu üben. Sie können die Grundumkehrstellungen, die den Rücken stärken und Herz und Beine entlasten durch die hier gezeigten Stellungen (und auch die auf Seite 161) ersetzen. Üben Sie anstelle Ihrer gewohnten Rückwärtsbeugen die Katze und die abgewandelte Kobra, die einer Erschlaffung des Bauchs sowie Schwangerschaftsstreifen vorbeugen und auch die Beine stärken, so daß Sie Ihr Kind gut tragen können. Während dieser Monate bereiten Sie den Körper auf die Geburt vor – die Dehnübungen an der Wand und die Hocke werden das Becken weiten, während die Dammübungen Becken- und Vaginalmuskeln kräftigen. Probieren Sie die abgewandelten Totenstellungen, wenn Sie Entspannung und erholsamen Schlaf suchen.

Abgewandelter Schulterstand

Der Schulterstand ist äußerst erfrischend und kräftigend – besonders während der Schwangerschaft, wenn das zusätzliche Gewicht Beine und Rücken leichter ermüden läßt. Haben Sie durch Ihren zunehmenden Bauchumfang Schwierigkeiten, in die Stellung hineinzukommen, üben Sie zur Unterstützung und Sicherheit an der Wand. Drücken Sie die Füße an die Wand, während Sie daran hochgehen, um das Gewicht zu verlagern. So profitieren Sie von allen Vorteilen der Umkehrstellung, ohne dabei Ihr ganzes Körpergewicht tragen zu müssen.

Abgewandelter Schulterstand
Legen Sie sich auf den Rücken, mit dem Gesäß zur Wand und strecken Sie dabei die Beine nach oben. Stützen Sie sich mit den Füßen ab; ziehen Sie sich so weit hoch, daß Sie mit den Händen den Rücken stützen können. (→ Seite 40). Gehen Sie so weit mit den Füßen an der Wand hoch, bis die Beine gestreckt sind. Dann lösen Sie die Beine abwechselnd (oder auch gleichzeitig) von der Wand.

Abgewandelter Pflug

Um sich den Pflug zu erleichtern, können Sie die Beine grätschen. Falls Sie mit den Füßen nicht auf den Boden kommen, stellen Sie einen Stuhl hinter sich, um einen Teil des Gewichts abzufangen. Sie verstärken die Dehnung, wenn Sie die Füße auf den Stuhl drücken. Diese Technik empfiehlt sich auch für Anfänger, die noch nicht den vollen Pflug erreichen.

Vorsicht! Achten Sie darauf, daß der Stuhl auf keinen Fall verrutscht.

Abgewandelter Pflug
Aus dem abgewandelten Schulterstand führen Sie ein Bein oder beide Beine nach hinten und legen sie auf einen Stuhl. Ziehen Sie die Fersen nach hinten.

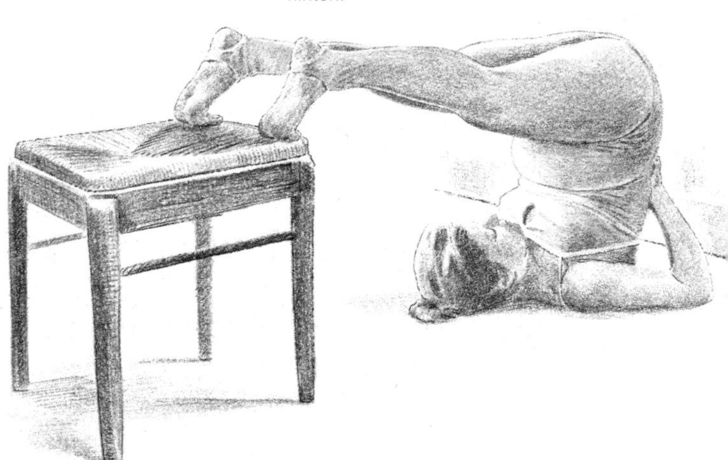

Dehnungen an der Wand

Diese Stellungen sind ebenso erholsam wie belebend und weiten außerdem das Becken für die Geburt. Das Liegen auf dem Boden hält die Wirbelsäule gerade – was in den Sitzstellungen mit gestreckten Beinen schwerer fällt. Und weil dabei Wand und Boden Ihr Gewicht mit »übernehmen«, können Sie all Ihre Kraft in die Dehnung stecken. Sie können die Dehnungen auch passiv üben, indem Sie die Arme entspannt auf dem Boden lassen.

Wandschmetterling
Legen Sie sich mit Gesäß und Füßen an die Wand, die Fußsohlen berühren sich, und lassen Sie die Knie nach außen fallen. Mit den Händen drücken Sie die Knie herunter und an die Wand. Entspannen Sie und genießen Sie die Stellung.

Wandhocke
Spreizen Sie die Beine und stellen Sie die Füße an die Wand. Ziehen Sie die Knie mit den Händen sanft nach außen und unten, wobei Sie die Füße fest gegen die Wand drücken. Als eine Variation üben Sie die Seitengrätschen an der Wand.

Die Beckenübung

Diese Übung kräftigt die Gebärmutter, die Muskelwiege für das wachsende Kind, fördert tieferes Atmen und löst Verspannungen im unteren Rücken. Die Position »auf allen Vieren« gibt Ihnen ein Gefühl von Stärke und Gesundheit. Einige Mütter schätzen diese Stellung während der Wehen. Beim Beckenschwung wird die ganze Wirbelsäule in beiden Richtungen gebeugt und gedehnt.

Die Beckenübung
1 *Auf allen Vieren ausatmen und nach oben beugen, den unteren Rücken dabei flach ziehen. Fühlen Sie, wie der Uterus ganz stark nach oben gezogen wird. Atmen Sie normal und bleiben Sie kurz in der Stellung.*

2 *Einatmen und nach unten durchbiegen, den unteren Rücken beugen. Legen Sie den Kopf in den Nacken und atmen Sie normal. Wiederholen Sie 1 und 2 mehrmals und langsam.*

Abgewandelte Kobra

Diese Stellung ist während der Schwangerschaft besser geeignet als die klassische Kobra (→ Seite 50), weil sie Druck auf den Bauch vermeidet. Sie stärkt die Beine und biegt den Rücken gut nach hinten durch. Sie besteht aus 3 Stufen: man beugt nacheinander Nacken-, Brust- und Lendenwirbel. Gehen Sie Schritt für Schritt vor, halten Sie bei jedem Schritt kurz an, atmen Sie normal und strecken Sie sich erst weiter, wenn Sie sich bereit dazu fühlen. Mit der Zeit können Sie die drei Schritte dann in einer fließenden Bewegung üben. Mit geschlossenen Füßen wird die Dehnung intensiver – doch können Sie die Beine auch spreizen, wenn Ihnen das leichter fällt.

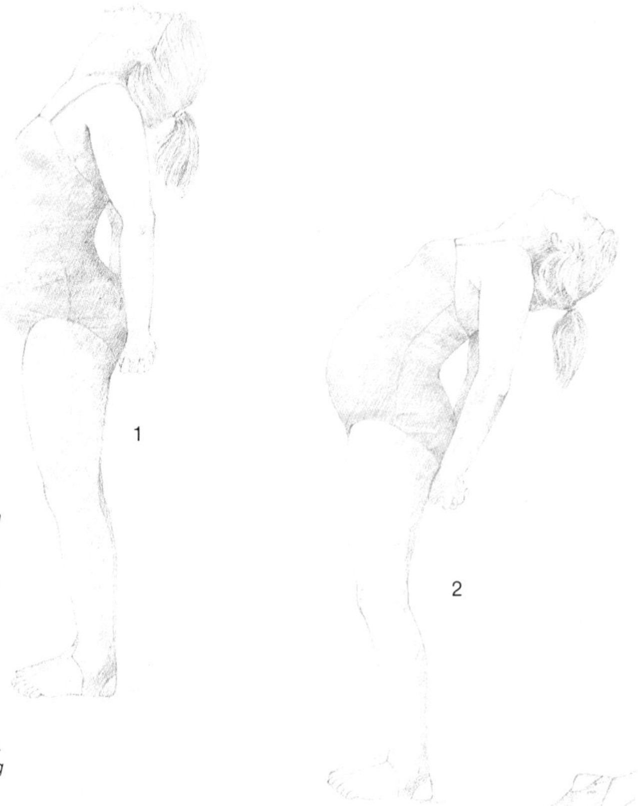

Abgewandelte Kobra
Stehen Sie mit geschlossenen Beinen und falten Sie die Hände hinter dem Rücken.
1 *Einatmen und den Kopf nach hinten fallen lassen. Anhalten, sanft weiter atmen.*
2 *Einatmen, zurückbeugen und die Brust herausdrücken, die Arme nach hinten ziehen.*
3 *(ganz rechts) Einatmen, die Hüften nach vorn und die Arme zurückziehen. Entspannen Sie danach in der Stellung des Kindes.*

1

2

Die Katze

Diese bequem auf allen Vieren zu übende Asana ersetzt während der Schwangerschaft die Heuschrecke (→ Seite 52), denn sie übt keinen Druck auf den Bauch aus. Die Stellung lockert den unteren Rücken und kräftigt die Beine. Als Gegenstellung können Sie zum Ausgleich versuchen, das Knie des erhobenen Beins zur Stirn zu führen.

1

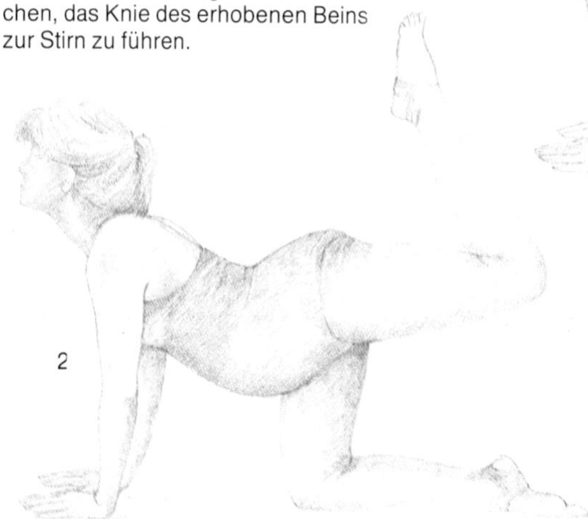

2

Die Katze
1 *Knien Sie auf allen Vieren, atmen Sie ein und strecken Sie ein Bein nach hinten aus. Gleichzeitig den Kopf heben. Die Stellung halten und normal weiteratmen, dann beim Ausatmen das Bein senken. Die Beine wechseln.*
2 *Gehen Sie wie oben vor, doch beugen Sie nun das erhobene Bein; die Zehen zeigen zum Kopf. Üben Sie beide Schritte in einer Bewegung, sobald Sie sie einzeln beherrschen.*

Dammübungen

Diese Übungen kräftigen Becken-, Anal- und Vaginalmuskeln und halten sie gesund. Wie ein gutes Gummiband werden sie sich während des Geburtsvorgangs weit dehnen und danach ebenso schnell wieder in ihre normale Größe zurückkommen. Damit vermeiden Sie postnatale Schwierigkeiten wie Uterusvorfall und Blasenriß. Die Übungen erweitern auch das Bewußtsein, verbessern die Kontrolle über die Muskeln, so daß Sie aktiv an einer leichteren Geburt mitarbeiten können.

Übung 1 *Legen Sie sich bequem mit gekreuzten Knöcheln auf den Rücken. Kippen Sie Ihr Becken hoch, indem Sie das Kreuz fest auf den Boden drücken. Ausatmen; drücken Sie Oberschenkel und Gesäß zusammen. Spannen Sie dabei die Beckenmuskulatur an. Halten Sie die Stellung, zählen Sie bis fünf, atmen Sie ein und entspannen Sie.*

Übung 2 *(Aswini Mudra) Setzen, hokken oder stellen Sie sich bequem hin. Atmen Sie aus und ziehen Sie den Analschließmuskel zusammen. Anhalten, bis fünf zählen; einatmen; entspannen. Wieder ausatmen und nun die Vaginalmuskeln anspannen. Anhalten, bis fünf zählen, einatmen, wieder entspannen.*

Abgewandelte Stellung des Kindes
Die Stellung des Kindes (→ Seite 39) läßt sich leicht durch Spreizen der Knie abwandeln, dadurch wird Platz für Ihren Bauch geschaffen.

Entspannung

Besonders während der letzten Schwangerschaftsmonate – in denen Erholung immer wichtiger wird – kann es schwer werden, bequeme Schlaf- und Entspannungshaltungen zu finden. Die beiden Stellungen hier zeigen nützliche Alternativen. Die abgewandelte Stellung des Kindes (oben) ist eine bequeme Ruhestellung mit sanfter Vorwärtsbeuge, gleichzeitig wird das Becken geweitet. Wenn Sie in der Bauchlage ein Knie hochziehen (unten), wird der Bauch dadurch abgestützt und die Atmung erleichtert. Durch das Wechseln der Beine dehnen und drücken Sie die verschiedenen Körperseiten – eine Mini-Asana. Mit Kissen können Sie es sich bequemer machen. Legen Sie sich zum Beispiel in der Seitenlage ein Kissen zwischen die Knie, um Verspannungen im unteren Rücken und Becken zu vermeiden.

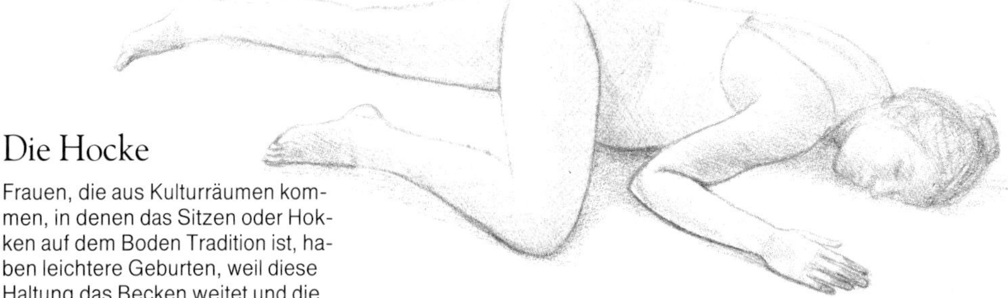

Abgewandelte Bauchentspannungslage
Diese Stellung ist in der späteren Schwangerschaft sehr angenehm, weil das Gewicht des Babys vom Bauch weggenommen und über den ganzen Körper verteilt wird. Legen Sie Ihren Kopf auf einen Arm oder beide Arme – was auch Ihre Atmung erleichtert – und wechseln Sie die Beinstellung.

Die Hocke

Frauen, die aus Kulturräumen kommen, in denen das Sitzen oder Hokken auf dem Boden Tradition ist, haben leichtere Geburten, weil diese Haltung das Becken weitet und die Beinmuskulatur stärkt. Somit wird der untere Rücken gestrafft, der Bauch sanft gepreßt, die Durchblutung angeregt und Verstopfung verhindert. Wenn Sie die Hocke nicht gewohnt sind, üben Sie zunächst mit einem kleinen Stuhl.

Hockstellung *(links)*
Nehmen Sie am Anfang noch einen Stuhl zur Unterstützung und hocken Sie sich auf Ihre Zehen. Nach und nach senken sich dann die Fersen zum Boden.

Kindheit

Yoga in der Kindheit gibt jungen Menschen die beste Grundlage fürs Leben. Mit ihrer natürlichen Beweglichkeit und ihrem Gleichgewichtssinn kommen Kinder meist leichter als Erwachsene in die Yoga-Stellungen hinein und erreichen schnelle Fortschritte. Die meisten Kinder sind von Natur aus abenteuerlustig – sie müssen nur ein wenig ermutigt werden. Helfen Sie ihnen, richtig in die Stellung hineinzukommen, achten Sie jedoch darauf, daß Sie die kleinen Körper nicht in eine Haltung hineinzwingen, da Knochen und Muskeln noch wachsen. Die meisten Kinder haben einen großen Nachahmungstrieb – wenn sie sehen, wie Sie regelmäßig Ihre Asanas üben, werden sie mitmachen und es Ihnen gleichtun wollen. Im allgemeinen ist das einzige Problem dabei die Konzentration, da ein Kind noch nicht sehr lange aufmerksam bei einer Sache bleiben kann. Die Lösung –

Yoga für die Kleinen
Die Kinder auf diesen Bildern sind zwischen zwei und elf Jahre alt. Wir sehen das Rad (oben links); die leichte Stellung und den Lotus (oben rechts); die Halbe Heuschrecke und das Kamel (unten links); die Kobra (unten Mitte); den Adler (unten rechts); und die Totenstellung (ganz rechts).

besonders bei Kleinkindern – liegt darin, ihr Interesse so zu fesseln, daß ihnen das Üben Freude macht. Nutzen Sie die Tatsache, daß viele Asanas Tiernamen haben und nach Vögeln oder anderen Kreaturen benannt sind – lassen Sie das Kind brüllen wie ein Löwe oder sich aufrichten wie die Kobra vor einem Schlangenbeschwörer. Wenden Sie Ihre Phantasie an: Üben Sie die Kopf-Knie-Stellung wie das Aufschlagen und Zuklappen eines Buchs, der Schulterstand ähnelt einer Kerze auf einem Geburtstagskuchen. Ebenso wichtig ist es, bereits in jungen Jahren die richtige Atmung zu erlernen. Bringen Sie einem kleinen Kind die Bauchatmung in der Totenstellung bei – legen Sie eine Gummiente auf sein Bäuchlein und lassen sie es beobachten, wie die Ente darauf »schwimmt«, während es sanft ein- und ausatmet. Meditation hilft Heranwachsenden, die Konzentrationskraft zu stärken. In Schulen, in denen Meditation gelehrt wird, beobachteten die Lehrer enorme Fortschritte sowohl bei der Schularbeit als auch in der Gruppeninteraktion.

Die späteren Jahre

Es ist nie zu spät, mit Yoga zu beginnen, ob mit 5 oder mit 105 Jahren – Sie sind nur so alt, wie Sie sich fühlen. Der Herbst des Lebens kann wirklich golden sein – Sie haben endlich Zeit für sich selbst, Ihre körperlich-geistige Entwicklung. Viele Altersprobleme wie Kreislaufstörungen, Arthritis und Verdauungsbeschwerden entstehen aus Mangel an Bewegung, durch falsche Eßgewohnheiten und flacher Atmung. Doch Ihr Körper hat unglaubliche Regenerationskräfte, und schon nach kurzer Yogapraxis werden Sie besser schlafen und mehr Energie sowie eine positivere Lebenseinstellung haben. Wenn Sie lange Zeit wenig getan haben, beginnen Sie mit den Asanas zunächst langsam und behutsam. Fangen Sie mit den gegenüber gezeigten Übungen an. Fügen Sie dann nach und nach einige der Asanas aus dem Grundprogramm hinzu, bis Sie schließlich alle gelernt haben. Sie werden sehr viel mehr Nutzen aus sanften Bewegungen ziehen, an denen Sie Freude empfinden, als aus Kraftakten, die Sie überfordern. Wenn Ihnen manche Übungen zu schwierig erscheinen, passen Sie sie einfach Ihrem Können an. Einige Beispiele zeigen wir auf Seite 174. Seien Sie freundlich und geduldig mit sich und den Unzulänglichkeiten Ihres Körpers. Bringen Sie sich nicht außer Atem – falls es passiert, entspannen Sie einfach in der Totenstellung, bis Ihr Atem sich normalisiert hat. Doch seien Sie auch nicht zu vorsichtig, indem Sie zu wenig von sich und Ihrem Körper fordern. Nach einigen Monaten des Übens werden Sie erstaunt entdecken, daß Sie Dinge tun können, die Sie nie für möglich gehalten hätten.Wenn Sie sich morgens für die Asanas zu steif fühlen, nehmen Sie vorher ein warmes Bad, oder üben Sie am Nachmittag, wenn Ihr Körper geschmeidiger ist. Üben Sie täglich Pranayama und Meditation. Richtiges Atmen ist gerade auch im Alter sehr wichtig (→ Seite 68). Meditation hilft Ihnen, in sich selbst zu ruhen und verringert Angst- und Einsamkeitsgefühle. Erkennen Sie Ihren Körper als Gefährt für die Seele – das wahre Selbst ist unsterblich.

Sivanandas Pranayama
Diese einfache Atemübung beruhigt den Geist, regt die Durchblutung an und vermittelt ein Gefühl von Frieden und Harmonie. Sie können sie in Ihr tägliches Pranayama-Programm aufnehmen. Setzen oder legen Sie sich so, wie es für Sie angenehm ist. Atmen Sie durch beide Nasenlöcher ein, halten Sie den Atem an, dann atmen Sie vollständig aus. Einatmen, Anhalten und Ausatmen gestalten Sie so lange wie es Ihnen gut tut. Üben Sie zehn Runden.

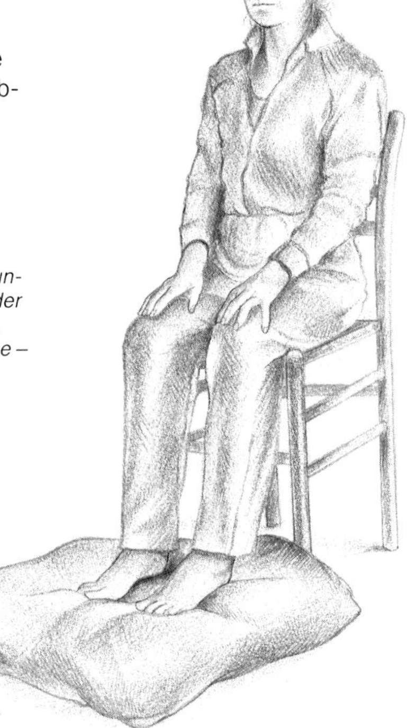

Abgewandelte Sitzhaltungen
Setzen Sie sich in einer der Meditationshaltungen – mit einem Kissen unter Ihrem Gesäß – auf den Boden oder auf einen Stuhl, Wirbelsäule gerade. Legen Sie ein Kissen unter Ihre Füße – lassen Sie sie nicht baumeln.

Aufwärmübungen

Sie können diese Bewegungen als Vorbereitung für das Grundprogramm der Asanas üben oder als eigene Folge, bis Sie imstande sind, mit Asanas zu beginnen. Es geht darum, jeden Körperteil zu bewegen, steife Gelenke zu lockern und die Durchblutung bis in die Extremitäten zu verbessern. Sie können die Übungen 1, 3, 4 und 5 im Stehen oder im Sitzen ausführen. Versuchen Sie, Atem und sanfte Bewegung in Einklang zu bringen. Wiederholen Sie jede Übung mehrmals.

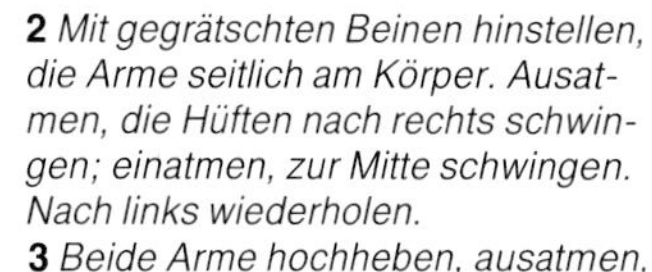

2 *Mit gegrätschten Beinen hinstellen, die Arme seitlich am Körper. Ausatmen, die Hüften nach rechts schwingen; einatmen, zur Mitte schwingen. Nach links wiederholen.*

3 *Beide Arme hochheben, ausatmen, nach rechts beugen. Einatmen, die Arme zurück zur Mitte führen. Links wiederholen. Falls Sie das zu sehr anstrengt, legen Sie Ihre rechte Hand auf die Hüfte, während Sie sich nach rechts beugen und umgekehrt.*

1 *Strecken Sie die Arme nach vorn aus. Ausatmen und Kopf und Körper nach rechts drehen. Einatmen und wieder zur Mitte drehen. Ausatmen, nach links drehen; einatmen, wieder in die Mitte drehen.*

5 *Lassen Sie die Arme nacheinander aus dem Schultergelenk heraus zuerst nach hinten, dann nach vorn kreisen. Dann drehen Sie den Unterarm aus dem Ellbogengelenk heraus rückwärts und vorwärts.*

4 *Lassen Sie die Hände nacheinander in den Handgelenken kreisen, zuerst im Uhrzeigersinn, dann entgegengesetzt. Dann bewegen Sie einzeln die Finger.*

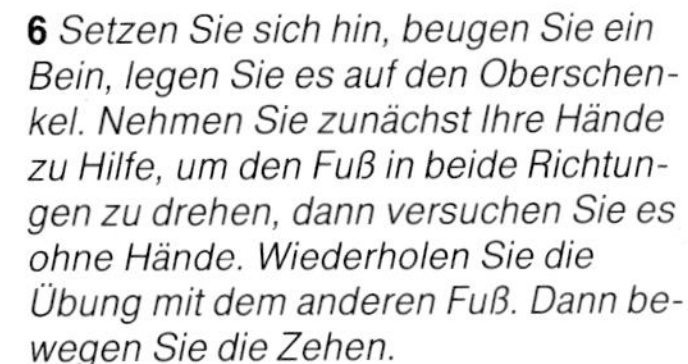

6 *Setzen Sie sich hin, beugen Sie ein Bein, legen Sie es auf den Oberschenkel. Nehmen Sie zunächst Ihre Hände zu Hilfe, um den Fuß in beide Richtungen zu drehen, dann versuchen Sie es ohne Hände. Wiederholen Sie die Übung mit dem anderen Fuß. Dann bewegen Sie die Zehen.*

Abgewandelte Asanas

Als Yoga-Anfänger ziehen Sie es vielleicht vor, behutsam mit den Grundstellungen zu beginnen. Hier einige Beispiele, wie Sie die Grundasanas abwandeln können – weitere Vorschläge finden Sie im Kapitel über die Mutterschaft (→ Seite 160). Halten Sie einen passenden Stuhl und ein schönes, pralles Kissen für Ihre Übungen bereit. Benutzen Sie diese Requisiten als Hilfsmittel, aber nicht, um Ihren Körper weiter als angenehm in eine Stellung hineinzuzwingen. Achten Sie beim Üben der Asanas darauf, daß Sie sich warm genug fühlen.

Grundasanas *(rechts)*
Der Kopfstand (oben links); der Schulterstand (oben rechts) und der Pflug (unten).

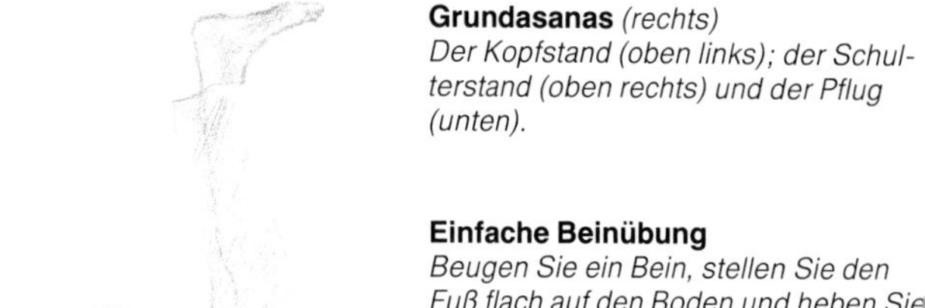

Einfache Beinübung
Beugen Sie ein Bein, stellen Sie den Fuß flach auf den Boden und heben Sie das andere Bein hoch. Dies strengt Bauch- und untere Rückenmuskulatur weniger an.

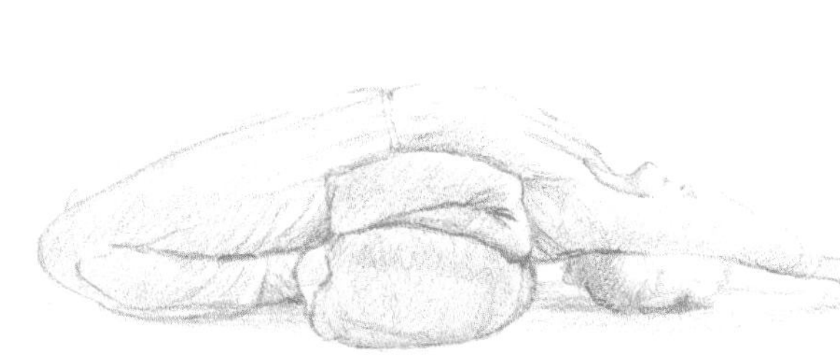

Rückwärtsbeuge *(oben)*
Mit Hilfe eines Kissens können Sie Ihre Beweglichkeit verbessern, ohne sich dabei zu verspannen. Stützen Sie sich beim Rückwärtsbeugen auf Ihre Ellbogen und senken Sie den Kopf zu Boden. Versuchen Sie die Übung zuerst mit gestreckten Beinen, dann kniend, und strecken Sie die Arme weit nach hinten aus.

Halber Drehsitz
Wenn Sie das untere Bein strecken, ist das Gleichgewicht leichter zu halten. Falls nötig, lehnen Sie sich beim Seitwärtsdrehen ein wenig zurück.

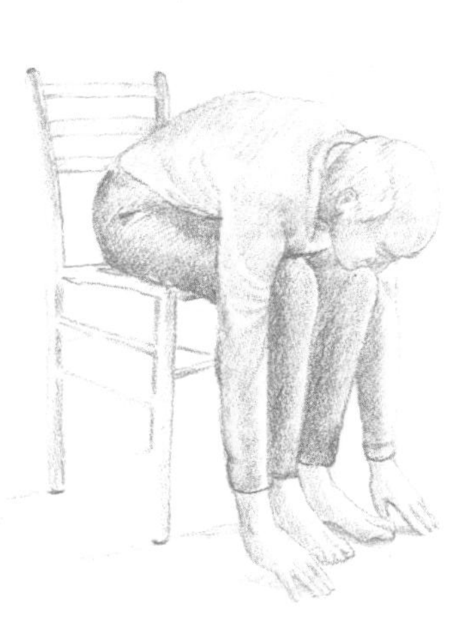

Kopf-Knie-Abwandlung
Viele Vorteile der Kopf-Knie-Stellung können auch auf einem Stuhl sitzend erzielt werden. Führen Sie diese abgewandelte Asana in zwei Schritten aus. Zunächst beugen Sie sich nach vorn und halten dabei den Rücken so gerade wie möglich. Die Hände legen Sie auf den Boden, neben Ihre Füße, wie links abgebildet. Um die Kniesehnen zu dehnen, fassen Sie einen Fuß und ziehen das Bein so hoch Sie können, wie rechts gezeigt. Mit dem anderen Bein halten Sie das Gleichgewicht.

Yoga und Gesundheit

»Der Yogi betrachtet seinen physischen Körper
als Instrument auf dem Weg zur Vollendung.«
Swami Vishnu Devananda

Yoga ist eine Wissenschaft der Gesundheit – anders als die moderne Medizin, die sich zum großen Teil als eine Wissenschaft von Krankheiten und deren Behandlung darstellt. Basis der Yogalehre ist die genaue Kenntnis der Funktionen von Körper und Geist des gesunden Menschen. Die Yoga-Techniken vermehren das eigene Potential an Gesundheit, Spannkraft und langwährender Jugend. Wenn Sie Yoga im Alltag praktizieren, gleichen Sie einem Autobesitzer, der sein Auto jahraus, jahrein pflegt und putzt, damit es wie neu glänzt und wie geschmiert läuft. Ohne diese Disziplin sind Sie vergleichbar mit einem Autobesitzer, dessen Auto morgens nicht anspringt, das teuer gewartet werden muß, bei dem gelegentlich größere Reparaturen fällig werden und das schließlich in einem kritischen Moment mit schwerwiegenden Folgen zusammenbricht.

Der natürliche Zustand des Körpers ist Gesundheit – jedes kleinste Teil, jede geringste Funktion haben ein überragendes biologisches Ziel: Gesundheit jederzeit und überall zu suchen und wiederaufzubauen. Wunden heilen, Knochen wachsen wieder zusammen, Fieber klingt ab, Gifte werden ausgeschieden, Müdigkeit abgebaut – wir verfügen über ein Wunderwerk an biologischer Technik, das uns ein friedliches und gesundes Alter bescheren sollte.

Dieses Kapitel beschreibt die Aufgaben dieses erstaunlichen Lebenssystems, wobei besonders drei größere Funktionen betrachtet werden sollen: der starke und bewegliche Aufbau des Körpers mit seiner Muskulatur, den Knochen und Bändern; die Stoffwechselzyklen von Verdauung, Atmung und Blutkreislauf, die jede Zelle, jedes Gewebe nähren und versorgen; und die lebensnotwendigen Botensysteme der Nerven und Hormone, die unsere physischen, emotionalen und geistigen Reaktionen steuern und ausgleichen. Yoga, einzigartig unter allen Arten von Körperkultur, wirkt systematisch auf alle Teile des lebendigen Körpers, um sie im Gleichgewicht, funktionstüchtig und in bester Verfassung zu erhalten.

In unserer Zeit ist der Zustand vollkommener körperlicher Gesundheit nach den Kindertagen fast schon eine seltene Erfahrung geworden. Ganz selbstverständlich gehen wir mit unserem Körper um und mißbrauchen ihn ohne Bedenken. Wir verbringen viel Zeit ohne Luft und Sonne, sitzen unbequem, verschlingen hastig Fertiggerichte, nehmen uns keine Zeit, den Körper zu dehnen, erlauben ihm weder freie Bewegung noch tiefe Entspannung, entziehen ihm gesunde Luft und natürliche, frische Nahrung. Wenn der Körper sich dann beschwert, greifen wir zu Tabletten – unterdrücken also jene Signale, die uns doch aufmerksam machen wollen, und zerstören dadurch die körpereigenen Heilkräfte noch weiter.

Yoga kann sehr viel für die Wiederherstellung der Gesundheit bewirken, indem es die natürlichen Systeme wieder ins Lot bringt – selbst nach Jahren ungesunden Lebens, das viele uns mittlerweile vertraute Beschwerden – Streß, Erschöpfung, Bluthochdruck, Schlaflosigkeit, Rheumatismus und ähnliches – zur Folge hatte.

Eine langfristige falsche Belastung der Körpersysteme ist die Ursache für viele Krankheiten und das Nachlassen der Lebenskräfte – weil wir unsere natürlichen körperlichen Möglichkeiten nicht ausschöpfen. Körperliche Betätigung wird heute von allen Gesundheitseinrichtungen empfohlen, doch sind die Yoga-Übungen einzigartig. Das Prinzip, das die Yogis seit Tausenden von Jahren nutzen, liegt im richtigen Üben: Nicht die Entwicklung von Muskeln oder Kraft bis zur Erschöpfung ist ausschlaggebend, sondern die Dehnung und Belebung des Körpers. Und vor allem fördert Yoga die Durchblutung bis in die Zellen hinein, so daß das Gewebe gut ernährt wird, Schlacken abgebaut werden und lebenswichtige Organe ihre volle Leistungsfähigkeit zurückerhalten. Der Stoffwechsel der Gesundheit ist wieder hergestellt.

Der physische Körper stellt nur einen Teilaspekt der Yogaphilosophie dar – Geist und Seele sind genauso wichtig. Auch die westliche Medizin ist sich mittlerweile bewußt, daß der Geist gesund sein muß, damit der Körper heilen kann. Doch bleibt der westliche Ansatz Stückwerk – während Yoga die Lehre von der Verbindung zwischen Körper, Geist und Seele ist.

Die Gestalt des Körpers

Eine der erstaunlichsten Gleichgewichtsleistungen, die wir jeden Tag vollbringen, besteht schlicht darin, aufrecht auf zwei Füßen zu stehen. Die menschliche Gestalt hat sich den Aufgaben der Gewichtsverteilung sowie der eigenen Unterstützung äußerst wirtschaftlich angepaßt – das Gewölbe des Fußes, die natürliche Rückgratkrümmung, die Form eines jeden Gelenks, das geneigte Becken – all dies bedeutet Bewegungsfreiheit, gepaart mit Kraft, und schützt gleichzeitig die lebenswichtigen Organe. Die Gelenke werden sicher gehalten durch starke elastische Bänder, die ganze Gestalt wiederum wird durch die Muskeln gestützt und bewegt.

Die Skelettmuskeln arbeiten nach dem Prinzip des Gleichgewichts der Kräfte – wenn ein Muskel sich zusammenzieht, um einen Körperteil zu bewegen, muß sich der andere entspannen oder dehnen. Wenn der Streckmuskel (oder »Antagonist«) durch mangelnde Benutzung steif oder schwach wird, kann sich auch der Beugemuskel nicht richtig entspannen. Daher strecken wir uns und gähnen, um unseren Körper beweglich zu machen. Streß kann zu ständig verspannten Muskeln führen, die sich jeder Bewegung widersetzen. Diese Spannung läßt sich durch Yoga-Entspannung lösen, die Bewegungen werden jugendlich leicht, Schmerzen und Probleme verschwinden. Auch durch den Alterungsprozeß können die Bänder, die unsere Gelenke und Muskeln miteinander verbinden, an Spannkraft verlieren.

Yoga-Asanas dehnen die Muskeln und Bänder langsam und gewaltlos. Das Dehnen der Muskeln steigert dann auch deren Fähigkeit zum Zusammenziehen, während die langsame Bewegung und das tiefe Atmen die Sauerstoffzufuhr der Muskeln verbessern. Dadurch wird die Ansammlung von Milchsäure im Gewebe verhindert. Das Strecken und Zusammenziehen der Muskeln fördert die Durchblutung bis tief ins Gewebe und in die Organe hinein – der venöse Rückfluß des Blutes wird somit erhöht.

Als Kinder üben wir noch gern jede kleinste Muskelbewegung. Diese natürliche Aktivität hält den Körper in Form und die Muskulatur geschmeidig. Als Erwachsene schränken wir unsere Bewegungen auf kleine, sich wiederholende Tätigkeiten ein. Viele Stunden sitzen wir am Schreibtisch, den Kopf vornüber gebeugt und das untere Rückgrat entsprechend gebogen – folglich verspannen sich die Rükkenmuskeln so, daß das Aufrichten Schmerzen verursacht, die sich manchmal die ganze Wirbelsäule entlangziehen.

Fisch und Schulterstand sind also nach einem Schreibtischtag äußerst wirksam und hilfreich. Schlechte Haltung führt meistens zu unnatürlicher Anspannung in der unteren Wirbelsäule, im Becken und in den Hüften, dadurch entstehen dann Rückenschmerzen und Versteifung. Selbst eine einfache Tätigkeit wie das ständige Tragen einer Tasche auf derselben Schulter kann mit der Zeit den ganzen Körper aus dem Gleichgewicht bringen, weil Muskeln einseitig überentwickelt werden, bis sich schließlich ein Wirbel verschiebt. Die Kopf-Knie-Stellung wirkt hier ausgleichend. Doch gilt ganz allgemein: Vorbeugen ist besser als Heilen. Das regelmäßige Üben aufeinander abgestimmter Yoga-Asanas, die eine Verbesserung und Anregung des Kreislaufs bewirken und somit systematisch jeden Körperteil beeinflussen, hält die Muskeln Ihr ganzes Leben gesund und geschmeidig.

Die Muskeln

Ihre Skelettmuskeln sind symmetrisch angeordnet – links-rechts: vorn-hinten, in verschiedenen Lagen für unterschiedliche Bewegungen. Jeder Muskel hat einen Ansatz für die Zugkraft und einen Ursprung für die Verankerung. Muskeln arbeiten normalerweise in Paaren – wenn Sie zum Beispiel Ihr Knie beugen, wird sich der Beugemuskel (Flexor) zusammenziehen und der Streckmuskel (Extensor) entspannen, damit die Bewegung entstehen kann; beim Strecken läuft das ganze umgekehrt. Ähnlich arbeiten Hebe- und Senkmuskeln, um einen Körperteil zu heben oder zu senken; Adduktoren und Abduktoren bewegen ihn zur Körpermitte hin beziehungsweise von der Körpermitte weg. Dann gibt es noch Drehmuskeln zum Schwenken, Spannmuskeln zum Stabilisieren, den Schließmuskel und andere für spezielle Bewegungen. Yoga-Asanas wirken systematisch auf jedes Muskelpaar ein (zum Beispiel in den vorwärts- und rückwärtsbeugenden Übungen, unten), sie halten sie jung, elastisch und ausgewogen. Die hier gezeigten Illustrationen vermitteln einen Eindruck der Hauptmuskeln in den oberen Schichten. (Die tieferliegenden Muskeln an der Wirbelsäule sind nicht sichtbar.)

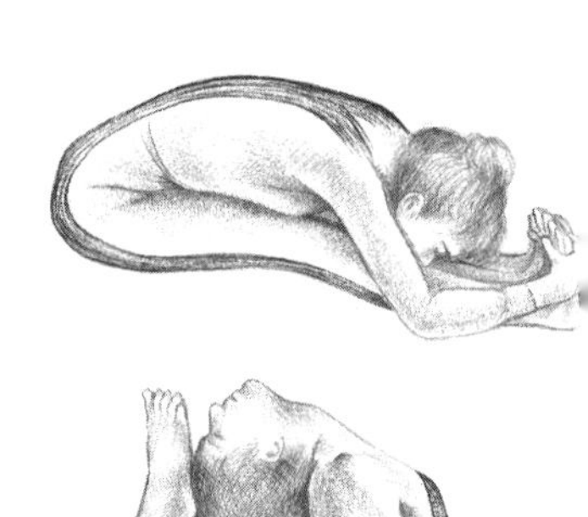

Die Kopf-Knie-Stellung *(oben) wirkt auf die Streckmuskeln von Knie, Fuß und Nacken, streckt Kniesehnen und Rückenmuskeln.* **Die Kobra** *wirkt hauptsächlich auf die Beugemuskeln von Knie und Fuß, Wirbelsäule und Nacken.*

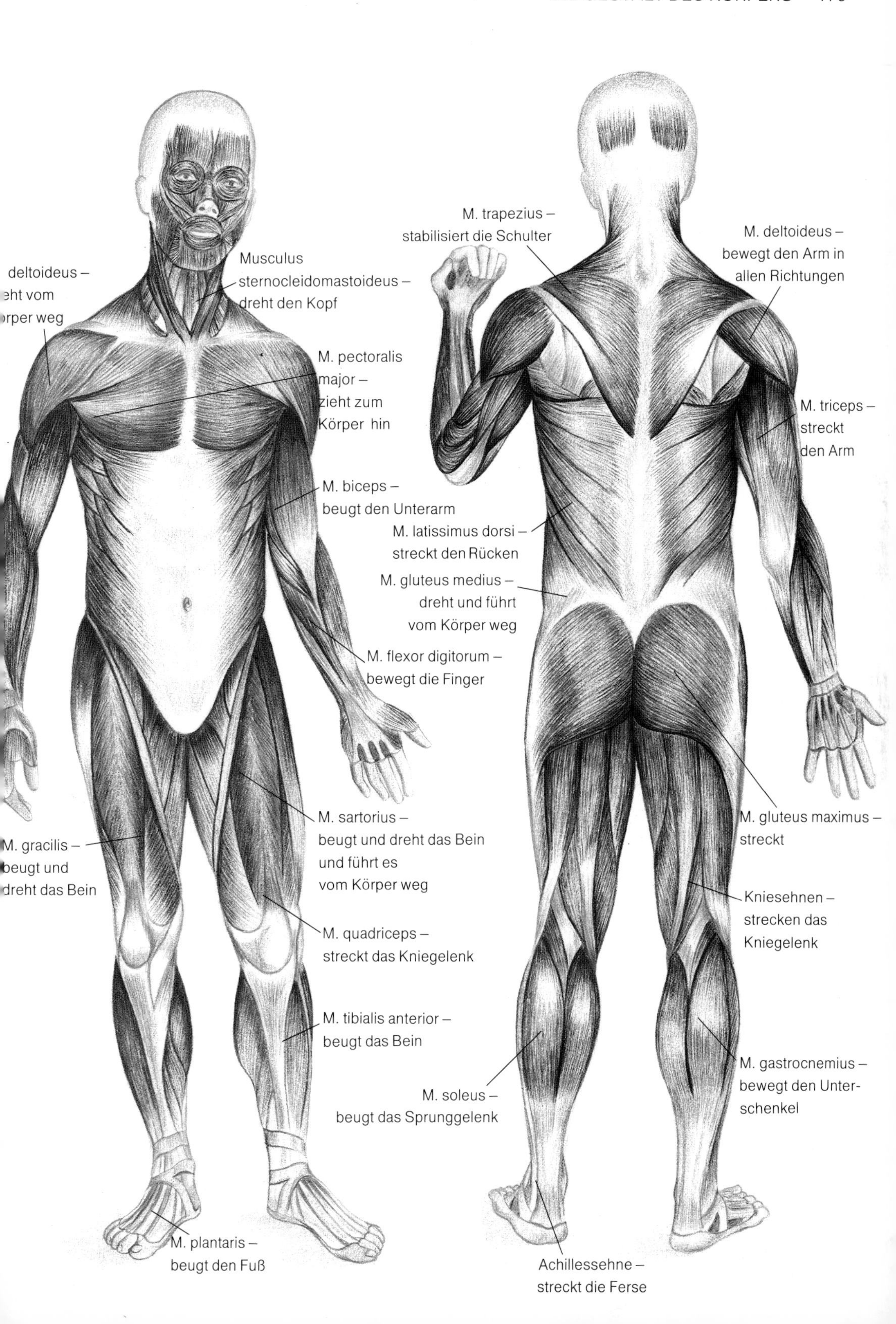
deltoideus –
eht vom
rper weg
Musculus
sternocleidomastoideus –
dreht den Kopf
M. pectoralis
major –
zieht zum
Körper hin
M. biceps –
beugt den Unterarm
M. flexor digitorum –
bewegt die Finger
M. gracilis –
beugt und
dreht das Bein
M. sartorius –
beugt und dreht das Bein
und führt es
vom Körper weg
M. quadriceps –
streckt das Kniegelenk
M. tibialis anterior –
beugt das Bein
M. plantaris –
beugt den Fuß
M. trapezius –
stabilisiert die Schulter
M. deltoideus –
bewegt den Arm in
allen Richtungen
M. triceps –
streckt
den Arm
M. latissimus dorsi –
streckt den Rücken
M. gluteus medius –
dreht und führt
vom Körper weg
M. gluteus maximus –
streckt
Kniesehnen –
strecken das
Kniegelenk
M. gastrocnemius –
bewegt den Unter-
schenkel
M. soleus –
beugt das Sprunggelenk
Achillessehne –
streckt die Ferse

Das Skelett

Unser Körper ist aus einem komplizierten Grundgerüst von 206 Knochen zusammengefügt. Das Achsenskelett umfaßt Schädel, Brustbein, Rippen und die Wirbelsäule. Die folgenden Wirbelbögen (Hals, Brust, Lenden und Kreuz) dienen der Elastizität und der gleichmäßigen Verteilung des Gewichts. Probleme der Wirbelsäule – runde Schultern, Hohlkreuz und Rückgratverkrümmung – belasten auch die Lendenwirbel und die Gelenke der Glieder sowie Becken und Brustgürtel. Die Gelenke werden durch Knorpel vor dem Verschleiß geschützt und durch Muskeln und Bänder in der richtigen Lage gehalten. Ihre Asanas zielen darauf ab, die verschiedenen Gelenke des Körpers zu entlasten, sie zu dehnen, um Druck von den schützenden Knorpeln zu nehmen, und die natürliche Stellung der Knochen wiederherzustellen. Wenn Sie Muskeln und Bänder gesund erhalten und auf Ihre Haltung achten, können Sie Gelenkschwierigkeiten und -verletzungen vermeiden.

Bandscheiben

Zwischen den Wirbeln liegende Knorpelkissen aus weicher, gallertartiger Masse dienen als Puffer – sie fangen Stöße auf und ermöglichen Bewegung. In der Ruhestellung ist jede Scheibe rund (unten links). Im Stehen wird die Mitte der Scheibe durch das Körpergewicht zusammengedrückt (unten rechts). Anstrengende oder plötzliche Bewe-

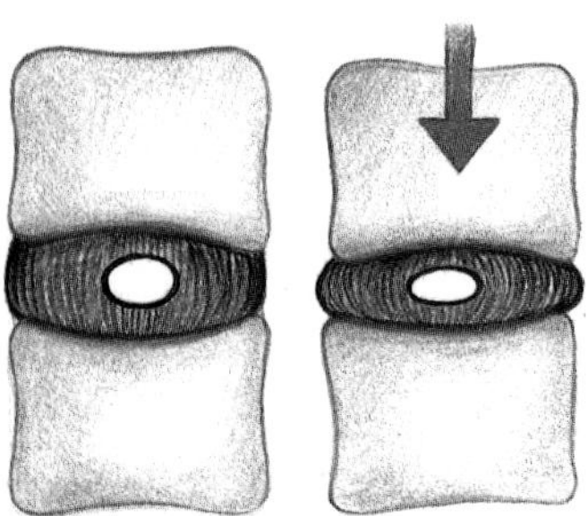

gungen können einen Bandscheibenvorfall verursachen – Knorpel treten aus und drücken auf einen Spinalnerv, was große Schmerzen verursacht und die ganze Wirbelsäule lähmen kann. Ein Yogalehrer kann nützliche Asanas empfehlen, die durch Stärkung der Wirbelsäule und Entspannung der Bandscheiben Rückfälle vermeiden helfen.

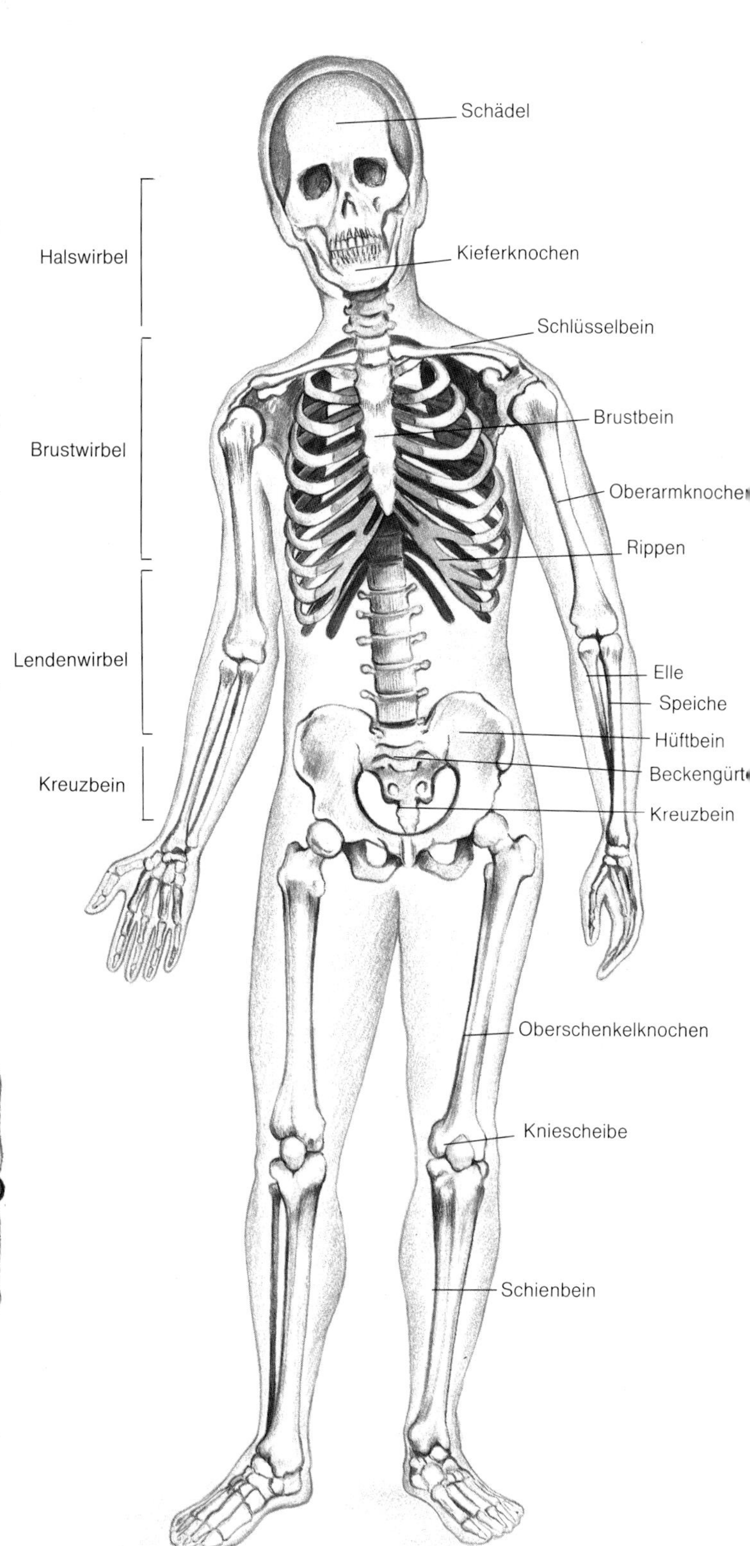

Wirbelsäulenbewegungen

Der Körper erlaubt eine Fülle an Bewegungen der Glieder und des Rückgrats. Diese Möglichkeiten werden meist zu wenig genutzt. Zum Teil, weil wir uns dessen nicht bewußt sind, doch mehr noch, weil wir unsere Gelenkbänder, die Wirbelsäule und die Muskeln durch falschen Gebrauch verspannen. Die Wirbelsäule kann nach vorn gebeugt und nach hinten gestreckt, zur Seite gebogen und gedreht oder in einer Kombination aus all diesen Bewegungen herumgedreht werden. Die Beweglichkeit der Wirbelsäule wird durch drei Faktoren begrenzt: die Knotenkonstruktion der Wirbel, die Länge der Wirbelbänder und die Beschaffenheit der (antagonistischen) Muskeln. Die hier gezeigten Asanas demonstrieren das größtmögliche Potential der Bewegungen einer gesunden Wirbelsäule und eines gesunden Beckens. Die Beweglichkeit des Rückgrats ist von Mensch zu Mensch verschieden; seien Sie also nicht enttäuscht, wenn Sie die hier gezeigten Stellungen nicht erreichen. Alles, was zwischen Ihnen und der natürlichen Beweglichkeit Ihres Körpers steht, ist Übung.

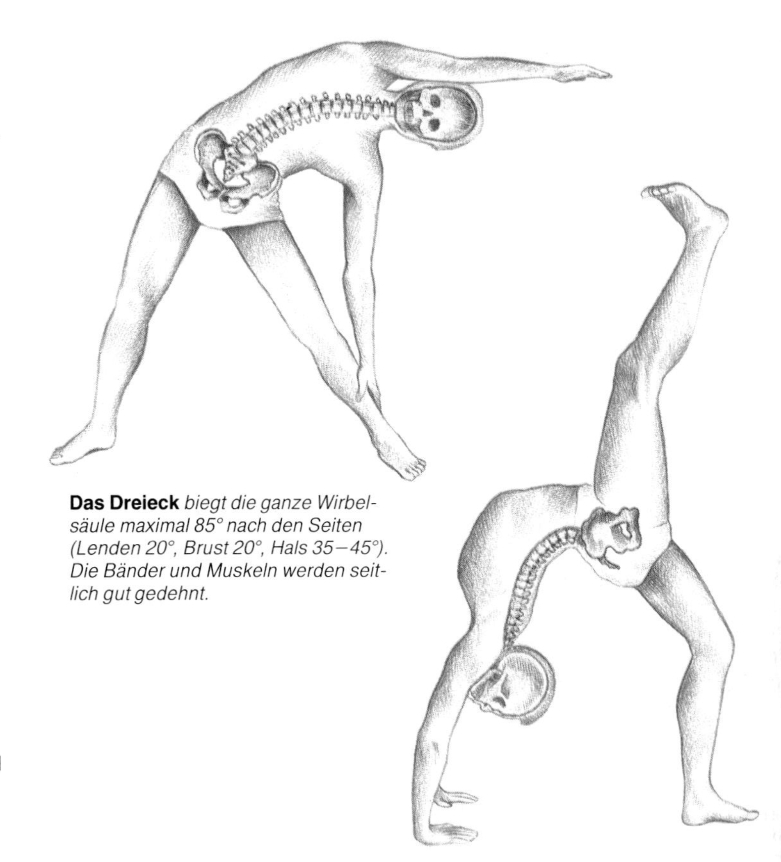

Das Dreieck *biegt die ganze Wirbelsäule maximal 85° nach den Seiten (Lenden 20°, Brust 20°, Hals 35–45°). Die Bänder und Muskeln werden seitlich gut gedehnt.*

Die Rad-Variation *biegt die Wirbelsäule maximal nach hinten – bis zu 140° (Hals 75°, Brust-Lenden-Bereich 65°). Die Muskeln, die dabei beansprucht werden, sind: die Beuger des Rückens, des unterstützenden Beins und der Handgelenke sowie die Strekker der Arme und des gehobenen Beins.*

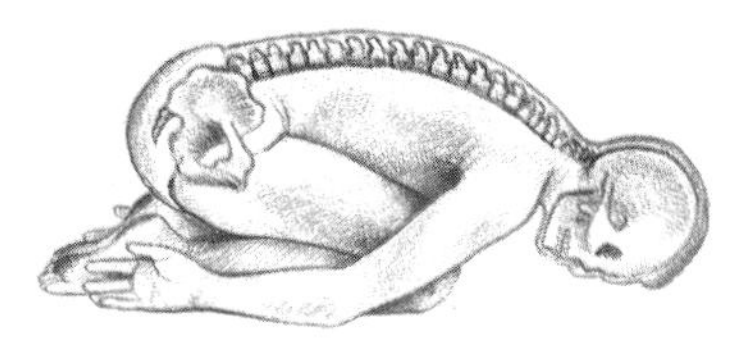

Die Stellung des Kindes *beugt den Körper um 110° nach vorn. Diese Asana entspannt die Wirbelbänder, streckt die Rückenmuskeln und befreit von Verspannungen und Druck auf die unteren Bandscheiben, wie sie normalerweise beim Stehen auftreten.*

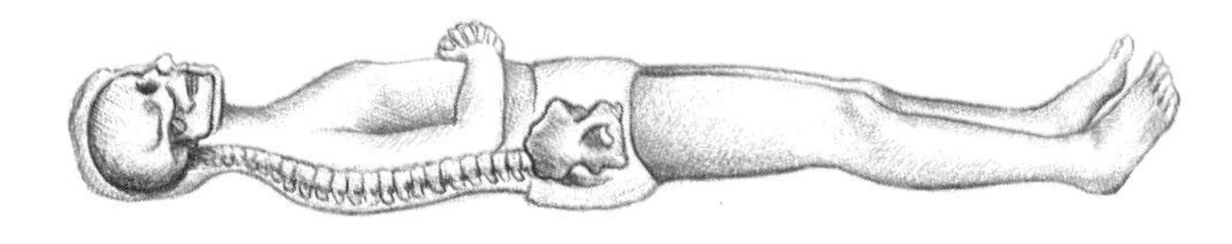

Die Totenstellung *löst alle Verspannungen des Rückgrats und stellt die natürliche Symmetrie wieder her. Das Kreuzbein schiebt das Becken hoch, dies lockert sich seitlich aufgrund der Schwerkraft, die Bandscheiben entspannen vollkommen.*

Die Gaslösende Stellung *kippt das Becken und beugt die Hüften – zieht somit Kreuz- und Steißbein auseinander. Die größte Beugung des Beckens in dieser Stellung liegt bei 30°.*

Die Stoffwechselzyklen

Der Körper ist der Tempel der Seele. Schon deshalb sollten wir für ihn sorgen. Schließlich hängt die Gesundheit Ihres Körpers von der Gesundheit seiner lebendigen Zellen ab, den Bausteinen von Gewebe und Organen, deren unterschiedliche Funktionen für unser Wohlbefinden lebensnotwendig sind. Gesunde Zellen und gesundes Gewebe brauchen eine angemessene Umgebung – ohne Gifte, ausreichend versorgt mit den notwendigen Nährstoffen und mit einem wirkungsvollen Verbindungssystem ausgestattet. Jede Zelle braucht Sauerstoff, damit sie arbeiten und Schlacken wie Kohlendioxid rasch abbauen kann. Eine gesunde Lunge und ein gesundes Herz sind Voraussetzung dafür, daß die Zelle die lebensnotwendigen Nährstoffe erhält. Wenn Sie zur rechten Zeit das Richtige essen, funktioniert Ihre Verdauung, das Blut kann seiner Transport- und Ausscheidungsfunktion gerecht werden. Körperliche Gesundheit und Spannkraft hängen vom Mikrokreislauf um die Zellen herum ab. Drücken Sie auf eine Körperstelle, wird die Haut zunächst blaß, weil das Blut weggedrängt wird, dann rot, wenn es zurückfließt. Ähnlich wirken Yoga-Asanas auf Ihr Gewebe – wie eine Hand, die langsam und behutsam einen Schwamm ausdrückt –, damit Schlacken- und Abfallstoffe ausgeschieden werden; dann wird das Gewebe gedehnt, frische, lebensnotwendige Nährstoffe und Energie fließen zu jeder Zelle. Tiefes Atmen während der Asanas führt den Zellen mehr Sauerstoff zu und entfernt demgemäß mehr Kohlendioxid. Verstärkter Blutrückfluß in den Venen regt die Herztätigkeit an. Asanas massieren die lebenswichtigen Organe und beleben die Verdauungsmuskulatur, sie steigern dadurch die Darmtätigkeit. Der heutige Lebensstil hat verheerende Wirkungen auf das Gewebe. Durch das lange Stillsitzen ohne Bewegung oder Dehnung des Körpers werden Mikrokreislauf und Gesamtkreislauf schwerfällig. Wir atmen verpestete Luft, rauchen, nehmen Speisen mit einer Menge unbrauchbarer oder gar giftiger Substanzen zu uns. Aufgrund des trägen Kreislaufs arbeiten Nieren und Leber ebenfalls langsam, Gifte sammeln sich an und verkleben das Gewebe. Fleisch zum Beispiel enthält mehr Harnsäure, als wir normalerweise ausscheiden können – dies kann zur Schädigung des Gewebes führen und Gicht, Rheuma oder Arthritis hervorrufen.

Unangenehme Symptome wie Verdauungsstörungen, Krampfadern oder Kopfschmerzen sind wie blinkende Kontrolleuchten im Auto – sie warnen uns vor einem drohenden Zusammenbruch der körperlichen Systeme. Während Asanas die Beschwerden von Grund auf lindern, entspricht das Behandeln der Symptome einer Mißachtung der Notwendigkeit, daß Ihr Gesamtsystem richtig funktioniert, bedeutet Abschalten der Kontrolleuchten, damit diese Sie nicht länger stören. Durch Yoga sehen Sie den Körper als Ganzheit, in der alle Teile voneinander abhängen; es schafft ein Bewußtsein der feinen Beziehungen zwischen Geist und Körper. Wenn Sie positiv denken, beeinflussen Sie damit Ihre Körperzellen. Und wenn Sie Ihren Lebensstil ändern und sich an den fünf Prinzipien einer gesunden Lebensweise (→ Seite 21) orientieren, wird Ihr Körper gesund und leistungsfähig bleiben.

Verdauung

Die Bewegung des Zwerchfells beim Atmen massiert beständig die Verdauungsorgane und hält sie so gesund. Vorwärts- und Rückwärtsbeugen sowie der Drehsitz unterstützen dies. Agni Sara (unten) wirkt direkt auf das Zwerchfell.

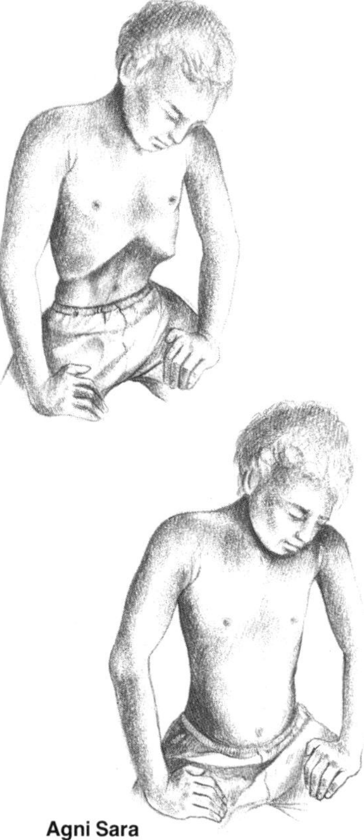

Agni Sara
Die Pumpbewegung in dieser Asana verhilft zu guter Verdauung. Stellen S die Beine mit gebeugten Knien in Schrittweite auseinander, drücken Sie die Hände auf die Oberschenkel, schauen Sie nach unten zum Bauch. Ausatmen, den Bauch hoch und nach innen ziehen. Den Atem anhalten und den Bauch pumpend hin- und herbewegen. Wenn Sie einatmen, hören Si mit den Pumpbewegungen auf und atmen normal, atmen wieder aus und fahren fort. Zehn bis achtzehn Pumpbewegungen pro Sitzung genügen.

Atmung

Die Lunge ist das Tor, durch das dem Körper Sauerstoff zugefügt wird. Eine gesunde, elastische Lunge dehnt sich beim tiefen Einatmen voll aus und weitet dabei die kleinen Lungenbläschen mit ihren winzigen Blutgefäßen, wo der Gasaustausch im Blut stattfindet; sie fällt zusammen, wenn das Kohlendioxid ausgeschieden wird (zwar nicht vollständig, da ein kleiner Teil Restluft immer in der Lunge bleibt). Yoga-Asanas und die Bauchatmung verbessern die Atemtätigkeit und vermehren die Atemkapazität (Luftaufnahme). Sie entwickeln starke Muskeln und elastisches Gewebe. Pranayama lehrt die Kontrolle des Atems und hält die Atemwege rein. Besonders gut für die tiefe Einatmung und das Atemanhalten sind Heuschrecke und Pfau; Nauli und Uddiyana Bandha unterstützen eine starke Ausatmung und Kapalabhati trainiert das Zwerchfell.

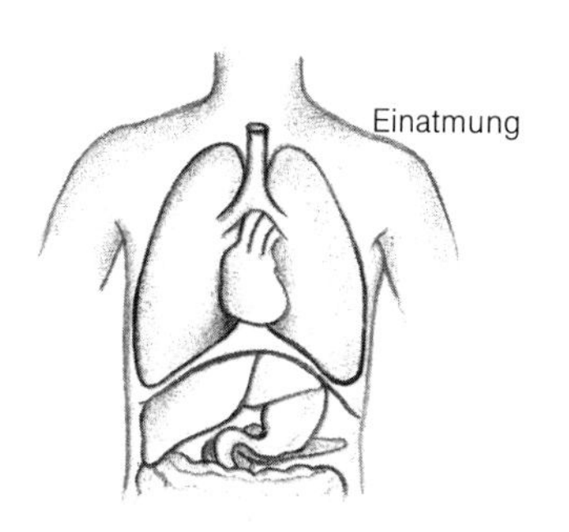

Atemmuskulatur
Ihre Atemmuskeln arbeiten wie Blasebälge im Teilvakuum des Brustkorbs. Um die Luft hineinzuziehen vergrößert sich der Brustraum – der Brustkorb weitet sich, das Zwechfell geht nach unten und massiert die Bauchorgane. Wenn Sie ausatmen, wird durch das Zusammenziehen des Bauches Luft ausgestoßen. Der Brustkorb zieht sich zusammen, das Zwerchfell geht nach oben und massiert das Herz.

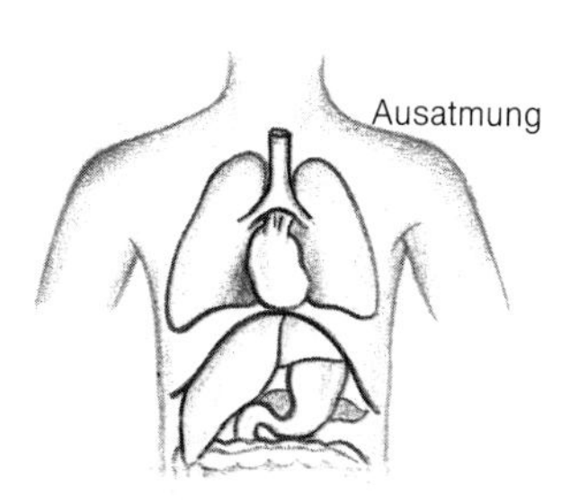

Luftwege
In der Nase wird die Luft gefiltert, erwärmt und angefeuchtet, bevor sie weiter nach innen über Kehlkopf, Luftröhre und Bronchien zur Lunge gezogen wird. Deshalb atmen Sie bei den Asanas durch die Nase. Bei Erkältung und Heiserkeit helfen Schulterstand, Fisch und Löwe.

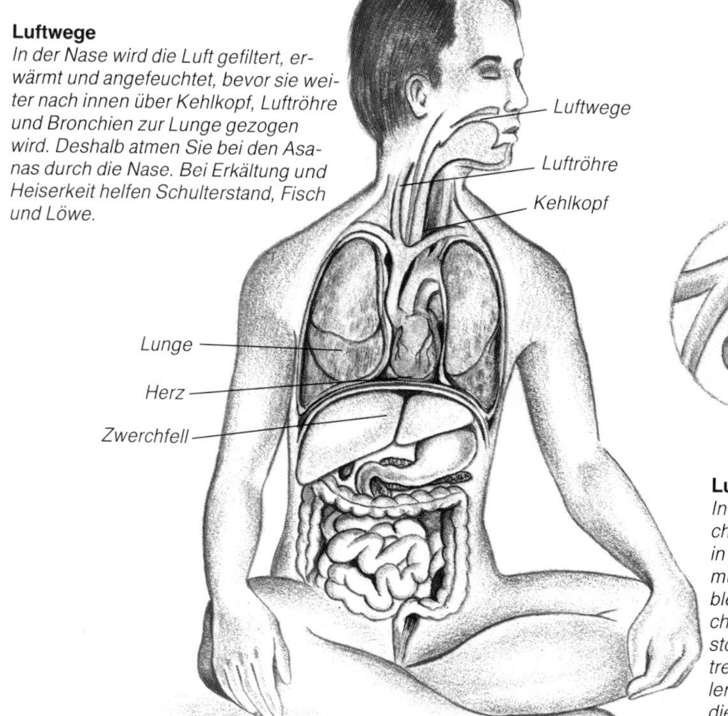

Luftbläschen
In der Lunge verzweigen sich die Bronchien immer weiter, bis sie schließlich in den Alveolen, den Lungenbläschen, münden. Wenn Sie nur flach atmen, bleiben die entfernteren Lungenbläschen träge und verkleben – die Sauerstoffaufnahme vermindert sich und es treten leichter Infektionen auf. Bei Allergien wie Heufieber und Asthma sind die kleinen Bronchien und die Lungenbläschen verstopft; dann helfen Entspannung, Pranayama und Bauchatmung.

Kreislauf

Der Blutkreislauf ist das größte Transportsystem des Körpers. Er transportiert die roten Blutkörperchen mit dem Sauerstoff zum Gewebe und beseitigt Kohlendioxid. Er befördert weiße Blutkörperchen – zur Infektionsbekämpfung –, Nähr- und Botenstoffe und so weiter. Die Funktionstüchtigkeit des Kreislaufs ist abhängig von einem gesunden Herzen sowie von elastischen und durchlässigen Blutgefäßen – von den Hauptschlagadern und Venen bis zu den kleinsten Haargefäßen, den Kapillaren. Alle Asanas wirken wohltuend auf den Kreislauf, speziell die Umkehrstellungen (unten). Nauli und Kapalabhati massieren das Herz, während der Wechsel von Druck und Entspannung den Herzmuskel stärkt.

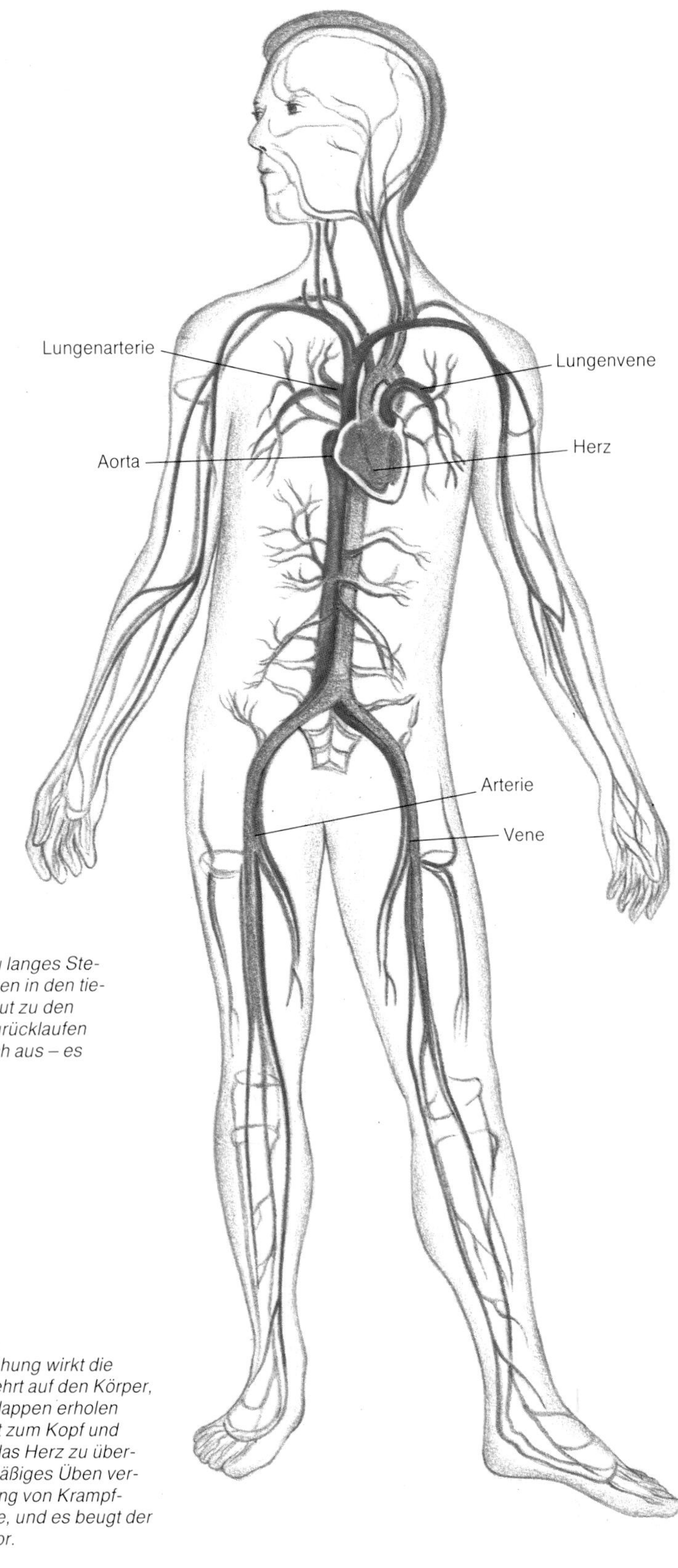

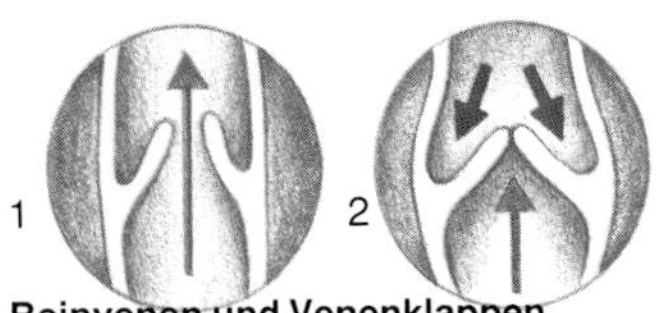

Beinvenen und Venenklappen
Die Bewegung Ihrer Beinmuskeln drückt verbrauchtes Blut aus den Venen an den Klappen vorbei nach oben (1).
Die Klappen schließen sich, um einen Blutrückfluß zu verhindern (2). Stehen verstärkt den Druck auf die Venenklappen.

Krampfadern
Ständiger Druck durch zu langes Stehen und schwache Klappen in den tiefen Venen können das Blut zu den oberflächlichen Venen zurücklaufen lassen. Diese dehnen sich aus – es entstehen Krampfadern.

Umkehrstellungen
Durch die Körperdrehung wirkt die Schwerkraft umgekehrt auf den Körper, Venenwände und -klappen erholen sich. Das Blut strömt zum Kopf und zum Nacken, ohne das Herz zu überanstrengen. Regelmäßiges Üben verhindert die Entstehung von Krampfadern oder lindert sie, und es beugt der Veranlagung dazu vor.

Das Gleichgewicht des Lebens

An jedem normalen Tag befassen sich Ihr Geist und Ihr Körper mit unzähligen verschiedenen Tätigkeiten, die Ihre Bedürfnisse befriedigen, Ihre Absichten ausführen und Ihnen Gesundheit und Leben sichern. Der Körper ist das vollkommene Werkzeug Ihres Geistes, er reagiert auf jeden Reiz, auf jeden Befehl, der übermittelt wird durch die Botensysteme – das Netzwerk der Nerven und die im Blut zirkulierenden Hormone. So wie sich das Nervensystem mit einem weitgespannten Telephonnetz vergleichen läßt, entspricht das endokrine (Hormon-)System der Klimakontrolle des Körpers und dem Wetterhahn, es bereitet Sie auf Ruhe oder Sturm vor. Beide Systeme übermitteln Informationen und lösen daraufhin Tätigkeiten aus. Untereinander regeln sie jede lebenswichtige Funktion für die Gesundheit des Körpers – seinen Zustand der Ruhe oder Erregung, seine Energieleistung und die Stabilität seiner inneren Umgebung. Auch Ihre Gefühle beeinflussen diese Systeme und werden von ihnen beeinflußt: Wenn Sie Angst haben, zeigt Ihr Körper die entsprechenden Symptome – schnelleren Herzschlag, Schwitzen, erweiterte Pupillen und so weiter. Zeigt Ihr Körper diese Symptome, fühlen Sie sich ängstlich.

Die bedeutendste Wirkung der Yoga-Asanas besteht im Stärken und Reinigen des Nervensystems, besonders des Rückenmarks und der Nervenbahnen (Ganglien), denn diese entsprechen den Wegen des Prana im feinstofflichen Körper. Die verschiedenen Asanas dehnen und beleben systematisch die peripheren Nerven, stärken sie und stabilisieren die neurochemische Übermittlung. Sie beleben auch das sympathische und parasympathische Nervensystem, das die willkürlichen beziehungsweise unwillkürlichen Funktionen beeinflußt. Signale des sympathischen Nervensystems lösen unsere Reaktion auf Notfälle aus – vor allem »Kämpfen oder Fliehen« als Alternative bei Streß, während gleichzeitig die vom Parasympathikus gesteuerten Funktionen wie Speichelfluß, Anregung der Verdauungssäfte sowie die Normalisierung des Pulses und der Atmung unterbunden werden. Asanas massieren und beleben alle inneren Drüsen.

Sind Nervensystem und Hormonhaushalt in Ordnung, werden Körper und Geist positiv auf Anforderung oder Bedrohung reagieren und rasch wieder normal funktionieren. Sind aber Nerven- und Hormonsystem nicht im Gleichgewicht, senden sie also ständig Notsignale aus, die eine Reaktion auf Streß fordern, so sind Erschöpfung, Bluthochdruck, Angst, Depression und nervöse Beschwerden die Folge. Werden die Funktionen der lebenswichtigen Drüsen unterdrückt, gerät der Stoffwechsel des Körpers aus dem Gleichgewicht – es treten Fettleibigkeit, Menstruationsbeschwerden und schließlich schwere Krankheiten auf. Untersuchungen haben gezeigt, daß Yoga-Übungen nur 0,8 Kalorien pro Minute verbrennen, im Gegensatz zu 0,9 bis 1 Kalorie in der Ruhelage und bis zu 14 Kalorien pro Minute bei körperlichen Tätigkeiten. Asanas wirken besonders positiv bei Bluthochdruck und Angst, sie aktivieren die Widerstandskraft gegen Streß und verbessern den Stoffwechsel – das Nervensystem gesundet. Leichte Yoga-Übungen kann jeder ausführen, selbst in kranken Tagen – ihre gesunderhaltenden Eigenschaften kann jeder für sich nutzen.

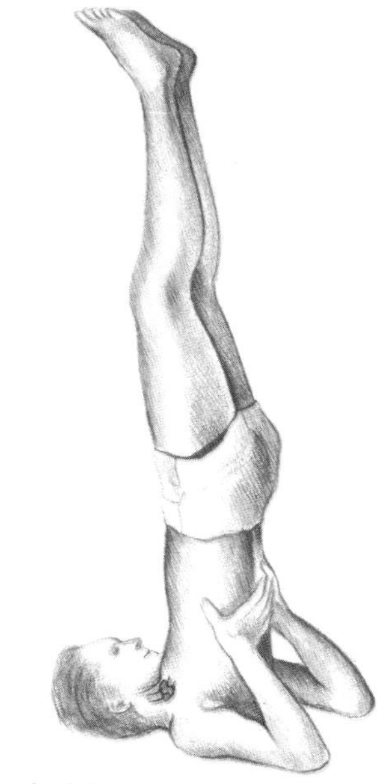

Schilddrüse und Schulterstand

Es gibt Menschen, die versprühen ein wahres Feuerwerk an Energie, können essen, was sie wollen, ohne zuzunehmen, während andere langsamer treten müssen und leicht zunehmen. Solche Unterschiede werden hauptsächlich von der Schilddrüse gesteuert. Bei Unterfunktion verlangsamt sich alles im Körper – Sie fühlen sich lethargisch und kalt, denken langsamer, verlieren den Appetit und nehmen dennoch zu. Bei Überfunktion verbrennen Sie viel Energie und neigen zu Gewichtsverlust, sind aufgeregt und nervös. Eine gesunde Schilddrüse ist die Voraussetzung für Ihr Wohlbefinden. Im Schulterstand werden Konzentration und Kreislauf direkt auf die Schilddrüse gerichtet, sie wird massiert und angeregt, ein gesunder Stoffwechsel kommt in Gang.

Drüsen

Sämtliche komplizierten chemischen Vorgänge in unserem Körper werden von den inneren, den endokrinen Drüsen gesteuert, die ihre Stoffe direkt ins Blut absondern. Ähnlich wie die zusammenarbeitenden Muskelpaare des Skelettsystems funktioniert auch das Drüsensystem nach dem Prinzip des Ausgleichs – ein Hormon regt eine Reaktionskette an, ein anderes unterdrückt sie; alle arbeiten in einer komplizierten Wechselbeziehung mit dem sympathischen Nervensystem zusammen und werden von der Hirnanhangsdrüse und letztlich von Geist und Gehirn kontrolliert. Das endokrine System vermittelt in der feinen Beziehung zwischen Körper und Geist – Gefühle wie Angst oder Wut, Liebe oder Kummer reflektieren hormonelle Aktivitäten und beeinflussen diese wiederum stark. Ein schwerer Schock oder ein Unglück treffen den ganzen Mechanismus und können Krankheit zur Folge haben. Yoga bringt dieses System wieder ins Gleichgewicht, bevor größerer Schaden angerichtet wird.

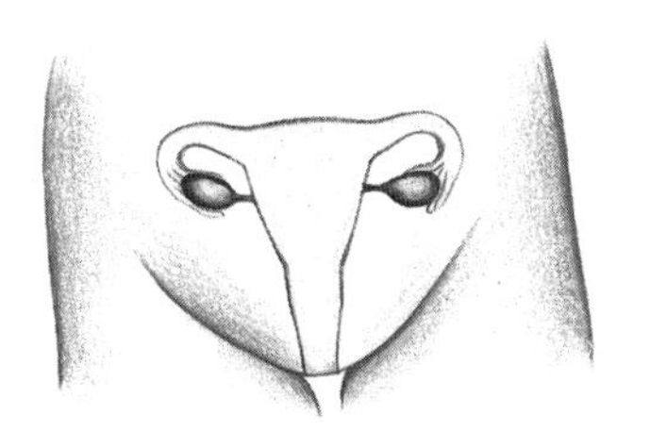

Weibliche Geschlechtshormone
Die Eierstöcke produzieren das Hormon Östrogen, das den Menstruationszyklus regelt, sowie Schwangerschaft, Stillen und die weibliche körperliche Erscheinung und Sexualität mitbestimmt. Vorwärts- und Rückwärtsbeugen massieren Gebärmutter und Eierstöcke. Die Kobra hilft besonders gut bei schmerzhaften oder unregelmäßigen Menses.

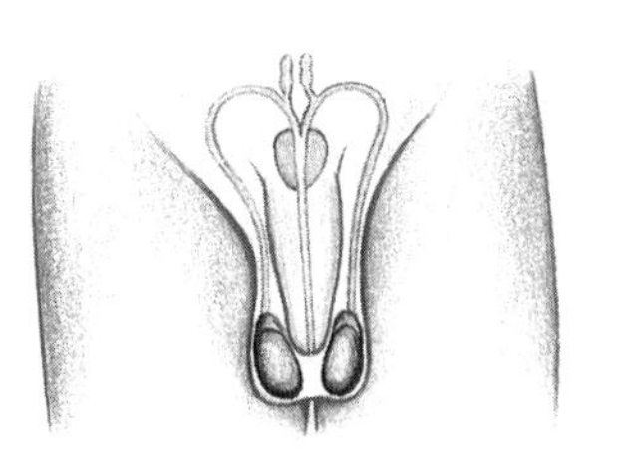

Männliche Geschlechtshormone
Die Hoden bilden das männliche Sexualhormon Testosteron. Regelmäßiges Üben von Asanas, Pranayama und Entspannung hält die männlichen Hormone im Gleichgewicht und löst sexuelle Probleme und Störungen.

Die Hirnanhangsdrüse
Diese Hauptdrüse steuert die Sekretion aller anderen endokrinen Drüsen. Sie selbst wird direkt vom Gehirn kontrolliert. Der Kopfstand ist das beste Asana für ein gesundes Funktionieren dieser Drüse.

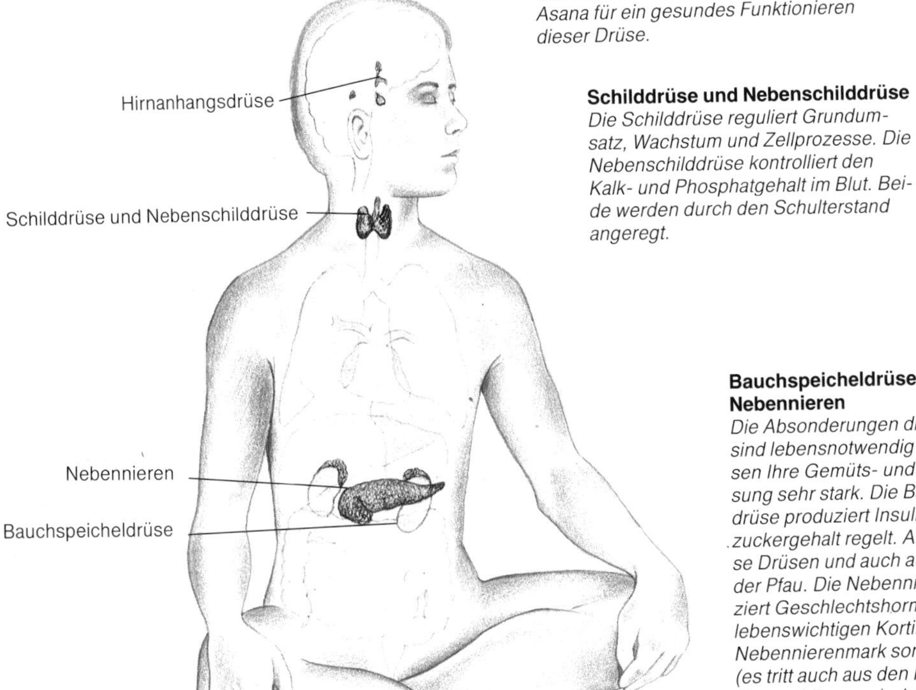

Schilddrüse und Nebenschilddrüse
Die Schilddrüse reguliert Grundumsatz, Wachstum und Zellprozesse. Die Nebenschilddrüse kontrolliert den Kalk- und Phosphatgehalt im Blut. Beide werden durch den Schulterstand angeregt.

Bauchspeicheldrüse und Nebennieren
Die Absonderungen dieser Drüsen sind lebensnotwendig und beeinflussen Ihre Gemüts- und Körperverfassung sehr stark. Die Bauchspeicheldrüse produziert Insulin, das den Blutzuckergehalt regelt. Anregend auf diese Drüsen und auch auf die Milz wirkt der Pfau. Die Nebennierenrinde produziert Geschlechtshormone und die lebenswichtigen Kortikosteroide. Das Nebennierenmark sondert Adrenalin ab (es tritt auch aus den Nervenenden des Sympathikus aus), das den Körper für »Kämpfen oder Fliehen« programmiert. Asanas, Entspannung und Meditation stabilisieren die Streßreaktionen und den Adrenalinausstoß.

Nerven

Mit einem gesunden Nervensystem können Sie jedem Lebensereignis mit Ruhe und Spannkraft entgegentreten. Alle Muskeln, Organe und Körpergewebe arbeiten dann reibungslos und leistungsstark. Ihre Sinneswahrnehmungen sind deutlicher und ein Gefühl von Vitalität und Lebensenergie durchströmt Sie. Das Nervensystem besteht aus einer Reihe einzelner Zellen (Neuronen), die sich aus einem Zellkörper und langen, faserigen Enden zusammensetzen, die Nervenimpulse und Signale schnellstens weiterleiten. Die Faserbündel zusammen bilden größere Nerven, die durch Ihre Asanas gedehnt und gereinigt werden. Durch Ausschwemmung von Giften aus dem Gewebe unterstützen die Asanas die Neurotransmission an den feinen Nervenenden und an Schaltstellen zwischen den Nerven. Nachgewiesenermaßen stabilisiert Yoga die Reaktion des Nervensystems auf Belastung, indem es die ständige Muskelanspannung infolge einer dauernden Alarmbereitschaft des Zentralnervensystems auflöst und unwillkürlich auftretende Symptome der Bedrohung – rasender Herzschlag, Herzflattern, Schwitzen, Angst – beruhigt.

Peripheres Nervensystem
Die Rückennerven treten paarweise aus dem Rückenmark nach jeder Seite des Wirbelsegments aus und verzweigen sich immer feiner. Die motorischen (wegführenden) Nerven übermitteln Befehle an die Muskeln; die sensorischen (hinführenden) Nerven überbringen die Information von den Empfängern. Das autonome System (Sympathikus/Parasympathikus), das zwischen unwillkürlichen Funktionen vermittelt, hat auch Verbindung mit der Wirbelsäule; der sympathische Nervenstrang, der an der Wirbelsäule liegt, wird durch Strecken der Wirbelsäule angeregt. Yogis können das sympathische Nervensystem willentlich beeinflussen.

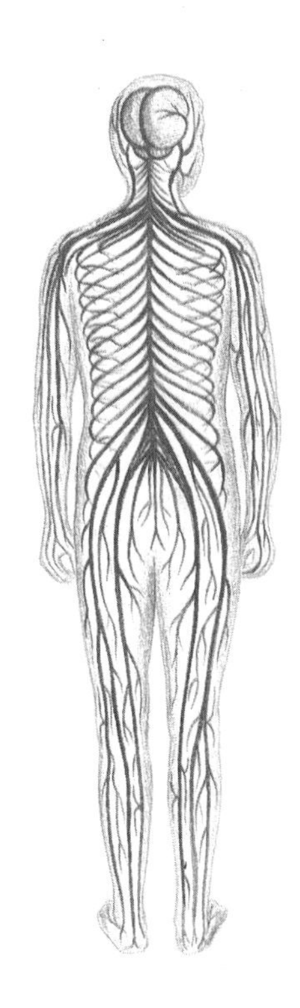

Zentralnervensystem
Das Zentralnervensystem ist das Kraftwerk und Kommunikationszentrum des Körpers. Von seinen tiefen Wurzeln im Rückenmark erstrecken sich die Nerven weit nach außen, um jeden Bereich des Systems zu versorgen. Im Rückenmark findet eine ununterbrochene Kommunikation statt: Impulse bewegen sich schnell an motorischen und sensorischen Fasern auf und ab, vom und zum Gehirn. Asanas wirken stark auf jedes Glied der Wirbelsäule, dadurch indirekt auf das Rückenmark, beleben die Nervenenden und befreien die Nerven vom Druck, der aus der Wirbelsäule auf sie wirken kann.

Verzeichnis der Sanskritausdrücke

Agni Sara ein → Kriya zur Massage der Verdauungsorgane; Agni heißt Feuer
Ahimsa Gewaltlosigkeit, ein → Yama
Ajna Chakra das sechste → Chakra, zwischen den Augenbrauen
Akarna Dhanurasana Pfeil und Bogen
Anahata Chakra das vierte Chakra, am Herzen
Ananda Glückseligkeit
Anjaneyasana Halbmond; Spagat
Anuloma Viloma Wechselatmung im → Pranayama
Apana der absteigende Atem; eine Manifestation von → Prana
Ardha Matsyendrasana Halber Drehsitz
Ardha Padmasana Halber Lotus
Asana Stellung, wörtlich: »Sitz«
Ashram Einsiedelei
Atman Selbst, Seele, Geist

Bandha Muskelsperre oder Kontraktion zur Kontrolle des Pranaflusses
Bandha Padmasana Gebundener Lotus
Basti ein Kriya zur Spülung des unteren Dickdarms
Bhakti Yoga der Yogapfad der Hingabe
Bhastrika eine schnelle Art von Pranayama; Blasebalgatmung
Bhujangasana Kobra
Bija Mantra Samen → Mantra oder Sanskrit-Buchstabe, mit dem Hinweis auf die Kraft einer Gottheit oder eines Elements
Brahma in der Hindu Dreifaltigkeit der Schöpfer
Brahman das Absolute
Brahmari eine Variation des Pranayama, Summ-Atem

Chakra eines der sieben Zentren der Prana-Energie
Chakrasana Rad
Chin Mudra ein Hand → Mudra, bei dem Daumen und Zeigefinger verbunden sind

Dhanurasana Bogen
Dharana Konzentration
Dhauti ein Kriya, bei dem der Magen durch Schlucken eines Tuchs gereinigt wird
Dhyana Meditation

Garbhasana Fötus
Garuda Asana Adler
Guna eine der drei Eigenschaften, die das ganze manifestierte Universum ausmachen oder → Prakriti
Guru ein Lehrer, wörtlich: »Entferner der Dunkelheit«

Halasana Pflug
Hatha Yoga Praktischer Zweig des → Raja Yoga, umfaßt Asanas, Pranayamas und Kriyas; »Hatha« bedeutet Sonne und Mond

Ida eines der Haupt → Nadis, fließt durch das linke Nasenloch

Jalandhara Bandha Kinnverschluß
Janu Sirasana Kopf-Knie-Stellung
Japa Wiederholung eines Mantra
Jiva Individuelle Seele
Jnana Yoga der Yogapfad des Wissens

Kakasana Krähe
Kapalabhati ein Kriya und Pranayama, das die Atemwege reinigt
Kapotha Asana Taube
Karma das Gesetz von Ursache und Wirkung, wörtlich: »Handlung«
Karma Yoga der Yogapfad selbstlosen Dienens
Krishna eine Inkarnation → Vishnus
Kriya eine Reinigungsübung
Kukutasana Hahn
Kundalini das Potential spiritueller Energie
Kunjar Kriya ein Kriya zur Reinigung des Magens
Kurmasana Schildkröte

Mala eine Perlenkette für Japa
Manas Geist
Manipura Chakra das dritte Chakra, am Sonnengeflecht
Mantra eine heilige Silbe, ein Wort oder ein Satz für die Meditation
Matsyasana Fisch
Matsyendrasana Drehsitz
Maya Illusion
Mayurasana Pfau
Meru die größte Perle einer Mala
Mudra Geste oder Haltung, um Prana zu kontrollieren
Mula Bandha Wurzelverschluß, Analsperre
Muladhara Chakra das erste Chakra, an der Wurzel der Wirbelsäule

Nadi Nervenkanal
Natarajasana Natarajs Haltung, Tänzerstellung
Nauli ein Kriya zur Belebung der Bauchorgane
Neti ein Kriya zur Reinigung der Nase
Nirguna eine Meditationsart, wörtlich: »ohne Eigenschaften«
Niyama eine von fünf Regeln der Selbstzucht

OM das Ur-Mantra
Oordhwapadmasana Lotus im Kopfstand

Pada Hasthasana Kopf-Fuß-Stellung; Hand-Fuß-Stellung
Padandgushtasana Zehenspitzen-Stellung
Padmasana Lotus
Paschimothanasana Kopf-Knie-Stellung
Pingala eines der Hauptnadis, fließt durch das rechte Nasenloch
Poorna Supta Vajrasana Diamant
Prakriti Natur, das manifestierte Universum
Prana Lebenskraft, lebendige Energie
Pranayama Regulierung des Atems, Atemübungen
Pratyahara Zurückziehen der Sinne nach innen
Purusha manifestierter Geist

Raja Yoga der königliche Pfad der Meditation
Rajas das Guna der Aktivität

Saguna eine Meditationsart, wörtlich: »mit Eigenschaften«
Sahasrara Chakra das siebte und höchste Chakra auf der Krone des Kopfes
Salabhasana Heuschrecke
Samadhi Überbewußtsein
Samanu eine Variation von Pranayama zur Reinigung der Nadis
Sarvangasana Schulterstand
Satchitananda Sein, Wissen und Seligkeit
Sattva das Guna der Reinheit
Sethu Bandhasana Brücke
Shakti das aktive weibliche Prinzip
Shanti Frieden
Simhasana Löwe
Sirshasana Kopfstand
Sithali, Sitkari Variationen von Pranayama, die den Körper kühlen

Siva in der Hindu Dreifaltigkeit der Zerstörer; die passive männliche Kraft
Sukhasana Leichte Stellung
Supta Vajrasana Kniende Stellung
Surya Sonne
Surya Bheda eine Variation von Pranayama, den Körper heilend
Surya Namaskar Sonnengebet
Sushumna das Hauptnadi, verläuft im Rückenmark
Sutra ein Aphorismus, wörtlich: »Faden«
Swadhishthana Chakra das zweite Chakra, an den Geschlechtsorganen
Swami Mönch

Tamas das Guna der Trägheit
Tratak Starren; ein Kriya und eine Konzentrationstechnik
Trikonasana Dreieck

Uddiyana Bandha ein Verschluß, bei dem das Zwerchfell nach oben gezogen wird
Ujjayi eine Pranayama-Variation
Urdhwapadmasana Lotus im Kopfstand
Uthita Kurmasana Balancierende Schildkröte

Vatayanasana Gaslösende Stellung
Vatyanasana Knie-Fuß-Stellung
Vedanta Philosophische Schule, wörtlich: »Ende des Wissens«
Vedas höchste Autorität der Arischen Schriften, Weisen in der Meditation enthüllt
Veerasana Krieger
Vishnu in der Hindu Dreifaltigkeit der Erhalter
Vishnu Mudra ein Hand-Mudra, in Pranayama benutzt
Vishuddha Chakra das fünfte Chakra, am Hals
Vrikshasana Handstand
Vrischikasana Skorpion

Yama eine der fünf Einschränkungen
Yantra eine geometrische Figur für die Meditation
Yoga Vereinigung der individuellen Seele mit dem Absoluten
Yogi der Yoga-Übende
Yogini die Yoga-Übende

Bücher, die weiterhelfen

Yoga

Aundh, Rajah von, *Das Sonnengebet*, Schröder Verlag, Flensburg.
Vishnu-devananda, Swami, *Das große illustrierte Yoga-Buch*, Aurum Verlag, Freiburg
Jenny, Esther/Keshava, Dasappa, *Yoga – Grundkurs für Anfänger*, Gräfe und Unzer Verlag, München.
Kupfer, Karl Heinz, *Yoga von A bis Z*, Econ Verlag, Düsseldorf.
Leboyer, Frederick, *Weg des Lichts* – Yoga für Schwangere, Kösel Verlag, München.
Lysebeth, Andre van, *Yoga*, Heyne Taschenbuch Verlag, München.
Erfolg im Leben und Selbstverwirklichung, Goldmann Verlag, München.
Wadulla, Annamaria, *Yoga für die Praxis*, Irisiana Verlag, München.
Yesudian, Selvarajan, *Hatha Yoga*, Drei Eichen Verlag, München.
Yesudian, Selvarajan/Haich, Elisabeth, *Raja Yoga*, Drei Eichen Verlag, München.
Yohari, Harish, *Das große Chakra Buch*, Bauer Verlag, Freiburg.

Meditation

Hittleman, Richard, *Yoga-Meditation*, Mosaik Verlag, München.
Huth, Dr. med. Almuth/Huth, Dr. med. Werner, *Meditation – Begegnung mit der eigenen Mitte*, Gräfe und Unzer Verlag, München.
Swami, Vivekananda, *Raja Yoga*, Bauer Verlag, Freiburg.
Vishnu-devananda, Swami, *Meditation und Mantras*, Sivananda Yoga Vedanta Zentrum, München.
Vishnu-devananda, Swami, *Erfolg im Leben und Selbstverwirklichung*, Goldmann Verlag, München.

Yoga-Philosophie

Feuerstein, Georg, *Der Yoga*, Novalis Verlag, Schaffhausen.
Swami, Vivekananda, *Jnana Yoga*, Bauer Verlag, Freiburg.

Atmung

Cardas, Elena, *Atmen – Lebenskraft befreien*, Gräfe und Unzer Verlag, München.
Leboyer, Frederick, *Die Kunst zu atmen*, Kösel Verlag, München.
Nakamura, Dr. med. T., *Das große Buch vom richtigen Atmen*, Scherz Verlag, München.

Entspannung

Brand, Pater Ulrich, *Eutonie – natürliche Spannkraft*, Gräfe und Unzer Verlag München.
Langen, Prof. Dr. Dietrich, *Autogenes Training*, Gräfe und Unzer Verlag, München.
Lindemann, Dr. Hannes, *Einfach entspannen*, Mosaik Verlag, München.

Fasten

Collier, Dr. Renate, *Wie neugeboren durch Darmreinigung*, Gräfe und Unzer Verlag, München.
Lützner, Dr. Hellmut, *Wie neugeboren durch Fasten*, Gräfe und Unzer Verlag, München.
Lützner, Dr. H./Millon, H., *Richtig essen nach dem Fasten*, Gräfe und Unzer Verlag, München.

Ernährung

Camsong, Thidavadee, Lüffe, Peter, *Asien vegetarisch*, Gräfe und Unzer Verlag, München.
Früchtel, Ingrid, *Vollwertkost*, Gräfe und Unzer Verlag, München.
Rittinger, Eva, *Vegetarisch kochen – köstlich wie noch nie*, Gräfe und Unzer Verlag, München.
Werner Monika, *Kochen mit ätherischen Ölen*, Gräfe und Unzer Verlag, München.

Register der Yoga-Übungen und -Begriffe

Sivananda Yoga Vedanta Zentren

Ferien- und Ausbildungszentren

Sivananda Ashram Yoga Camp HQ
8th Avenue, VAL MORIN
Quebec JOT 2RO, KANADA

Sivananda Yoga Vedanta Seminarhaus
Am Bichlachweg 40 A
6370 Reith bei Kitzbühel, ÖSTERREICH
e-mail: tyrol@sivananda.org

Sivananda Ashram Yoga Ranch Colony
Route 1, Box 228 A,
WOODBOURNE
N.Y. 12788, USA

Sivananda Ashram Yoga Retreat
P.O. Box N 7550,
NASSAU, BAHAMAS

Sivananda Yoga Dhanwanthari
Ashram, P.O. Neyyar Dam
Kattakada 93, Trivandrum Dt.,
KERALA 695576
INDIEN

Sivananda Ashram Vrindavan
Yoga Farm
14651 Ballantree Lane, Comp. 8
GRASS VALLEY
CA 95949, USA

Zentren

DEUTSCHLAND
Sivananda Yoga Zentrum
Steinheilstraße 1
80333 MÜNCHEN
e-mail: munich@sivananda.org

Sivananda Yoga Vedanta Zentrum
Schmiljanstraße 24
12161 BERLIN
e-mail: berlin@sivananda.org

ENGLAND
Sivananda Yoga Vedanta Centre
51 Felsham Road, Putney,
LONDON SW 15 1 AZ

FRANKREICH
Centre de Yoga Sivananda
123 Boul. Sebastopol
75002 PARIS

INDIEN
Sivananda Yoga Vedanta Centre
A-9, 7th Main Road,
Thiruvalluvavar Nagar
Thiruvanmiyur
Chennai (MADRAS) 600041

Sivananda Yoga Nataraja Centre
52 Community Centre,
East of Kailash
NEW DELHI 110065

Sivananda Yoga Vedanta Centre
37/1929 West Fort, Airport Road,
Trivandrum 695023
KERALA

ISRAEL
Sivananda Yoga Vedanta Center
6 Lateris Street
TEL AVIV

KANADA
Sivananda Yoga Vedanta Center
5178 St Lawrence Blvd.
MONTREAL, QUEBEC H2T 1R8

Sivananda Yoga Vedanta Center
77 Harbord Street,
TORONTO, ONTARIO M5S 1G4

ÖSTERREICH
Sivananda Yoga Vedanta Zentrum
Rechte Wienzeile 29-3-9
1040 WIEN
e-mail: vienna@sivananda.org

SCHWEIZ
Centre de Yoga Sivananda
1 Rue de Minoteries,
1205 GENF

SPANIEN
Centro de Yoga Sivananda Vedanta,
Calle Eraso 4
28028 MADRID

URUGUAY
Asociacion de Yoga Sivananda
Acevedo Diaz 1525
11200 MONTEVIDEO

USA
Sivananda Yoga Vedanta Center
243 West 24th Street,
NEW YORK NY 10011

Sivananda Yoga Vedanta Center
1246 West Bryn Mawr,
CHICAGO IL 60660

Sivananda Yoga Vedanta Center
1746 Abbot Kinney, Venice,
LOS ANGELES, CA 90291

Sivananda Yoga Vedanta Center
1200 Arguello Blvd.
SAN FRANCISCO, CA 94122

Unser Gesundheits-Programm

Um dauerhaft gesund zu bleiben, vertrauen viele Menschen heute wieder auf die eigenen Kräfte und gehen bewußter mit Körper und Seele um. Die **Ratgeber Gesundheit** von Gräfe und Unzer bieten Expertenrat zu aktuellen Gesundheitsthemen und eine Fülle von praktischen Übungsprogrammen. Sie zeigen, wie man die eigenen Kräfte mobilisieren und das Wohlbefinden steigern und erhalten kann.

Intensiv und umfassend informieren die **Großen GU Ratgeber** über wichtige Themen wie „Homöopathie", „Fasten", „Ätherische Öle" und „Heilpflanzen".

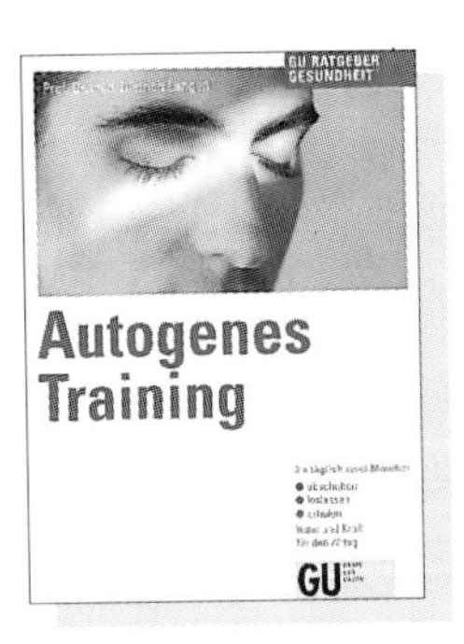

Mehr draus machen. Mit GU.